U0066426

艾雯全集 7

小說卷二

夫婦們

霧之谷

目次

Contents

艾雯全集7

小說卷二

夫婦們

夫婦們：台北市，復興書局，一九五七年八月初版。三十二開，一七一頁。

◎復興書局版原目：

楔子、夫婦們。

◎說明：

本集據復興書局初版編入。

人生最大的悲劇，莫過於牀笫間的悲劇。人生最大的幸福，也莫過於夫婦間那心靈的偎依，那深深的諒解與默契。

楔子

人類的繁衍，有賴於家，社會的進步，有賴於家，國家的富強，也有賴於家。而組成家的柱石，是「夫」與「婦」。夫婦間的關係是莊嚴而神聖不可侵犯的，是微妙而神祕的，但也是庸俗而平凡的。我這裡預備敘述的，便是一些平凡的夫婦間一些平凡的故事。但是，正如安徒生所說：「沒有一種故事，比生活自己所創造的故事更好。」這些平凡的故事，正是生活自己創造的，當初亞當和夏娃還創造了世界，誰又能判斷夫婦間平凡的瑣事不寓有無窮的真理！這裡的十幾對夫婦，便聚居在一個大雜院裡，彷彿自成一個部落。

大雜院座落在P市城郊，一道矮矮的板牆圈圍出一個長方形的小天地，圍門口原來有兩扇大門，只是現在已不知被改派什麼用場了。板牆也很陳舊，處處露出缺罅來。倒是挨著牆栽的那一排「花瓶」樹，長得挺蒼翠齊整的，有太陽時，它便投下一片蔭影；有月亮時，它便篩下斑斕的銀輝，平常日子南台灣的和風輕輕吹著，它總是隨著風擺動它那巨大的綠梳，梳理著掠過它頭頂的白雲——它們是大雜院門前最端莊美麗的哨兵。

院裡，緊密地連接著兩排房子，遠看就同孩子用積木構成的玩意兒似的，安置在院子兩邊。中間只隔著一丈來寬的空地，夏天裡彼此敞開那幾扇薄薄的玻璃門，坐在東邊屋的可以一眼望透西邊屋。只要左鄰門關的重些，右鄰便像感受到三級地震，而右鄰砰然打一張牌，會把左鄰熟睡的寶寶給嚇醒。就這麼密切偎依，聲氣相通的十來份人家，卻全有著不同的籍貫，不同的職業，不同的生活方式，性格上更有著顯著的不同。唯一相同之點，便是大家都是不願受迫害的一群，大家都有著同樣的信心，為暫時逃避紅禍，來自富庶廣袤的大陸。寶島是一隻風浪中的渡船，大雜院只是這艘永不沉的大船的一角，待度過這一段腥風狂瀾，再同返故園。

住在大雜院的居民是不會感覺到沉寂的，那些不停地在各個屋子門口進出的大人小人，那些不斷地從屋子裡傳出來的聲音，會使人聯想起春天裡的蜂巢。成天只見群蜂繞著忙碌，老遠就聽得一片嚶嚶嗡嗡的聲音。每天，每天，晨霧還沒有散開，院裡可就有了響動，小天使的哭聲便是起身號，接著一家兩家……玻璃門震天撼地的被拉開了，迎來一片價「包子、饅頭！」、「白菜、蘿蔔！」的叫賣聲，孩子們立刻像一群才從籠子裡放出來的麻雀，叫饅頭，叫包子的，滿院子追逐聒噪。男主人們一個個全齊集在廚房門口盥洗著，帶著睡醒後的飽滿精神，大聲漱口，刷喉嚨，彷彿誤吞入一隻蒼蠅似的。等那些上班、上學的腳踏車響著鈴聲遠逝後，又該是主婦們的班了，彼此邀約著，聯袂結伴的去上菜市，又結伴聯袂的回來，高聲談論著婆婆媽媽經。一會兒院子裡便瀰漫著令人窒息的煤煙，廚房裡奏起了煎炒交響曲，這家「噠噠噠」斫肉，那家「嗞嗞喳喳」煎魚，是誰家的母雞下了蛋，大驚小怪的啼叫，院裡的鵝呀鴨呀又給狗追得亂撲亂叫，主婦們尖聲吆喝著譴責著，各家的收音機嘈雜的播著南腔北調，還摻著辟拍的雀戰聲，從黑夜一直響到天亮，而孩子的吵架、哭喚和歡笑，更是各部交響樂章的插曲。成天浸沉在「聲」的總滙裡，卻訓練出同住在大雜院裡的我一份特別的能耐，就是習慣以耳朵代眼睛，不僅從聲音裡可以聽出那一個在講話，還可以從聲音裡分辨出誰家的誰又在做什麼。譬如說：這大雜院裡最動聽的聲音是……噢，讓我便先從擁有這動聽聲音的一對幸福的夫婦，開始我的介紹。

編註：本文原刊於《中華婦女》第二卷第九期，一九五二年五月，頁二十。

夫婦們

一

只要不是颳颱風的日子，在清晨夢迴人未醒的朦朧中，緊扣著夢地邊緣的是一個顫抖的女高音，拉長腔調反覆——啊著1234⋯⋯。那聲音乍一上來猶如把尖銳的錐子，一鑽就鑽進迷糊中的神經。一遍二遍重複而單調的響下去，又轉使人意識模糊——那是三號的莫太太施倩每晨的必修課，練嗓子。莫太太是院裡享有盛名的女高音音樂家。圓圓的臉，大眼睛，大嘴，有點像貓臉，而且老帶著些稚氣。小巧的身材，走路跳跳蹦蹦的，嘴裡不是哼著歌子就是嚼著口香糖。她在一個小學裡當音樂教員，可是有雄心要做管夫人、周小燕第二，因此，天一亮就吞一個生雞蛋，站在院後的土堆上一個勁地嘶喚。

「哎，成天跟這些小蘿蔔頭鬼混，真同對牛彈琴一樣。」莫太太施老師一跟人家聊起自己的抱負來，總顯得十二分委屈。「說起來什麼天才啦，資質啦，全是空的，主要的還是環境和機會，環境可以造成一切，而機會可以決定一切。要不是斷命的共產黨，現在我看：三

八、三九、四十、四一——嘿，我正好在國立音樂學院畢業了。」她說得那麼確斷而憤慨，完全忘記了三七年，她從女師畢業的那年同莫先生結了婚便停止了學業。

「唉，這一次動亂，國家不知耽誤了多少可造之才。」聽的人付給她一份同情的歎息。

「可是我並不灰心，我不相信努力會沒有代價。」

「那當然，天才加恆心，就等於成功。像莫扎爾特、蕭邦，他們不都是自學成功的？」聽的人又奉送一次勉勵。

「噢，有人說我的嗓子寬裡帶甜，有點像白光。」莫太太帶點忸怩地說，說完又把那對大眼睛盯住別個的嘴，彷彿期待著哪裡會掉出什麼甘果來。

「何止有點像！妳要下一番功夫，將來準比白光、荻安娜、竇萍她們還勝過一籌。」

這一頂高帽子一戴，莫太太立刻像戴上童話裡的仙帽般頓時一身都輕飄飄的，不知該怎樣才好，眼皮急速地眨呀眨的，眸子浸在一層水光裡，圓圓臉上泛起一團紅暈，恰似白麵包上擦了玫瑰醬。倏地一個轉身站起，也許為著報答知音想當場展一展歌喉，可是立刻又想到沒有鋼琴伴奏，於是她又坐下來激動地緊握著說話的人的手，熱情而感激地搖撼著，聲音還帶點顫抖。

「妳待我真好！我就苦悶這小地方沒有一個談得攏的人，以後，我將多多地在妳這裡汲取友情的鼓勵。」這時如果那說話的人說：

「莫太太，把妳的心挖給我吧！」她當真會毫不猶疑地找把刀剖開胸脯來。

莫太太與莫先生莫白秋可說是一對天生地設的配偶，照他們自己的術語說是「生活在藝術氛圍裡的一對」。沒有人清楚他過去是不是專修美術的，但他的確寫的一手能方能圓的美術字，畫幾筆印象派的畫也輪廓分明。蓄得長長的頭髮往後梳著，臉上常年架著一副寬大的黑眼鏡，將下巴更襯得尖尖的。雖是穿著一身軍服，但一點沒有軍人那副整潔抖擻的神氣，不是風紀扣沒有扣，便是階級符號忘了佩，一頂軍帽戴得歪歪的，右邊幾乎壓到了眉毛，完全一副不拘小節的藝術家派頭。走起路來上身俯向前，昂著頭，腳趾那麼一顛一顛，像按了彈簧似的，身子左晃右擺，就似鵝在踱步。

莫白秋在部隊上當一個藝術幹事，乍一見面，你會覺得他十分慷慨而熱心。他的口頭禪是「沒有問題」。什麼事你託他，他總是毫不考慮地一口應承下來：「沒有問題！」而且更喜歡慷慨地許諾人家什麼什麼的。可是結果呢？結果就沒有下文了。彷彿他的口與心完全是毫不聯貫的兩回事。記得我第一次去他家，十分欣賞他替莫太太畫的一張粉畫像。他立刻豪爽地說：

「沒有問題，幾時我替你畫一張。」

「真的？那太好了。」我真有點喜出望外。「那麼需要預備什麼材料不？」

「鏡框一個，白布一方，再有就是妳自己的照片，顏料我貼。」

第二天我就把他要的三樣東西送了過去，也許隔了三個星期，我第三次問起畫像。

「現在馬上就動手。」莫白秋拿起兩個蒙上布的鏡框板彈著灰塵，可是顏料呢？「快兩年沒攪粉畫了，噢，倩，見到我的顏料沒有？」

「你幾時交給我來？」

「我擱在這箱子裡的，還不是妳翻東西翻掉了。」

「胡說！你有多少寶貝給我糟掉過！」

「顏料就是畫家的生命寶貝。」

「嚇！這樣說我還糟掉了你的生命，你的生命原來這樣不值錢。」

「妳……」莫白秋頭髮往後一甩，向太太直瞪著眼睛。

「得啦，以後再找吧！越焦急越找不著，反正我又不等著要。」我連忙排解著，為自己引起的糾紛深深感到不安。

這以後，我不好意思再問，他也從未提起，直到我搬家以前，我告訴他用那個鏡框裝飾新居的牆壁。

「二天以內我一定替妳趕起來，一定。」他略帶歉疚地說。

畫果然如期送來了，可是我一直不敢掛，因為朋友都說那像「女匪幹」。自然，那不能怪莫白秋的技巧不高明，應該怪那張作底子的六寸著色照片已給黃色的老鼠尿浸得走了樣。

他倆有個共同的特性，就是對事物的「權」分不清，而且記性也差。常常借了別人的東西就忘記了主人。有一次莫白秋看中了朋友送我的一尊維娜絲小塑像，便向我借去說是他供他做模特兒，但我始終未曾見他畫過，卻儼然做了他書架上的裝飾品之一。我猜他們大概有不少精美的小擺設，全是這樣半借半占弄來的。後來那尊塑像忽然不見了，我向他們問起，他半天都想不起來，末了才問他太太：

「是不是那天你們的美術老師拿去了。」

「好像是吧！」莫太太也記不清。「過天我去要回來。」

可是「過天」她一直沒去拿，等到我再提起時，她忽然責怪地拍了我一下。

「妳看妳早不提醒我，黃老師這學期早就不幹了呀！」

莫太太有一次在學校裡演了一個話劇，這以後，她今天穿一件嶄新的大紅織錦的旗袍，明天換一套蘋綠凡立丁西裝，後天又是白色法蘭絨的披肩……一直穿到物主自己坐了車子來討，她才從身上脫下來歸還。

說起莫白秋與施倩的結合來，也還有一段傳奇哩！那時莫白秋在贛南一個小縣城的民教館任幹事，有一個時期他天天上午提了油漆和顏料，去一座大照牆上畫宣傳畫，而照牆對面便是施倩的家，施老頭子眼看一座潔白的，寫著「福」字的照牆給塗上紅一抹綠一堆的，不由得一肚子的懊惱。不想他唯一的千金小姐卻對這個十分感到興趣，每天他來畫時，她總是倚門欣賞。年輕的人是一團火，碰著就燃。很快地他兩人便由點頭而往來，由往來而戀愛，而海誓山盟。可是施老頭子說什麼也不肯將女兒嫁給這麼一個吊兒郎當的窮酸。不久莫白秋調差了。他走了不久，施倩就背著父親演了齣「逃婚」。

「那時父親恨死了我這個叛徒女兒，可是後來還是認了毛腳女婿。」莫太太得意地笑著結束她的羅曼蒂克時，總喜歡順手在莫白秋臂上擰上一把。莫白秋便兩肩一聳，扮個鬼臉。

他們倆的親熱勁兒，也怪讓大雜院的人眼紅的，總是挽著手進，挽著手出。一路咕咕咕咕，有說有笑，像一陣春風，到哪裡哪裡就有春天。兩人一同買菜，一同上下班，一個淘米，一個就生火，一個化妝，一個在旁邊端詳，吃一碗菜兩人還要相讓。

「白秋，這個菜心給你，甜得很！」

「倩，這個蛋黃留給妳，頂富營養。」

領到了薪水，她送他兩塊手帕，他送她一雙絲襪，上館子饕餮一頓，零食買上一大堆。沒有錢時，便一連吃上幾天的酸鹹菜。不管明天有沒有伙食錢，有好電影是不能不看的。逢上星期日，兩人便攜著毛氈，帶著乾糧，一出去就是一整天，沒事時兩人一唱一和地引吭高歌：

……

如果妳是花朵，我願成為樹木。

我們在一起融和！

不出去的晚上，兩人便玩著「蜜月橋牌」，賭注是「吻」，有時莫太太輸急了，便故意躲賴，兩個人繞著桌子笑著，追逐著，碰得椅子一片價響，捉到以後，據住在他們貼壁的錢太太說：雖然隔了層板壁，那「吻」的響聲，聽了還使人心悸。

他兩的感情像暴風雨式的，好的時候巴不得像水乳在一起融和。為一點小事，卻也會勃然掀起風波，唇槍舌劍，互不相讓。一個說「妳根本就不了解我」，一個說「你根本就不愛我」。

「這樣子怎麼還能生活在一起，」莫先生砰地捶了一下桌子。

「不能生活在一起，乾脆分開算了。」莫太太尖叫著，甜嗓子透過哽咽成了雉雞叫。

「撕啦！」一片片蝴蝶般飛落在門外，是毀了的結婚照片。

「拍搭！」結婚戒指從手上勒下來滾進了角落裡。

「我讓你好了！」莫太太揉著紅眼睛衝出門向左走。

「我讓妳好了！」莫先生一綹頭髮搭在臉上，氣鼓鼓地衝出門向右走。

上去拉的人全給他們摔走了。

當晚，全沒見他兩回家，大家替他們擔心。第二天我醒來已經很遲了，走到院裡汲水時，只見錢太太站在門口向莫家指指，又眨眨眼睛伸伸舌頭。我寧下神來一聽：只聽見男的哼著，女的唱著：

如果妳是花朵，我願成為樹木。如果妳是陽光，我願成為朝露。

我們在一起融和……

二

大雜院裡可以與女高音莫太太媲美的，是八號綽號「川辣子」的梁太太。梁太太粗啞的聲音一嚷，就似布槌子敲著破鑼，那聲響撞擊在耳膜上，心頭便有點空空的，說不出的不好受。破鑼若是在屋裡敲時，全院子哪一幢屋子都聽得到。破鑼若是在院子裡敲時，那麼，走在馬路上的行人準得回過頭來向院門裡探望。不管白天黑夜，她總像一隻才變粗嗓子而不按時亂啼的小公雞般，用最惡毒的名詞呼喝那整天牛馬般操作著、供她奴役的姑娘：

「死丫頭，妳的靈魂出了竅？這煮的是什麼稀飯呀？」

「妳這短命的娼婦，倒這樣燙的洗澡水要燙死我嗎！」

「餵隻豬嘜餵肥了也賣個千兒八百，白白的米飯養妳這死囚……」

這時要是那被罵的姑娘在廚房裡弄響了器皿或是咕嚕二聲，給她聽到了，她立刻一陣旋風似地從房裡直旋到姑娘身邊：「妳這敗家精，妳想拆房子嗎，妳在咒我喲！妳……」一時興起，拳頭便擂鼓似地落在姑娘的背上。有時抽著煙，就用燃著的煙支向她臂上灼去，或者是罰跪在廁所裡。

她那姑娘秀寶看著也有二十多歲了，矮登登的身材，厚唇、扁鼻，戇實而有點蠢俗。挨了打不是刺蝟似地在牆角裡蜷縮成一團，就是一面哭泣著一面仍舊不停地做事。有時鄰居看著不平，等著她嫂嫂不在，悄悄地問她：

「妳嫂嫂打妳時，為什麼不躲開呢？」

她眨巴著小眼睛不安地瞥了一眼說話的人，然後望著地下遲鈍地說：「回頭她可打的更兇哩。」

梁太太是這院裡有名的潑婦，光聽到她那粗啞的聲音，人家會猜想她是一定生得高頭大馬的。其實不然，她生成一支電線桿似的瘦長個子，狹長的騾臉，顴骨突得高高的，尖削的鼻子下橫著一張闊嘴，嘴唇皮薄至欲無。講起話來很快地左一掀右一扭、活似一收一放的荷包口。突出的顴骨上，老是搽上二團鮮紅的胭脂，頭髮用紅綢子紮成棕帚似地翹在腦後。別

編註：第一節原刊於《中華婦女》第二卷第九期，一九五二年五月，頁二十～二十二。

看她那麼瘦骨嶙嶙的，精力卻比誰都充沛。一睜開眼睛，破鑼似的嗓子就敲一個不歇，叱丈夫，罵孩子，打狗罵雞，而姑娘秀寶更是她沒事時的出氣筒。那些字彙、名詞、形容詞，就像整串整串串好擱在肚裡，一拉出來就是連續不斷的一大串，聽的人簡直連聲氣都接不上，別說岔嘴了。而罵起架來一手撐腰，一手指指戳戳，那姿勢再像一把錫鑄的酒壺沒有了。

至於她的丈夫梁必正看來卻完全相反，平時似乎很少聽見他的聲音。他的長相同他妹妹十分相像，也是個胖登登的圓身體，寬下顎，厚厚的嘴唇有點向上翹，狹狹的眼睛總嫌眼皮的負擔過重了似地半開半睜著。講起話來老是眨巴著畏葸地看著地下，彷彿人家的眼光都長著刺似的。有時太太跟他嘮叨了半天，他悠悠悄悄地答上一句二句，太太要一發雌威打起那面破鑼，他又急得只會反覆地說：「嘖，咳，何必呢？何必呢？」一面說一面習慣性地伸起手來摸著左耳朵，一直要摸到紅成半片紅菱殼。

梁必正在稅捐處當個什麼會計的，上班下班常常挾著大本大本的簿冊，身上一年四季老是一套不黑不青的中山服，只要他一回家，他家四個正在翻陰溝、弄爛泥、一身泥污不堪的孩子就像撿到了寶貝似的，一窩蜂擁上去。不管他盡嚷著：「看弄髒了衣服，弄髒了衣服！」八隻齷齪的小手早便牽衣拖腿地纏進屋子去。

「爸爸，同我們來躲迷藏。」

「爸爸，同我們擺姑姑筵。」

「不，我要爸爸做馬騎。」

「爸爸做隻大烏龜四隻腳在地下爬。」

梁必正惶悚地瞥一眼太太，連忙喝住孩子。但這時如果逢上梁太太正高興呢，她會把眼珠子一斜，帶笑帶罵地說：「小鬼，看我不撕歪你的嘴！」

於是做爸爸的帶頭，孩子們一齊哄然大笑。

要是逢上梁太太正打牌輸了錢，或什麼的一肚子懊惱，聽他們一吵，便亮開嗓子一陣叫嚷：「你們要造反喲！神號鬼叫的，小鬼鬧了一天不夠，大鬼回來也不管管，還要跟著一路起鬨。」

立刻，屋子裡一下子鴉雀無聲。一歇，又聽見孩子們用抑制的聲音，在要脅著向他們搖手眨眼的父親講故事。

梁必正待她妹妹還不算苛刻，但礙著太太的面上也只得佯作漠不關心。記得還是他們才搬來這院子不久，梁太太第一次在廚房裡發揮她對姑娘的「親善」，院裡的人差不多全好奇地在門窗口向這邊鬧聲的來源探望著。梁必正局促不安地在屋裡咳著扯著耳朵，小心地向太太勸阻：「得啦，得啦，大事化小事，小事化無事，別讓人家瞧著不好看。」

「什麼！」川辣子像火上加油般直竄起來。「你還有臉偏護你的寶貝妹妹！好，你們兩兄妹聯結起來同我作對，我偏打給你看，打死了一命抵一命。」

梁必正給她嚇住了，再沒作聲。從此，逢上太太打妹子，他不是裝聾作啞，就是索性帶著孩子往外走。

有一次，梁太太也是輸了一場麻將，回家又巧逢秀寶把一鍋飯燒焦了，她脫下腳上穿的高跟木屐便著力在秀寶頭上亂磕了一頓，發洩夠了，自己又出去了。秀寶額頭頂著杏子大的幾個青紫的包，飯也沒有吃，蜷縮在廚下哭泣了半天。待梁太太回來時，卻再不見她的影子了。到晚上一檢查東西，少了幾件她自己的換洗的衣服。

「秀寶逃走了？」第二天院子裡的人這麼傳說著。

「哼！逃走？沒有那麼容易。身分證還扣押在這裡哩。要不客氣就報她一個捲逃……」梁太太說。

可是第三天、第四天過去了，秀寶還是沒有消息。梁太太只是在必須自己燒飯料理家事時，咒上幾句。梁必正究竟是自己骨肉，也許是受良心的譴責，臉色可陰沉了下來，厚嘴唇也翹得更高了，一肚子的苦惱，卻又不敢錯怪一聲太太，只是悶著頭出，悶著頭進，連孩子都不理會。

秀寶的行蹤打聽出來了，就在本城幫著人家，梁必正說好說歹保證嫂嫂不再虐待她，這才又接了回來。回來後梁太太確有一陣子沒有打她，只是罵得更刻毒、更下流，看得像眼中釘似的。她最好的牌友趙太太便趁機勸她嫁掉她。

「這就叫做嫂子的難囉，嫁早了，人家說我容不得她，嫁遲了吧，又該說我耽擱她了。再說，又有哪個要娶她這蠢豬樣的人。」梁太太說起來總是冠冕堂皇的。趙太太就說她有個人倒很中意她，那是她的遠親，在空軍做機械士的。

「這事我可不便做主，還得問問她的親哥哥。」梁太太故意推託著。不想過幾天，趙太太自己去問了梁必正，梁必正居然一口做主允承下來。梁太太搶著聲明在先：她這裡是沒有一文錢陪嫁的，但聘禮必須要多少。

到訂婚那天，男家擺了一桌酒，請了三次才把梁太太請去。席散後，趙太太笑著提議讓他們小倆口去逛半天街。梁太太沒有答允也沒有拒絕，只乾笑著在鼻子裡哼了一聲。當時未婚夫婦回來時已是傍晚了，只見梁家爐子沒有生火，梁太太一手抱著孩子臉朝外坐在堂屋中央，臉色鐵青像廟裡的菩薩。秀寶怯怯地喚了一聲「嫂嫂」，梁太太連眉毛也不曾動一動。秀寶怔了一怔，又試著上前二步，陪笑著提起手裡的提盒，「嫂嫂，這糖果是買給侄兒的……」她的話還沒有說完，梁太太驀地伸出手來一把奪過提盒，猛然向門口擲去，掠過那愕然站在門口的新女婿，和正笑嘻嘻走來的趙太太，砰然跌碎在地上。

「誰稀罕吃妳的糖果！不要臉的娼婦，人還沒有過門吶，就跟著男人瘋來瘋去，飯也不煮，火也不生，妳吃一天梁家的飯還是梁家的人，不要以為有男人撐腰，就封了王，別在這裡嫌眼了，還不給我去廁所裡跪上遮遮醜！」

秀寶給罵得氣都不敢透一聲，畏縮地向廁所挪了二步，突然又停下來站著，像給釘子釘住了似地再也不動一動。

「妳到底去不去跪上！」梁太太咆哮著，秀寶的厚嘴唇抖呀抖地，忽然出人意外的從牙縫裡迸出低沉的聲音：

「我不去，今天是我的好日子。」

「什麼！妳……」梁太太像一頭給惹怒的野獸暴跳起來，回頭在桌上找著什麼可摔的東西，秀寶一下子居然變得機靈起來，不等東西給摔過來便逃了出去——

秀寶出嫁後，梁家接連僱過四個下女，但沒有一個肯待上三天的。這下可累壞了梁必正，他比院子裡哪家的主婦都還起得早，一起身首先便悄悄地把尿盂給倒了，燃上爐子，熬好稀飯招呼上學的孩子吃過，於是上菜場把菜買好，這才換上那件四季常禮服，向兀自躺在牀上的太太說聲：「我去了。」梁太太在牀上懶一會，在廁所裡又蹲了半天，抽一支煙，有要沒緊地把稀飯吃了。頭不梳，房子不檢，一開始檢菜弄飯先就叱大喝小，罵雞打狗的，把鍋砧鑊刀弄得一片價響。常常梁必正下班回來了，菜還不曾弄好，迎著他的是太太的怒氣沖沖的冷面孔，向他抱怨廚房太熱，爐子不好，炭又濕的，孩子們吵死人，頭痛得快裂開來了，梁必正倒反陪著笑臉，義不容辭地接過鍋鑊來，請太太去休息休息，吃了飯，把碗洗了。太太要去會周公，梁必正可又得上班去了，下午回來還得加上擦榻榻米，替二個小的洗澡……

梁家的四個孩子亦是這院裡的小霸王，整天舞刀弄棍鬧事惹非，做母親的從來不聞不問。他們會在人家刷白的牆上用黑炭塗得一塌糊塗，會把人家養的小貓用索子勒著頸淹死在溝裡。誰家樹上要結上些果子什麼的，不到成熟早給摘個精光，跟同院的孩子們打架更是常事，大人說他們幾句，他們立刻撐著腰，學他們媽媽的樣子信嘴亂罵。

自從秀寶出嫁後，梁太太不僅沒有人侍候她，更少了個發洩的對象，一股怨恨不由地轉移到貼鄰作媒的趙太太身上，兩人由疏淡而變作仇視，冷言冷語已不只一天，梁家的孩子也許善於揣摸他母親的意思；清早黑夜偷偷地把大便一堆一堆地拉在趙家門口，趙家的孩子一出來，他們便用棍子指指戳戳地罵粗話。那天趙太太實在忍不住了，嚷著：

「姓梁的，請妳管教管教妳的孩子好不好！」

「噯，什麼事喲！」梁太太故意裝模作樣地走到門口，把頭那麼一側，帶著淡淡的笑，一字一頓地說：「是我的兒子偷了妳的，搶了妳的，還是踩了誰的尾巴……嗄，他們罵人，是指著妳們姓趙的罵哪？再說，自己不做虧心事，孩子們的說話，也不必硬沾得去呀！」

「哼！孩子們的說話？有家教的孩子嘿，本來跟做娘的一根腸子……」趙太太也不甘示弱，二人妳一句我一句，越說越厲害，繼之是破口大罵，頓腳拍手，口沫四濺，梁太太先一拳揮去，二人竟然扭作一團。揪呀，掐呀，矮壯的趙太太行動究竟要笨拙些，打了幾個回合卻被梁太太壓在身底下，急得把二隻腳在地上亂踢亂頓，雙手緊抓住梁太太的頭髮不放。鄰居有看不過的上去拉架，這裡才把二人拆開，扶起趙太太，猛不防梁太太一頭衝去，對正趙太太高高隆起的胸脯便一口咬住不放。旁邊的人還把她向後拖著，只是趙太太「喲！」一聲，連忙兩手捧住胸脯蹲了下去，因激動而紅漲的臉剎時變得慘白，眼裡迸出了淚水——手一放，月白色的麻紗旗袍上立刻滲出一灘殷紅的血跡。

梁太太如同一隻鬥勝的公雞般朝地下吐了口口涎，頭昂得高高的，也不管撕破的旗袍裸露出胸前一排排骨，滿不在乎地理著那扯亂的頭髮，重新把紅綢巾一紮，那截棕帚翹得更高了，抖動著，活似豎起的公雞尾巴。

打過了這一架，梁太太更是志得氣傲，成天藉著幾個孩子指桑罵槐的。可是院子裡的太太卻因此對她有些側目而視。而最使人起反感的是她的沒有公德心，院裡的溝渠原是蜈蚣形般縱橫貫通的，梁太太懶得倒畚箕，便把些菜葉、番茄皮、煤屑什麼的全丟在溝裡，孩子們的大小便也痾在哪裡，不僅蚊蠅麕集，穢臭不堪，甚至總溝亦為之堵塞，鄰居受累不淺，怨言嘖嘖。

「這溝臭死了，明兒個發起瘟病來可不得了。」

「可不是，好好人住的屋子，糟成豬窩似的。」

六號趙太太與十號倪太太各自打掃著界限——溝這邊的坪地，憤憤地搭訕。忽然

「嘩！」的一聲，從八號裡傾出一盆污水，差點濺在二個左鄰右舍身上。梁太太在屋裡大聲咕嚕著：

「臭美！這院裡住的本來是些豬。」

「唉呀！梁太太妳罵人可不能這樣罵哪！」趙太太故意提高了喉嚨說：「怎麼說院子裡住的全是豬呀？」這一嚷，可比什麼號召都靈，立刻一個個門裡全探出頭來，七嘴八舌地問：「誰說院裡子住的全是豬呀？」

「咦，妳們說這院子是豬窩，那麼豬窩裡住的不是豬是什麼！」梁太太兩手叉著腰站在門框裡，擺出一馬當關的陣勢。

「是哪個頭上多長了二隻角的可以隨便作踐人嘛。」

「隨便罵人可要用屎草紙揩嘴的哪！」忽然太太們全取了敵對的態度站出來，有幾個索性聲勢洶洶地過來向梁太太提出責問。梁太太也體會到眾怒不可犯，有點氣沮，但嘴裡仍舊說得很硬：「人家說得我就不能說嗎？妳們是仗著人多想欺侮人哪！」

「妳倒說說看，憑什麼罵人家全是豬！」

「說出來！」「說出來！」聲勢是越來越兇了。

「咦，人家說得我說不得嗎？」梁太太幾乎收不了場，只是反覆地說著這句話。正好先生們三三兩兩下班回來，驚慌失措的梁必正，立刻給太太們包圍了。

「梁先生，你來給評評理看，你太太無緣無故竟罵我們全院子住的全是豬！」

「這個，咳咳……」梁必正拚命瞪著眼睛，對太太們看也不敢看一眼，就像一頭被獵犬追逐中的兔子。手指習慣地碰上耳朵又無措地放下來，偷偷望一下失了威勢的太太，囁囁囁囁地說：「也許，也許內人一時失言，請各位原諒！」

太太們見川辣子受窘，也就順勢咕嚕著收場，不想剛轉身，猛聽的背後一陣暴雷似的響動，原來梁太太氣焰又長，正一把扯住梁必正的領襟，頓腳撻地地撒著潑。

「死鬼！你這懦夫，膿包，沒出息的死王八。自己老婆受人欺了，你還低頭陪罪！她們是你的姑奶奶還是你的祖八代，要你這樣子討好！算我瞎了眼，嫁給你這沒用的！烏龜！哪……」

「唉，唉，這算什麼！」梁必正慌亂地扶著領子，面孔漲成了豬肝色，大顆的汗珠從額角滲出來，忽然靈機一動，挪出一手把房門給拉上了。

門裡還是不斷地傳出來咒罵聲，頓腳拍桌聲，和拳頭擂在身上的響聲。四個孩子帶著看西洋鏡的神情，爬在門罅裡看著。看了一會，老大不感興趣地向老二扮了個鬼臉，兩人重又爬在地上打著彈子。老三將兩支掛到嘴上的黃膿鼻涕擤下來朝趙家牆上一抹，也在一旁蹲下來看。老四卻聚精會神地拿樹枝攪著才痾在地上的便溺。

晚飯後，大家全在院裡納涼，八號的吵鬧聲似乎已沉寂了，隔了一歇，梁必正躡手躡腳地出來放了盆臉水進去——

三

梁太太撒潑的隔天早晨，我同著錢太太在菜場買菜，在一家牛肉攤前，梁必正也推著掛有菜籃的腳踏車過來，看見我們，搭訕著招呼道：

「買牛肉嗎？這牛肉看上去好得很哩。」

「是喲，你不買點麼？」錢太太說，怪親切的。

「我倒很喜歡吃。」梁必正嚥了口唾沫，眼睛故意從牛肉上移開去。「可是內人不愛吃——她有胃病，嫌牛肉不消化……咳咳，我先走了。」

「說得怪可憐見的，要不是怕梁太太連碗給摔出來，我真想煮一碗牛肉送他。」錢太太見梁必正走遠了，搖著頭說：「真是有那樣的太太，便有這樣的丈夫。」

「可不是，誰要像你們就好，有這樣能幹的太太，也有那樣賢德的先生。」我笑著打趣她。

編註：第二節原刊於《中華婦女》第二卷第十期，一九五二年六月，頁二十四～二十五；第二卷第十一期，一九五二年七月，頁二十五。

「什麼好不好，患難夫妻罷了！」錢太太嘴裡這麼說著，卻掩飾不住內心的高興，臉上的肉往頰上一擠，鼻旁便平添了一個八字。

在大雜院這一帶居民裡，錢家兩口子確實可稱得是模範夫妻了，雖然兩人都四十上下，大女兒進了師範，二個兒子也上了中學，平常總是有商有量，相敬如賓，誰也沒聽見哪個大聲叱喝過，由於父母的薰陶，姊弟間也十分和睦，家庭裡瀰漫著令人羨慕的融融洩洩的氣氛。日常生活安排得很有秩序，他們是江西人，生活習慣完全保持著江西贛南那種勤儉、耐勞的美德。

四十邊正是女人發胖的年齡，錢太太便有一副圓圓的中等身材，同字形的臉蛋卻不胖的難看，那些長出來的脂肪恰好填平中年人該有的皺紋，只在笑起來時才隱隱地在眼梢拖上兩截魚尾。明銳的眼睛和緊抿時稍稍下垂的嘴角，顯示著她的幹練和意志堅決，她一年到頭梳著一個彎彎的香蕉頭，一年到頭是一襲陰丹士林旗袍，冬天夏天，只在袖子上有個分別。別看她一天忙到晚，看見她時，頭髮總是光光的一絲不亂。藍布旗袍也穿得乾淨合適，整潔俐落。

錢太太待人很和氣，說話帶著點詼諧。看起來是個很隨便的人，但做起事來卻不含糊，她心裡計畫好要做什麼事，就做什麼事，哪怕錢先生反對，或是遭遇了困難，她還是要做；如果這件事失敗了，她也絕不追悔、懊惱，也許就為著這一點，錢先生也服她三分。

錢文清先生也不過大錢太太三、四歲，在外表上卻比錢太太蒼老得多了。一副細長身材，背有點兒佝僂，兩頰瘦削，因此襯得那根鼻子更挺直，淡至欲無的眉毛，眼睛有點倒掛，怪和氣的像羊眼，穿的衣服寬寬蕩蕩的，彷彿卦在衣架子上。他在什麼建築公司工作，一下班回來，手裡不是拿著釘錘，便是弄著鋸子，這裡敲敲，哪裡釘釘，要逢上錢太太正踏縫紉機，這裡軋軋軋，哪裡叮叮嗒嗒，合成一部勞動交響曲，讓人一聽會認錯那幢屋子是工廠什麼的。不論做個什麼，做了一陣子，錢先生一定會像小孩子要大人稱讚似的，喚他太太。

「妳看這樣好不好？」「這樣可不可以？」這樣問著，眼光也就等待什麼似的凝注在錢太太臉上，於是，錢太太不管在做著什麼，也就馬上停下工作，瞇著眼睛仔細端詳一番，然後若有其事地提出意見：「這邊稍微矮了一點，左邊，對了。」「上面最好再加個釘子，噯，這就更好了。」經過這一番審視、考評、修改，錢先生這才認為自己的工作業已功德圓滿，滿足的笑意從下垂的眼梢滑下來，填滿了臉上的皺紋，於是搓搓手，又在臉上連鼻子帶眼睛的一陣撫摸，歡快地燃上一支香煙——這恐怕是家裡唯一特許的消耗，可是也有限制：二餐飯後，上廁所，再有就是工作完成，一天頂多不過抽五、六支。

錢家住的是這院裡天字第一號，正靠著院門，因此除了後園前坪，屋子左側還叨著一片空地，原來草長得長長的，偷懶的居民們還把燒過的煤渣在哪裡堆成了小丘，看著十分蕪亂；可是等錢家搬進來，不到半個月就完全變了樣子，不僅垃圾清除了，如今從矮籬裡望進去，紅的是番茄，綠的是扁豆，青蔥的是菜，竟是一座可愛的菜圃。菜圃後面的拐角上，又搭了一個豬窩，後院便是雞棚，這統統是動員了一家子五口的成績。錢先生可真是個改造專家，什麼廢銅爛鐵，到了他手裡也就變得有用了。譬如說他家小巧玲瓏的家具，全是用肥皂箱什麼改製的，雪白的牆是自己刷上的鉛粉，牆上還懸了二個別致的樹皮鏡框，漂亮的燈罩是用笠帽蒙上舊綢子，燒酒精時他家的燈子頂省油，是用油墨罐子改的，他家燒煤的爐子是用破鉛桶塗上了黃泥，燒起來又頂旺⋯⋯他另外還發明了一種活動酒精爐，不時製幾個寄存在一家店鋪裡出售。

他們把每天的時間都安排得十分恰當，一清早錢太太起來煮稀飯，錢先生便餵雞，女兒收拾房間，兩兄弟把菜澆了。等他們上班的上班，上學的上學，錢太太一個人便進進出出不停地買菜、飼豬、擦榻榻米、煮飯，最近更添置了一架縫紉機，一到了下午二、三點鐘，整幢屋子都靜悄悄的，錢太太便面對著院子，在縫紉機上忙碌起來。茂盛的瓜棚在門口投下一片蔭影，滿院如火的太陽就只有這一角綠色透著陰涼。在這時有一些清閒的主婦，很多愛上她家聊天的，或是拿些布料什麼去請她裁剪，人家要稱讚一聲勤快，她總是說：「反正閒著也就是閒著，手裡有點事做嘍，時間也好過些。」

「妳一天做到晚，也不歇會兒，不累呀！」

「牛兒套鼻環，慣了也就不覺得啦。」

「那是妳身體好！」說的人只得把她的能幹歸功於她的身體。

「妳說我身體好呀！告訴妳，人是賤的，不鍊不成鋼。」她將針熟練地一扎，把一件美麗的童裝拾起來抖了抖。「記得在大陸時，有人燒飯洗衣服，什麼也不做。閒著便上左右隔壁去摸摸紙牌，妳們猜我那時是個什麼樣子？瘦得呀，瘦得站在雨縫隙裡還淋不濕。可是看我現在，胃病也好了，辣椒白菜，照樣不折不扣的兩碗半飯。那時直怨不長肉，現在一想，別的不怕，就是可別再往橫處長，不然血壓一高，腦充血可不得了。」

她這麼一說，可把聽的人全笑彎了腰。

錢太太可真愛她的雞，一進雞房就得蘑菇上半天，裡面打掃的簡直連人都可以住下。她的雞不但每隻有一個別致的名字，而且每一隻的個性她都深知。她親切地呼喚著雞兒們，就同喚自己的子女似的。有時打從她後牆走過，常常聽見她一個人在院裡喋喋不休地：

「別急，別急，慢慢來，大家都有份……喲，怎麼啦，小白玉，又是霸王欺侮了妳！怪可憐的，多吃點兒吧……喂，大傻子，棒棒腿可不許打架喲……太后，看踩著妳的兒子了，真是，走路得小心點……黑兒真乖，今兒又下蛋啦，待留著明天給妳抱小寶寶……」嘿！原來正一股勁地跟雞兒們扯談哩。

晚餐過後，該是錢家最熱鬧溫馨的時候了，大家幫著把碗洗了，澆過菜，正好停電時，一家子便在瓜棚下坐著談天，孩子們總是搶著先說一些自己學校裡怎樣長，怎樣短。接著錢先生便來報導新聞，上自中日和約、巨濟島事變，下至少女騙金、瘋狗咬人。錢太太的話題總不離茄子開花，番茄結了幾個，什麼雞生了多少蛋。錢太太愛批評，愛發表高論，有時兩口子就像開什麼辯駁會似的，會為了一則社會新聞抬起槓子來，當轟動一時的朱振雲情死案才刊登出來時，錢太太就憤激地把王石安痛罵了一頓，然後下了一個結論：

「男人都是壞東西。」

「蒼蠅不叮無縫的蛋。」錢先生說。

於是二人便你一言我一句地辯論起來，末了，錢太太抬出了大帽子。

「批評一樣事情，要有公正的立場和道德的觀念。」她侃侃而論：「我所以同情朱振雲，只因她是被害的犧牲者。如果你存心要偏袒男人，認為男人這種行為是對的，那麼你可以說王石安無罪。」

「妳總有道理。」也許是故意放棄，也許是不便辯論，錢先生總是適可而止地這麼說一句做為結束。

「當然囉。」錢太太為自己的勝利卻要高興半天。

若是天氣涼快，他們還得在燈下做點事，逢上炎熱的夏晚，便把屋子全讓給孩子們溫課。他倆便這麼摸黑著在黑地裡坐著。拍拍蚊子，唧咕一會，錢太太把香蕉頭拆散了，又篦又扇的，一直梳到自己滿意了，這才鬆鬆地挽成二支辮子，錢先生一見這睡覺的標記，便又打哈欠又伸懶腰的，站起來把椅子端進屋裡，錢太太還得上菜圃悄悄地澆一道肥料，進屋去自來水又響個半天，才見燈熄了。

錢家的財政大權雖然操縱在錢太太手裡，經濟卻完全公開。錢太太用錢也有自己的一套會計學，在一隻屬於她的抽屜裡，便擱了五六隻紙袋，上面標註著伙食、教育、水電、雜費等項類，每個袋裡都裝著預算好一個月該用的錢，彼此不能挪移，哪裡用多了哪裡就盡量地省，哪裡用剩的仍舊擱還哪裡。若是伙食錢一個月用下來有多的，月底便拿來加餐，一個月的收入包括錢先生的薪俸、來亨雞蛋以及酒精爐售款、縫衣工資，除掉開支和固定的存款，盈餘就用來添置東西。因此一到月底，大家都感到興奮和緊張，晚上把豐盛的晚飯吃了，收拾完畢，便團團地在屋裡圍坐攏來。錢太太儼然主席般向外坐著，把這個月收支情形做個大概的報告，孩子們一個個心不在焉地聽著，心裡卻在盤算自己的事情，等她把話一說完，搶著第一個發言的總是戇直的老三，把話說得乾脆了當。

「我們班上組織足球隊，我要買雙球鞋。」

「我的鋼筆早壞了，漏水漏得很厲害，把簿子都弄髒了。」老二誇張其事地說明原委，想博得雙親的同情。「我想另外買過一支。」

「這學期我們要學游泳，下星期二的體育課就要開始下水，可是我連游泳衣還沒有。」

大小姐把話說得很委婉，但沒有直接提出要求。

六隻眼睛一齊轉到父親臉上，但父親只是望了一眼自己擱在門外的那雙破皮鞋，沒有作聲。

那熾熠著希望之光的目光又落在母親臉上，錢太太略一思忖，便婉轉地宣布：

「阿英的游泳衣下星期就要用，自然要緊的了，買現成的太貴，明天去剪幾尺布，借個樣子來縫一件。老二的筆壞了，先拿去修理，修理修不好再想辦法。這個月錢不夠了，老三你就先穿上你哥哥的球鞋，等下個月再說好吧！」

錢太太的說話錢先生是甘心折服的，孩子們自然更沒有話說。

起初錢太太一搬進來，我就覺得她有點面熟，只是想不起曾在哪裡見過，這天閒談時無意間提起，她雙手一拍，愉快地說：

「好呀！這麼著妳準嚐過我的排骨麵了。」

「排骨麵，」經她這麼一提，我才恍然大悟，原來在光華戲院附近確是有一家經濟小吃店，以鮮美的排骨麵作號召，一排雖然有二三家吃食店，就數那家生意最好，末場電影散場時，門口常常吉普、腳踏車歇滿的，一半固然由於那家的東西實惠可口，一半也許便由於老闆娘招待的親切，沒有一點生意味，使顧主就似到了自己朋友家裡似的安逸。

「哦！妳就是……」

「就是那個老闆娘啦。」她拍拍胸，坦然地承認，「現在是卸任的老闆娘。」她笑得頰上的肉抖呀抖的；坐在一旁的錢先生，雖然陪著笑，臉上卻有點訕訕地，不大自然。

接上錢太太便告訴我她怎麼會當起老闆娘來，先前在江西時眼看局勢一天天緊張，而錢先生服務的那個機關，卻全然沒有撤退的動靜，他們老早吃過共產黨的虧，白然不願再落入他們的手裡，還是趁早一走為上策，恰好他家有一個堂叔在台灣做事，答允他若來台灣，負責給找工作，不想等他們辭去職務，好不容易帶著一大家子來到台灣，那堂叔卻又調到香港去了。

「後來人家三叔也寫了信來叫他去香港，可是他呀！說什麼也不肯去。」錢太太一口氣滔滔不絕地說到這裡，故意把話頭停在一旁緘默的錢先生身上。

「我當然不去囉，千辛萬苦跑出鐵幕，只為的要呼吸一口自由空氣，誰還願意又跑到烏煙瘴氣的殖民地去！」

「你就是這點牛脾氣！」錢太太的責備實在是向聽的人標榜，「只念著忠貞不忠貞的，不管肚子餓不餓，坐吃三年，山還要空哩。」

「台灣是海島，哪怕坐吃三十年、三百年，海水也不會乾。」

「廢話！」錢太太笑著啐了他一口。「要不是我主意拿得穩，孵豆芽會孵得豆子都丟了。那時大家都作興放利息，幾個同船來的太太勸我把積蓄放出去，說是可以坐吃現成的，可是我卻不幹，不是嗎，賺錢要賺得妥當，用著也心安。只是事情找不到，總不是辦法，後來我一想，人家借了錢還做生意，別的不會做，為什麼我們不開家小吃店呢？我把這個計畫告訴他，他還不贊成哩，我說花力氣換飯吃有什麼丟臉的？你不贊成，由我一個人掌櫃兼管廚好了，我變賣了些東西張羅著把店開了。這一開可開出了招牌，要不他又找著工作，阿英也得上學去，我不想歇店哩——我就喜歡穩扎穩打，牢牢靠靠，多花點心力又算得什麼。妳說是嗎？」

「可是能有幾個像妳這樣又能幹又有辦法的呢？」我倒不是恭維她。

「什麼有辦法，『窮則變』而已。」錢先生自嘲地打岔道。

「變也要變得通喲！」我說：「不說別的，現在在你們家裡就沒有廢物，也沒有吃閒飯的人，一家子勤勤懇懇，真算得上是個克難家庭哩。」這一句話說到了他們心裡，兩口子都笑了。錢先生說：

「我入了黨幾十年，對黨雖然沒有什麼貢獻，但對國父開示的那張富國藥方，我卻應用了三味，就是：人盡其才，物盡其用，地盡其利，嘿嘿嘿……」錢先生說著習慣地舉起右手，順著眼睛鼻子一把摸下來，心裡一高興，手指情不自禁地落進口袋裡，「太座，我抽煙啦。」

錢太太半嗔半惱地瞪了錢先生一眼，說：

「抽就抽呀！別當著人家裝模作樣，人家還以為我做太太的管著你哩。」煙圈裡，露出錢先生一副安適滿足的神情，錢太太的笑意還浮漾在嘴角。

四

當錢家這邊悄坐階前、悠然搖扇納涼時，對面二號的邵家卻正是華燈初上，綠紗窗裡人影綽約，笑語隱隱，雀戰方酣。邵仕豪所以成為這大雜院裡的特殊人物，不是沒有原因的。一般說來，今天打從大陸避難來台灣的人，差不多全過著勤儉的生活，大雜院裡的居民自然也不會例外。唯獨邵家卻不然，家裡用了一個勤務和一個下女，生活闊綽奢侈，時常高朋滿座，雀牌聲喧譁，而裝束入時的邵太太更為這院裡的太太們所羨慕、妒嫉的對象。邵太太生得很苗條，一身的線條都是平鋪直敘的，到胸部卻突然間奇峰突出，顯得有點觸目惹眼。一張瓜子臉，細眉鳳眼，小小的口鼻加上她過於著意用脂粉來雕琢，看著有點像畫裡的工筆仕女。不過，要仔細端詳，自不難發現掩飾在脂粉下的淺淺皺紋。她的裝飾永遠走在時代的尖端，時興高領子時，她總是第一個把頸子挺得仙鶴似的；時興長裙時，她立刻長裙曳地，變

編註：第三節原刊於《中華婦女》第二卷第十一期，一九五二年七月，頁二十五～二十七；第二卷第十二期，一九五二年八月，頁三十～三十一。

成了十八世紀的法國貴夫人；有時又是緊身絨衫，西裝長褲，一副美國女大學生的派頭。頭髮的式樣也不時變化，有時挽個道士髻，有時梳個雙丫角，有時短髮齊額，有時鬈髮如雲，衣服的色彩都十分鮮明濃豔，印著大朵大朵的花，配上耳墜擺蕩，香風陣陣，高跟鞋響著清脆的節奏，從院裡走出去，彷彿掠過一朵眩眼的彩雲，常引得正在廚下切菜剝蔥的太太們忍不住停下手裡的工作，先生們傻瞪著眼，目不轉睛地送她出院門。

比起善於修飾、懂得保養、成天打扮得出水蓮花似的邵太太來，邵仕豪先生似乎嫌老了點，看上去大概至少要比邵太太大上十一、二歲。生成一個長長的冬瓜似的頭臉，腦後厚厚的皮肉疊成深深的褶，拉得長長的下巴與頭項幾乎分不出界限；大鼻子上嵌了一副托力克眼鏡，眼珠子採取踞高俯下的姿勢在鏡片子裡翻起來看人，走起路來，挺著啤酒桶似的大肚子，高視闊步，一本正經。在家裡大聲講話，高聲吆喝，一會吆「春生，倒杯茶來。」一會叫「春生，打臉水。」院門口不遠有的是三輪車歇著，可是他出去時一定要喚春生把車子喚到門口，回來時拖鞋明明擺在玄關，他也一定得喚「春生，拿拖鞋。」早晨在廚房門口盥洗時，死勁地吐漱口水，刷喉嚨，那聒吵的聲音就像老舊的吉普車一時升不上火來，馬達「咕軋」地響兩聲又突然中斷了——這一切，彷彿都只為了表示他優越的存在。

邵先生過去和現在做什麼的，都沒有人清楚。只見他每天挾著大皮包進進出出，卻又不像一般公務員那樣按時上下班，看他的派頭，似乎不是在政治舞台上串演過幾齣，便是在商業界興風作浪來。

就像一簍蝦子裡摻著一隻螃蟹，邵家住在這大雜院裡顯然不十分調和，他們看不起院子裡的居民，院子裡的居民也覺得他們的存在是一種刺激。邵太太就背地裡常常感慨地發牢騷：「唉，真是倒了十世紀的楣，住在這亂七八糟的大雜院裡，就跟貧民窟一樣，什麼不三不四的人都有，老早就說要頂一幢房子，偏又找不著合適的。」

邵太太平時總以一種自己是太陽而將光與熱施捨給旁人的神氣，向鄰居們招呼，邵先生卻不然，起初鄰居們有向他招呼的，他只是從鏡片裡翻著眼珠向招呼的人打量一眼，然後似動非動地擺一下下巴，連臉上的肌肉都不曾鬆弛一下，就像上司回答他屬下的敬意一樣。

「神氣活現！」「像煞有介事！」鄰居們生氣了，從此再在院裡碰見他時，大家不是裝作沒有看見，就是眼光掃過他臉上如同掃過一座沒有感覺的牆一樣。莊嚴的邵先生似乎覺察了這份敵視，頭昂得更高，皮鞋也敲得更響，腳印過處，常常漫不經心地踏毀孩子們正在地上畫的棋盤、蓋的房子。

邵先生雖然一直擺出那副不可一世的神態，但也有一個例外，那就是伴著太太去赴宴什麼的時候，那恭順造作的樣子，看著讓人感到汗毛孔癢癢的。太太一作走的準備，他早便持著外衣一旁侍候，太太像隻華麗的鳳凰般昂然前導，他便挾著太太的外衣亦步亦趨，走到門口，他立刻趨前一步——笨重的身軀在做這一個舉動時出人意外地敏捷——把門拉開，然後半擁半抱地把太太擁上台階。晚上，太太打牌沒有回來而他先回家的話，一定得親自喚車去恭迎。

邵太太除了跳舞外就愛打牌，邵先生除了打牌外就愛跳舞。不過邵先生白天得去辦公，而邵太太十天倒有九天消磨在牌桌上。早晨十點多鐘起來，打扮一番，不是自己出去遠征，便是老搭子像花蝴蝶般連袂赴約，竹戰一展開到半夜結束是很平常的事；有時還熬上一個通宵，當大雜院裡的主婦們起來生爐子洗衣服時，她們還不曾休息過哩。她們不覺得辛苦，做她們的左鄰右舍卻受累無窮，夜闌人靜，常常被她們的尖聲嬌氣擾亂好夢，或是砰的一聲牌響，把熟睡的孩子給駭哭了。

邵太太精神有所寄託，家事和孩子自然無暇照顧。大女兒芬芬酷肖乃母，小小的年紀便學著母親那般嬌揉作態，善自修飾，每天上學自己揀衣服換上，髮上紮上蝴蝶結，還偷偷搽上母親的口紅、香水，講話老三老四，什麼都懂，可是今年八歲了，第四冊的課本念了一年還不曾念完。人家要問她媽媽呢？她總是把頭一側，嘴一撇，用一種不屑的口吻說：

「媽媽，媽媽還不是打牌！」

她還說明她不歡喜她媽媽打牌的原因是，把爸爸賺來的錢都輸光了，卻不替她做新衣服。其實她的衣服比院子裡哪個女孩子都多。

次子阿虎，強橫、蠻幹，一嘴罵人的粗話，打一雙赤足，衣服也說不上什麼顏色，常常扯掉芬芬的蝴蝶結，把她當作性命寶貝的紙花珠子什麼的搶過來亂撕亂踩。搶了妹妹芳芳的餅乾還要打她。一個不對，更捉到春生拳打腳踢地發一頓脾氣。

「這孩子呀，大起來真不得了！意志堅強得很，說什麼就做什麼，一點拗他不得。」邵太太說。

什麼玩具到阿虎手裡不到半天就拆得七零八落，家裡什麼電燈罩打破一角，花紙門上弄幾個大窟窿，那是他最平凡的作品了。據說有一次他一手捏死一隻雞，有一次要想拆開一座名貴的台鐘拆不開，用石頭來把打得粉碎。

「這孩子膽子大，腦筋又靈活，什麼都要研究，將來可了不起！」邵先生說。

至於三小姐芳芳，差不多成天就交給下女帶出去。常常一早起來，就蓬著那一頭喜鵲窩似的電髮，臉不洗，衣服不換，下女便把她抱了出來。自己跟人家聊天聊開了頭，就由孩子在地上玩泥巴，吃鴨屎。

我說過，邵太太來往的都是與她同一階級的人物，一批跳得一腳好舞，打得一手好牌，漂亮、摩登，有的是空閒和條子的太太們。至於大雜院裡的鄰居，從來沒有得到過她玉趾光臨的榮幸，自然，也沒有被招待在邵家客廳裡沙發上坐一會的緣分。因此，在這裡值得大書一筆的是，有那麼一天，我居然獲得了那份蓬蓽生輝的榮幸。

那天我正坐在窗前的書桌邊，望著院裡一棵鳳凰木出神，邵太太穿了一身白紡綢繡花睡衣，拖一雙紅皮高跟拖鞋，腦後鬆鬆地垂了個懶髻，姍姍地踱了過來，跟往常一樣，彼此笑著點點頭，可是這次點過頭後，她忽然立停了腳步，自然，我也不得不順口虛邀了一聲。

「不會打擾妳吧！」沒料到她真會進來，說著，腳步已往屋子裡移了，我對這位高貴的稀客感到有點受寵若驚，倒了杯茶，半天才想出一句自以為恰當的話：

「今天沒有打牌？」

「沒有。」她搖搖頭，聲音帶著誇張性，「其實呀，我也並不喜歡這玩意兒，不過就同剩餘的物質必須拋出一樣，剩餘的精力也得找個出路罷了。可是在這裡，妳說又有什麼可以做？值得做的？成天待在家裡，不把人待霉了。比較起來，搓搓麻將嘍，還能動動腦筋，這也叫寓鍛鍊於娛樂。嘿嘿，妳會笑我自圓其說吧！」

我除了唯唯諾諾，不知說什麼好，她盈盈的眼光在房裡那麼一轉，停留在我寒傖的書架上。

「妳家裡雜誌倒訂了不少！還保存得那麼好好的，我們家裡可不成，看過便讓孩子給撕了——噢，想起來了，向妳借本書有沒有，《莎士比亞全集》，最好是原文的。」我正預備告訴她沒有，她又緊接上背書似地說：「再不有左拉著的《娜娜》，哈代著的《黛絲姑娘》，或者托爾斯泰的《安娜・卡列尼娜》、《戰爭與和平》也好；真氣人，我的書全在內地送了人，誰曉得這鬼地方沒得買呢。」她每說一個書名，一定要用英文重複一遍。她聽到我反面的答覆，並不感到失望，似乎她說著完全為的賣弄自己對文學的認識。她抽出一本最近出版的小說，隨手翻弄著，用一種輕蔑的口吻說：

「這些全是台灣出的新書吧，老是千篇一律的反共抗俄，好像反共抗俄可以當飯吃、當愛情、當全部生命似的，乏味透了……」她滔滔不絕地發揮高見，我只有自歎弗如，幸好這時她的二位少爺小姐進來跟我解了圍，芬芬一進來就對茶几上一本有時裝模特兒的雜誌很感興趣，虎兒也要，兩人一扯，撕啦！我連忙另外拿了一本送到虎兒面前，他卻連正眼不瞥一下，一伸手就去拆盆裡供著的海花石，我又趕緊裝出一盆糖果來，他們一聲不響就伸手來抓，眼睛一瞬，盆子就空了，兩姊弟的口袋卻鼓得高高的，虎兒一連剝了幾顆，糖紙往牆上一黏，黏著糖的手便熟練地在桌沿上擦幾下，順手又把我插在筆架裡的鉛筆娃娃拔了下來——

「噯，光陰不等人，過去的事情就像做了一場春夢！」邵太太忽然有所感的喟歎著，擱下書，又坐了下來，「記得從前在念大學的時候。」她特別加重「大學」二字的語氣，「整本的莎士比亞我都背得出來，我還主演過羅密歐和朱麗葉呢……」

「媽媽，這件紅的衣服多漂亮，給我做一件好不？」芬芬忽然指著畫報岔進來說。

「唔，好，好，那時的生活想起來可真有意思，就怪邵仕豪，那時每天用汽車來接我上學，接我放學，結果把我從學校裡接到了他家裡——現在一轉眼就十幾年，書本子恐怕都還了老師，我一直想出去做點事，像上次美軍××處招聘女祕書，我倒很想去試試，偏偏我們先生說上一大套什麼孩子要人照顧囉，家裡應酬又多囉，再說我們家裡又不靠這幾個錢用——其實做工作哪裡一定就是為的是賺幾個錢呀！妳說是不是？」

我立刻承認做工作完全是為了興趣，一面頻頻以目示意阿虎爬上椅子在她後面的牆上取一隻美麗的蝴蝶標本，正取下來開始拉去牠的翅膀，可是邵太太完全浸沉在自己激動的情緒裡，絲毫沒有注意。

「可不是，男人都是自私的。他們用家的鍊子把太太鎖住了，自己就逍遙自在。女人一結婚就倒了楣……。好的，好的。」她又一次應付芬芬要求做衣服的打岔，「我不曉得她們那些人怎麼就安於現實，成天燒飯、洗衣、養孩子，俗不可耐——噯，妳曉不曉得哪裡有合適的房子，介紹介紹，這大雜院我可真住不慣。不過說來說去，台灣這豆腐乾大的地方早就讓人住膩了，加上這又禁止，那又禁止，打幾圈麻將還提心吊膽的，我是老早打好走的主意了。」

「妳說是離開台灣？」

「嗯，譬如說去香港，或者美國——啊喲，糟糕！」我與她同時跳起來，虎兒把一杯茶打翻在茶几上，我們正在搶救那些遭受水災的雜誌，突然又是「哇哇」的二個孩子一先一後地哭起來——芬芬按著扯亂的頭髮，我的孩子卻抱著給拉斷了手臂的洋娃娃，自然這又是虎兒的傑作。

「虎兒真討厭，看你把妹妹的洋娃娃又弄壞了。妹妹不哭，明天叫他爸爸去台北買一個更漂亮的賠妳。唉，孩子真是淘氣，回去，回去，看楊媽媽她們來了，吵了妳半天，有空到我家來坐喲！」

十分鐘後，邵家又響起了洗牌聲，我檢點這一次貴客降臨，計撕毀畫報一本，牆上留下糖紙數張，桌布上印滿黑色指印，雜誌四冊被茶水浸濕、蝴蝶一隻遭受解剖，孩子的娃娃身首異處，鉛筆娃娃慘遭折臂，瓷盆裡不見了十幾顆我心愛的貝殼。

有一天，邵家用的下女阿香忽然穿了一件過時的、半新舊的長綢旗袍，這一天她成天就在院子裡搖來晃去地炫耀自己，招引得同院的下女個個向她投射去豔羨的眼光。

「太太，阿香那件衣服是她家太太送她的哩。」我家阿巧終於忍不住又來報告我，她已經不只一次提起過阿香一個月可以拿幾百幾百，一會兒又是阿香從她太太那裡得到什麼什麼，因此她一說起阿香我總是冷冷地。她見我不響，又接著說「妳可曉得她太太為什麼送她衣服？說起來可好笑啦……」她不管我聽不聽，一邊摺衣服一邊就說下去。「是前天晚上吧，邵先生在外面喝醉了酒，很晚很晚才回來，昨天阿香跟他洗衣服時，發現他一塊手帕上染滿了口紅，她就拿給邵太太去看，邵太太看了一聲不響地將手帕收了起來，一面關照阿香不要講出去，當時就找了一件旗袍送給她。」

「後來呢？」我猜一定又有故事了。

「後來，後來什麼事也沒有，阿香說邵太太也沒說什麼，這兩天她還是照樣出去，只是楊太太她們要打牌，她說這兩天有事，不打牌。」

我想不到邵太太竟有這般寬宏大量，可是說話的隔天裡，邵太太例外地起了個早，依舊打扮得光豔照人地出去了，只是三輪車上還有著旅行包和小皮箱，不像是去打牌的樣子。

到中午邵先生回來了，一跨進門照例習慣地要問一聲：

「太太呢？」

「太太到台北去了。」這次春生的答覆卻破例的沒說打牌去了。

「什麼！誰說的？」邵先生像突然挨了記打，眼珠幾乎瞪出鏡框來。

「是太太走的時候說的。」

「說什麼？」

「說是到台北去。」

「混帳！」邵先生也不知罵誰，猛地把皮包一丟就去搖電話，搖了半天沒有結果，把電話筒一擲，馬上又坐三輪車出去了，回來時冬瓜頭變成了大紅薯，漲得紅紅的，額上閃著大顆的汗珠。一回家首先就把春生痛罵一頓，才從學校回來的芬芬莫名其妙地挨了打，連橫行一時的虎兒也挨了一記火腿。接著邵先生打長途電話，發電報；第二天，第三天，依舊音訊杳然。邵先生的火氣大得好像只要點上一支洋火就放把屋子燒掉似的。孩子一見了他就同老鼠見了貓，春生更是戰戰兢兢，心驚膽怕；第四天上午接到一封來自台北的信，邵先生拆開之下，臉色立刻紅裡泛青，馬上吩咐春生檢行李，搭夜去台北。

「自己太太跑掉了，好像是我的過失。」春生——實際上還是邵先生的遠親——透過一口氣來憤憤向人發牢騷，「明天太太死了還要我抵命哩！」春生又鬼鬼祟祟地說。他窺見那封雞毛火急的信，是台北一個王什麼律師事務所寄來的。

於是，大雜院裡的居民都帶著點幸災樂禍的心理，等待著有什麼事情發生。

二星期過去了，邵家夫婦倆終於像電影裡的主角般重新出現在大雜院裡，一行二輛三輪車，前面一輛裝著箱子雜物，後面一輛才是邵家兩夫婦偎得緊緊地坐著。一個眉目含春，一個顧盼自得，就似正度了蜜月旅行回來的一對新婚夫婦。車子一停，邵先生連忙先跨下車來，儼然擺出一副騎士風度，伸出手去接引太太，眼看兩人挽著腰進去，閃在一旁等著看好戲的鄰居不由得彼此點頭眨眼又撇嘴嘓舌，似乎對這戲劇式的結束感到有點失望。

第二天，邵家為著慶祝主婦旅行歸來，大開盛宴，酒席從屋子裡一直擺到院子裡，舉杯交歡，呼三喝四之後，繼之又展開了熱烈的雀戰。

可是隔了沒有好久，忽然有人注意到那些花蝴蝶般來往於邵家的太太們絕跡了，骨牌聲瘖啞了，進出的是另外一批人，而屋子裡的空氣顯得十分緊張。接上邵先生二天沒有回來，邵太太卻悄悄地押著搬場汽車搬家了。

「邵太太，是頂到了房子嗎？還是去香港、美國？」我忍不住攀著車頭問坐在裡面的邵太太，她的神情顯得有點黯淡，但沒忘了用笑來掩飾。

「不，是我們先生調差了，再見，有空請過來坐呀！」馬達把她嬌媚的聲音壓下了，車的煙塵裡依稀看到她的手在窗裡揮擺。

那天看報，在一則破獲地下錢莊的新聞欄裡，赫然排列著邵仕豪的名字。

五

邵家搬出去不久，便有一對三十歲左右的夫婦來看房子，是由十號倪先生介紹來的，據說是他糖廠裡同事。那男的中等身材，肩背寬闊，穿一套走了樣的咖啡色西裝。一圈落腮鬍子打從耳畔起一直繞過方方的下顎骨，雖然修刮，依舊留下青裡泛黑的鬍子樁，左眼有點斜視，看起東西來閃閃爍爍，轉動得快時，彷彿「骨碌」有聲。那樣子很有點像果戈裡筆下那「熊」型的「梭巴開維支」，只是小一號罷了。他手裡抱一個約莫三四歲的男孩，卻又生得十分小巧，躲在他寬深的懷裡恰似一粒花生米放在核桃殼裡般安逸。那女的跟男的站在一起一般高，但因為她一身就像香腸般裹得緊緊夾夾，再加上穿一件黑色的長袖旗袍，單獨看來就比她丈夫顯得高了，頭髮編成二條辮子盤繞在頭上，雞蛋型的臉龐配上高高的鼻子，抿得緊緊的，薄薄的嘴唇，生得也還端正，只是那對眼睛——我不知道該怎樣形容才好，但我猜想絕沒有人能夠忍受她十秒鐘以上的凝視。那冷漠而又銳利的眼光，每使人疑心她的眼睛是兩座冰山，從哪裡揚射出澈骨的寒光。在她不經意的一瞥間，我忽然聯想起一個人，一個曾給我很深印象的人，那就是《蝴蝶夢》裡那個冷酷的女管家「丹夫人」。她一身顯得那麼挺括，就像從頭到腳才漿熨過，漿熨得連臉上的肌肉都紋絲不動。

看房子時，她用那種不滿的神色打量前後環境，好像那是個無法插足的垃圾堆！但三天後還是搬來了。先生叫嚴承慶。剛住下來，嚴家便大事打掃，嚴先生還在其次，嚴太太那股幹勁卻不禁使院子裡的太太們為之咋舌。只見她換上一身短裝，頭上用包頭巾一紮，袖口和褲腳都捲得高高的，一會兒爬高攀樑，一會兒擦地剔土，又是掃帚，又是抹布，又是刷子，只差沒有把屋瓦撤下來洗，把地板翻過來刷。但門前坪上的地皮至少給她削薄了五分，那些野草閒花自然更沒有一枝倖免的，僅留下的三兩株樹，也齊屋脊那麼高，把些枝芽砍得光光淨淨。屋子裡空蕩蕩地擱了幾件簡單的家具，桌上的白桌布，牀上的白牀單，永遠漿洗得有稜有角，紋絲不皺；白窗簾上一個褶一個褶排得比檢閱的隊伍還整齊；白皚皚的牆上

編註：第四節原刊於《中華婦女》第二卷第十二期，一九五二年八月，頁三十一；第三卷第一期，一九五二年九月，頁三十～三十一；第三卷第二期，一九五二年十月，頁二十五。

沒有一幅畫，一張照片，光塌塌的桌上也沒有一樣擺設，那種單調嚴肅的氣氛，像病房也像修道院。就似四號的文太太批評「沒有一點人情味」。文太太還說如果要她在這房間裡正襟危坐在那裡的木楞楞的凳子上「擺」上半天，可真受不了。但她這完全是杞人之憂，因為三天打掃之後，擦洗得明潔光亮的玻璃門便嚴嚴地拉了攏來，窗簾沉沉下垂，從此「侯門深如海」，文太太以及所有大雜院的太太都不用再為如做「座上客」擔心了。

比起前任邵府的熱鬧，嚴家正是一個最強烈的對照。他們搬來後沒見來過一個客人，也不見他們出去串過門子，有潔癖的嚴太太成天就像一輛機器般轉動著，每天完成她的洗、刷、抹三部曲。他們的生活也像一座機器，什麼時候做什麼事，有板有眼，不差分毫。譬如說嚴太太生爐子時白天是上午十時，下午呢，是四時。而晚上電燈一黑，準是八點半鐘。就是按照這個時刻去乘火車，也絕不會誤點。嚴太太沉默寡言，偶然說幾句話也都乾脆俐落，發布命令式的：「承慶，飯端出去。」「承慶，榻榻米搬進來。」以至「一只碗不響」，嚴先生也少言少語，得空便抱抱孩子站在門口，用那種好性情的微笑望著過往的鄰人，高興時還蒼蠅蚊子叫似的，哼幾句西皮流水。有時嚴太太曬衣服，嚴先生便充當「活桿叉」，支著竹竿站在院地裡，不住翻著眼睛望望天空，瞧瞧樹巔。那個大個兒扶著根細竹子，樣子很滑稽，逢上倪先生經過，一揚手招呼他：

「老嚴！上街去走走吧。」

「唔，上街——我看……」嚴先生裝作在思考，眼睛「骨碌」一下瞥了一眼太太，太太方才作為招呼倪先生的禮貌地一笑，早便退得無影無蹤，漿熨過的臉恢復了平整，依舊注意著手裡的衣服。「我看沒有什麼要買的吧，跑來跑去沒意思。」他笑著搖搖頭，卻又一眼不瞬地望著倪先生悠閒地走出院門，悄悄地倒抽口氣。這時高舉著的手不自覺地往下墜，嚴太太立刻瞪了他一眼：

「你看，怎麼啦！」他驟然一驚，連忙寧一寧神，把竹竿舉高，還搭訕著掩飾自己的失態說：

「這樣總夠高了吧！」

他們唯一的男孩子甯甯，有一個清秀的臉蛋，白皙而不大健康的皮膚襯著一對烏溜溜的眼睛，帶著點女孩子的羞怯和柔順，小模小樣很惹人憐愛。嚴太太忙著自己的事，少有照顧他。平常他也是穿著漿洗得硬邦邦的衣服，抱著那缺了一隻耳朵的兔子坐在台階上，有時對它切切細語，有時痛愛地拍拍它，只要他一走下石階，嚴太太便在裡面叮囑：

「甯甯，不要弄泥。弄髒了衣服看我打你。」但甯甯多半時間就那麼呆呆地把兔子抱在懷裡，用羨慕的眼光望著院裡嬉戲的孩子們，那在他該是怎樣強烈的引誘喲！記得才來不久，他也曾本能地跨下石階，蹒跚著向互相追逐著的一群走去；可是當他剛踏上那道界限——溝上的石板橋，嚴太太便在裡面嚴峻地喚：「甯甯，不許過去。」

甯甯「嗯」了一聲，立刻收住腳步，戀戀不捨地觀望了一會，又蹣跚地爬上台階；有時孩子們也會踏進嚴家的領域，挑著甯甯玩，那時甯甯簡直有點受寵若驚，顯然他對遊戲十分笨拙，卻努力做出討好的樣子，但禁不得嚴太太又在裡面喚一聲：「甯甯，進來。」他又只得撤下小朋友，無可奈何地擠進那只容得他出入的門縫裡，門立刻「砰」然拉攏了。如果孩子們還在門口玩著，叫囂著，這時嚴太太就會板著臉，一本正經地從廚房裡端了盆水出來，又不聲不響地舀著水向地上灑去，正玩著的孩子們自然不得不一窩蜂退出嚴家的領域。這樣做了幾次，嚴家門口前後的坪上便成了禁地，休說孩子們絕跡，連雞鴨貓狗都裹足不前，有時也許柔弱的小心靈受不住寂寞的煎熬，甯甯也會獨個兒悄悄地哭起來，哭了幾聲停一停，又繼續下去，彷彿是哭著專給自己欣賞的。他媽媽要是手裡的事沒有做了，是絕不會停下來哄他的，那時他唯一的希望該是嚴先生回來，看他淚眼迷惘，猶自頻頻向院門口探望，那恐怕是他小生命中最大的溫暖了。

嚴太太每天去買菜時，總是反鎖上門，把甯甯留在家裡。有一天正是台灣的「媽祖」菩薩生日，「會」出過大雜院門口，滿院子大大小小都哄去看熱鬧，文太太顧著爐子上燉的牛肉，回到院子裡便聽見甯甯在屋子裡哭，哭得很兇。她忍不住找著條縫罅往屋子裡張望，只見甯甯躺在地上，旁邊倒了一只笨重的木凳，頭旁邊有一灘血！文太太吃了一驚，年輕熱血，不加考慮便去擰門上的鎖，鎖擰不開，找了鎖匙來也配不上。最後她只好取下門上的一塊玻璃，伸手進去把門栓拔了，這才推開了門進去，可憐的甯甯流了不少血，嘴唇都發白了，文太太一陣忙亂，等嚴太太回來時，她已把創口洗淨，擦了止血藥包紮起來了。

「該死的，甯甯你怎麼變得那麼頑皮，準是爬上桌子去跌了下來的，虧得文太太相救……」嚴太太聽文太太告訴她這個那個，雖然嘴裡說著道謝的話，卻掩飾不掉態度上的淡漠，而且一邊說話一邊不住用那種眼光看著門上的洞和地下的玻璃。文太太覺得那簡直有點侮辱，「也許我不該多事。」事後她懊悔地說。不禁想起有一次她炸了點麻花，便裝一盆給甯甯吃，不想甯甯一拿進去便聽見嚴太太責問他：

「甯甯，我不是告訴過你，不許拿人家的東西。」她把「人家」二個字咬得特別重。「還不趕快給我送回去！」

甯甯當真又把麻花端來還了。那時文太太收又不是，不收又不是，弄得臉上訕訕地幾乎下不了台，嚴太太卻打從廚房裡探出半個身子來，帶著那點禮貌地笑說：

「謝謝你，文太太，我們甯甯是向來不許吃零食的。」

隔了二天，嚴家齊著圍牆築起一道比對面錢家還高的竹籬，不是種菜也不是養雞。從此每逢晴天，經過的人常見一個小臉蛋緊貼著籬笆向外張望，就像一頭飢餓的羔羊，渴望著籬外那一片廣袤美麗的草原。

別看嚴先生迂迂拘拘，那副跳加官的長相，據說早年還是名票友哩。可是如今卻消聲匿跡，除了做做蒼蠅蚊子叫，大雜院裡的居民誰也沒有那份耳福聆賞過。自然，說被禁於闔令未免過於侮辱，但一切大聲怪叫都將破壞他家裡那情調和氣氛，卻是事實。一個週末，錢先生一時高興，不知從哪裡弄了把胡琴來拉著，院裡幾個有戲癮的先生便聚在那小客廳裡賣弄嗓子，有的迫緊喉嚨尖聲尖氣地唱，有的力竭聲嘶直著嗓門叫喚，還有把聲音裝粗了做牛嗥，大家全沉浸在自己的情熱中。錢先生眼尖，瞧見門外黑地裡有一個人影晃了幾次，他趁一個空隙站起來向外一看，原來是從來未越疆界的對面嚴先生。

「外面一樣，外面一樣——好吧，不用招呼，可別打斷了你們的雅興！」嚴先生經錢先生給一邀，還客氣地推託著，好像宴客請他坐首席似的。他的聲音短促而拘束，但故意裝作隨便的樣子，笑著跟大家打招呼。彷彿在滾湯裡摻入一杯冷水，嚴先生的加入使室內冷了一下場，但不一會，琴弦響處，這尷尬的場面也就緩和下來。嚴先生起初梗梗格格地同鄰座攀談著，但一談到戲路上，立刻短促的聲音變得響亮而流利了，拘束的態度也消失殆盡。眼光熠熾著，臉上洋溢著一層光輝，使他顯得更年輕了。他從余叔岩的倒嗓談到言菊朋的鬼腔，從馬連良的俊逸談到譚富英的清勁嘹亮，談到梅程尚荀四大名旦，談到他票鬚生的經驗，還反串過青衣、彩旦……談得津津有味，滔滔不絕。大家馬上另眼相看，引為同志，更慫恿他當場清唱一齣。

「喲，多少年沒攬這調調兒，生疏了！」嚴先生感慨而矜持地謙虛著，一面卻刷著喉嚨裝乾咳嗽，接著，他裝出情不可卻的樣子，答允唱齣坐宮，據他說他學的是譚派，果然唱作俱全，與眾不同。大家屏息凝神地欣賞著，當嚴先生正聚精會神唱到大段正板「我好比，籠中鳥……」時，闖然一個嚴峻的女中音摻入弦音。

「承慶，甯甯要你。」立刻像留聲器的發條忽然斷裂，歌聲戛然中斷。

「喲，有點事我去看看，回頭再來。」琴聲依然悠揚，唱的人卻三腳二步跨了出去。錢先生拉了一個過門又一個過門，接著把正板二六全拉完了，卻還不見嚴先生回來。一位先生耐不住走到門口向對面一看，嚴家的屋子裡黑沉沉已是燈熄人靜。

「拆爛污！」錢先生悻悻地把琴弓一拖，無意間瞥見腕上的錶不早不遲正是八點三十五分。

這以後，錢家再有類似的晚會，嚴先生只採取隔岸觀望的態度，或有人邀他，「來一段怎樣？」他只是搖搖頭，笑笑。

逢上雨季，是大雜院最慘澹的日子，成日像麻雀般滿院子啁啾追逐的孩子們，只落得一個個攀著窗子，黯然相望。主婦們懶懶地拈起針線，心裡卻惦念著那在一起亂燥亂鬧像打翻了鴨船似的日子。一到晚上，更是家家關門閉戶，撤下一院子風風雨雨。那天白天裡好不容易盼著太陽嫣然一笑，笑得人人從心坎裡發亮。可是當晚又雷電夾著斜風，驟雨傾盆下注，就在這時，嚴家門上起了一陣剝啄聲，自然，這點聲音會完全被風雨遮蓋。慢慢地雨小了，正在燈下寫信的文太太——才聽見那有規則的，敲三下停一停的剝啄聲。起初她還以為是壁虎尾巴敲著玻璃窗哩，可是接著又有一個聲音輕輕地喚：

「冰如，冰如，開開門。」就這麼小心翼翼地敲著喚著，從前門轉到後門，足足喚了半個多鐘頭，回答他的卻只有淅瀝的雨聲。文太太正給吵得心頭在煩，忽然自家門上也這麼「篤篤」響了二聲。打開門一看，可不正是嚴先生，一身淋得像隻落湯雞，不，應該說是落湯鵝。臉上紅紅的，一開口，噴出一股惡濁的酒味。

「呀，文太太，還沒有睡！真是，嘿嘿，真是對不起。今天一個朋友訂婚，給他們拖著拚了幾杯酒，不想回來已這麼遲了。」他囁嚅地說，堆一臉尷尬地笑。

「唔！」文太太一時不知該說什麼，「下雨天看著容易晚。」

「是的，是的。可是……可是內人已經睡熟了，她一睡熟哪，就是在她枕邊擊雷也不會醒。嘿嘿，也許是白天做得太累了的緣故。我想，我想……」嚴先生一面說一面用眼睛骨碌骨碌朝屋子裡打量。「我想借隻椅子可不可以？」

他把椅子擱在台階上，脫下皮鞋，就巍巔巔地站了上去，手一伸，剛好攀著門上的氣窗。二腳便向上一縮，可是人太笨重了，懸在那裡不住地踢著腳，掙扎著，就像一頭給吊住頸子的大蛤蟆。好不容易爬上了氣窗，身體似乎又嫌粗了點，他先把頭伸進去探探，又把腳伸下去試試，但一輪到身體，便擠得個窗洞水洩不通。只見他艱難地用力使身軀一寸一分地往裡擠……猛然一聲巨響，彷彿是一枚二百磅的炸彈落地不曾爆炸，接著是一片難堪的沉默。文太太嚇壞了，以為嚴先生跌暈了，隔了好一會才看見房裡的燈亮了，嚴先生打開門，一會兒氣喘喘地把椅子還給文太太，又悄悄地三腳二步跑回家裡，奇怪的是這一番響動，屋裡卻依舊寂然無聲。

嚴太太雖然有潔癖，卻學了一項與她癖性完全相反的職業。大概是他們搬來後三個多月，一天早晨起來，大家都不由得向嚴家看上二眼，原來在嚴府門上赫然掛了一塊二尺寬一尺高的招牌，白漆底子寫著二寸見方的黑漆大字「南京遷來，助產士崔冰如女士」。這一來可把縮在一角的嚴承慶的名牌襯得黯然失色。而廣告從院門口第一根電線桿起一直貼到菜市場，把「玄關」整理出來作為診療室。這一帶離市街遠些，因此一開張居然五天二個，二天一個的，一個個挺著大肚子來受檢查。嚴太太可真做到劃一不二，鐵面無私。同院李太太生產便請了她，因為頭生膽怯，肚子一痛便請了嚴太太過去，當個上賓救主般殷勤招待，但嚴太太卻一概謝絕。孩子出生後，為著致送謝酬事，李家婦煞費斟酌，他們總覺得一院子住著，送錢怪不好意思的，可是又想不出買點什麼好，商量了三天，結果包了紅包，向嚴太太道謝時遞給嚴太太。嚴太太先不接紅包，而順手將一張早便寫好了的收據交給李先生，李先生一看不覺臉上一紅，吶吶地搭訕著又把紅包收了回來。原來那上面開列的除了一應費用，還有一項備註是接生一次以四小時計，每超過一小時收費二十元，而時間欄填的是十二點四十五分到七點五十分。李先生不得不打開紅包，再添進五張十元的鈔票。

嚴太太一開業，嚴先生無形中更忙了，甯甯也更寂寞了。一天，那是個涼風颯颯、陰雲欲雨秋天，午後一吃了飯，嚴太太便預備去接生，一直乖乖的甯甯忽然哭起來，而嚴太太還是反鎖著門走了。甯甯斷斷續續地一直哭到傍晚，嚴先生下班回來，哄著稍微停了一陣，卻又哭鬧得更厲害。這天晚上有人看到嚴家一晚人聲不斷，電燈破例點到天亮。第二天上午，誰也料不到一口白色的棺材竟打嚴家抬出來，後面跟著涕淚縱橫的嚴先生。

「只是燒了一晚，不想今天早晨，找醫生打針……都來不及了……」嚴先生哽咽著回答去慰唁的鄰人，嚴太太卻把自己關在裡面房裡，沒有聲響，也拒絕接見任何人。

嚴先生彷彿一下子變老了，走起路來，肩膀微向上聳，身體俯前面，下了班就往屋裡一攢，門口不見他的身影。嚴太太把自己關閉了三天，又把自己埋進洗、刷、抹三部曲裡，那漿熨過的臉除了嘴抿得更緊，眼光更冷酷，看不出有一點感情的流露，只是那件原來裹得緊緊得黑旗袍，忽然像掛在衣架上般顯得寬寬蕩蕩。

籬畔不見了那羔羊似的身影，台階上沒有了那天真的喃喃的自語，那肅穆的屋子更清冷得像一座古廟，當對那寂寞的小靈魂的悲悼過去後，大雜院的居民幾乎遺忘了它的存在。

六

嚴家的清靜對他們的鄰居倒是一份可貴的恩惠，因為緊著他家的四號主人文或先生正在養病，最需要清靜。

同院子的居民是不大容易看到文先生的，他起初原在一家報社裡編電訊，當全院子裡的人正享受一天中最悠閒安逸的時候，便輪到他上班了。這一去要第二天快天亮時才回來，一回來納頭便睡，一直要等文太太把午飯開好在桌上，再去叫醒他起來。而文太太午睡時，他又獨個兒悄悄地泡上杯濃茶，燃起一支香煙，看看報，寫點什麼，難得也陪文太太去看一場二點鐘的電影。吃過晚飯，又匆匆地上報館去了。

做為一個「夜工作者」的妻子，她必會是一個家事和孩子忙得她沒有時間思索，或是懂得善自排遣的女人。然而文太太卻兩樣都不是，儘管她那樣喜歡孩子，自己卻一個也沒有生，而除了愛看看小說、電影，也不像有些清閒的太太們那樣喜歡東家闖到西家，喋喋嘵舌，或是睡她一個天昏地黑。每當靜謐的黃昏，月色如水的夜，當我們散步或看電影回來時，總見四號的窗門半掩著，綠紗裡隱約看到文太太偏倚在一張藤椅中看書，收音機裡輕輕

編註：第五節原刊於《中華婦女》第三卷第二期，一九五二年十月，頁二十五～二十七。

地播送幽雅的音樂，淺藍的燈光像一片迷濛的夢，室內的氣氛是溫柔、恬靜、安逸……可是，總似缺少了點什麼；突然，文太太打了個哈欠，從書上抬起眼睛來望望桌上的鐘。如果誰在這時走過去，準可以看到那對略帶倦澀的、溫柔而嫵媚的眼睛裡，蘊蓄著一種忍耐的神色，對著無比寂寞的忍耐。

文太太不但性情溫柔，體態優雅，模樣兒也十分惹人喜愛。小圓臉，玲瓏的鼻子，講話時嫵媚的眼睛望著對方，露出那種誠懇而信賴的神情。使得和她說話的人不由得向她掬出肺腑之言。她一笑，左頰掀起兩個深深的酒渦，襯著那一排白亮亮貝珠似的牙齒，甜甜的很是迷人。高高的身材，豐腴而勻盈，尤其是穿上西裝或是現在最流行的束腰襯衫，過膝西裝褲，更顯得婀娜活潑。

文太太是這院子裡的孩子們最愛戴的人，只要他們不喧鬧得把熟睡的文先生吵醒，每一個小客人她都歡迎；尤其是三四歲的女孩子。做母親的要忙得不曾替她收拾，那麼，文太太準會把她打扮得像個洋娃娃似的，還耐心地給他們講故事，摺紙人紙船；出去買菜時常常帶些糖果什麼的分給他們，自己也陪著一同吃。當孩子們穿了件新衣，得了玩具什麼的，一定也會先來獻給文太太看。文太太一走過院子，這邊「文媽媽」那邊「文媽媽」的喚成一片，簡直使她應接不暇。

文太太還年輕，又沒有孩子，早年肄業廈門大學外文系，中英文程度都很不錯，也有過二三年工作經驗，現在卻待在家裡燒茶煮飯，讓平凡寂寞的歲月，在煩膩的瑣事中消磨，我總覺得她十分委屈，然而，卻很少聽見她發一句牢騷，說一句怨語。

一天，她在我房裡看著一本《中華婦女》，忽然有所感觸，掩上書輕輕歎息著，感慨地說：

「不管你學的是哪一項，不管你的志趣和抱負怎樣遠大，結了婚，女人的事業總逃不了管家婆、保母，想想真沒有意思。」

「可不是！其實像你這樣沒有孩子的絆羈，倒還可以出去做點事。」我試著鼓勵她。

「想是這樣想……目前找工作也不容易。」她吞吞吐吐地望著腳尖說，神情有點黯淡。

「文先生服務的那家報社呢？」我記起文太太告訴我的，她倆未結婚前原是一個大報館的同事，一個當助編，一個在資料室。

「那家報館呀！早就在說人浮於世，準備裁撤了，哪裡還有我插足的餘地。」

「事在人為，你可以慢慢地多方面進行。」

她嘴唇動了動，望著地下半天沒有作聲。似乎有難言的隱衷，我忍不住打趣她道：

「也許這些都是不成為理由的理由，主要的恐怕還是文先生疼你，捨不得你去做事。」

「哪裡，」她含嗔地瞪了我一眼，臉卻紅了，「不過你不曉得，他，文彧這個人……。」

文或這個人究竟怎麼樣，做妻子的當然清楚，可是據我所曉得的，文先生是個很不錯的人。第一眼給人的印象是整潔嚴肅，但不失溫文爾雅。修長合度的身材，西裝總是穿得合適而挺括，衣袖和褲角一年四季都把四肢封蓋得密密緊緊，頭髮一絲不亂，皮鞋也總是光亮如新，清癯的臉上架著一副不太深的近視眼鏡，很有些學者和大學教授的派頭。平時不大開口，但一談得投機，他便滔滔不絕，分析一樣事物有條不紊，而且喜歡辯論，看樣子還是個細心的人。他看過的報紙摺疊得就同才送來的一樣。在他整齊的書架裡最顯目的是一排十幾本一列是藍色殼子的簿冊，分門別類，編號列目，完全是他幾年來從報紙上剪貼的資料。他看書時如逢上角捲了起來或是有破裂的，他一定要把角磨平，把破裂的補好，這才舒泰地打開來閱讀。文太太愛看小說，只要他能借得到的，他都設法借回來給她看。他一直是上午睡覺的，可是有一天上午，他卻破例的出去了，買回來一大束鮮花，一盆點心。後來問起文太太，才知道那天原來是她生日，三四年來，他從未忘記過在她生日送她一點合適的小禮物——哪怕再沒有錢，他十天八天不抽香煙也得省下這筆款子來。有一次她生日那天，他正隨著記者團出巡，不但特地拍了個賀電來，自己還偷偷地離開團體，在一家小飯店裡吃了碗麵。而每一個結婚紀念日，他也忘不了安排一個節目來表示慶祝——自然，有這麼一個細心體貼的丈夫是值得驕傲的，文太太雖然不像別人一樣把丈夫當作談話資料，但有時偶然在言語中提到，總是用著那種讚慕的語氣，眼睛裡洋溢著幸福的溫柔的光彩，酒渦也漩得更深，更甜，好像告訴人家說：「我們的家庭是美滿的。」可是……「你們文先生怎麼樣？不是最會體貼的丈夫嗎？」

「什麼事情一過分了就會變質。」她幽幽地說，意在言外。

「難道說文先生還干涉你的行動？」

「也不是干涉，只是有時他的心眼兒多些。」她見我追問，連忙又裝得滿不在乎地笑著解釋說：「不記得是在一本什麼書上看到的，說世上的男人有兩種，一種是當別人打量他的太太時他感到驕傲而沾沾自得；一種呢，別人要看他太太一眼，他就狠狠地回敬二眼——文或大概是屬於後者的。」她的眼睛閃爍著做夢似的光輝，像為綺麗的往事所熾燃。接著用輕鬆的口吻告訴我，為著他那死心眼兒，在戀愛時不知嘔了多少氣。他老是喜歡盤問她的行動，跟誰在一起玩啦，玩什麼啦，什麼×小姐跟她介紹×先生是別有居心啦！她同男朋友多說句話，又說她是對人家表示關切啦！一點小事他便疑神疑鬼，耿耿於心，非經再三解釋不能釋懷。他防範著她以及她周圍的友人，彷彿他們都會聯絡起來把她從他身邊拉走。但等文太太——那時是江小姐——因自尊心受辱而生氣時，他又急得什麼似的，負荊請罪，發誓賭咒，陪上千萬個小心，一直要逼得她轉怒為嗔。有一次是訂婚後不久，他又為一點小事犯上了疑心病，她氣急了，把訂婚戒指封在一個信套裡，又在一張白紙上題了二句：「愛情誠可貴，自由價更高。」派人送了去，自己躲著三天不見面，送來的信也原封退回——文太太講到這裡，用手帕掩著嘴為自己的淘氣笑起來。

「結果呢？」

「結果麼，我又在醫院裡——他氣病了，讓他給我戴上了戒指。」

然而，文家兩口子的感情——那種寧靜的氣氛，還是會令人羨慕的，使人想起晴朗的初秋日子，澄藍如水的天空，失去了威炎的太陽的一種溫和的感覺。雖然有時掠過一片薄雲，在這平靜的一角投下了寂寞的陰影，但陰影過去了，依舊是晴朗的天空、光輝的麗日。

凝靜的山巒忽然間會沸騰爆裂出熔岩，晴朗的天空驀地裡會湧起暴風雨，造物者彷彿疾恨一切持久的和平，他很少讓人們平穩地走那一段生之路程。文家那諧靜的氣氛終於被一件意外破壞了——文先生病了下來。不是那種痛苦、昏迷的病，也不是幾劑特效藥治得了的病，而是最耗費時間和金錢，沒有痛苦，神志清醒而又不得不困頓牀第的富貴病——肺結核。病象雖然是初期，醫生卻鄭重地開出了靜養、營養的一張藥方。自然，傷人的夜工作是更在禁止之例。文先生向報社請假，報社算特別優待，給了個留職停薪的處理。就這樣，文先生便在家裡躺了下來。

也許是由於病狀和心情惡劣，文先生變得消沉、憂鬱、多疑而且容易動怒。開頭幾天，他總是凝望著天花板，東想西想的，問他話也懶得開口，有時文太太睡了一覺醒來，他還未曾閉眼。一會兒卻又無端地煩躁起來，不安地在牀上輾轉翻覆。文太太柔聲勸慰他幾句，他也會不耐煩地將身子往裡牀一側，或是要她出去做自己的事，不要陪他。可是，要是半天不看見她，又苛刻地抱怨著：

「這半天你去哪裡了？我以為我一個人埋在地窖裡呢——本來嘛，這房間裡的空氣也對你太不適宜了。」

一開頭。他自己提議吃飯用分餐法，並且堅持著要實行，可是有時燉上雞子什麼的，他指著面前的碗邀讓著。

「你怎麼不吃呀？」

「我有菜，留給你一個人多喝點湯好了。」文太太故意津津有味地挾著面前的蔬菜吃，倒是存心讓他多吃點。

「唔！我忘了是我吃過啦。」他立刻又起疑心，諷刺的聲音冷得像一把冰刃，刺入聽的人的心穴。然而溫柔的文太太卻聲色不動地忍受著這一切，她了解一個病人，尤其是肺結核患者的矛盾心理，而極力抑制著自己去遷就他。她不憚其煩地向醫生和有經驗的人探詢這方面的種種，她各處借了有關病情的書籍來研讀，她留意各種新特效藥的廣告和效力，她適量地調製著營養豐富的食品……。雖然她依舊保持著「和平女神」臉上那種平靜，但有時，在她片刻的沉思中，在那變得嚴肅的眼神裡，不難猜測到她內心的沉重，是遠甚於那寂寞的陰影的。

錢太太悄悄地告訴我，文太太託她賣去了一對戒指——是她母親留給她的紀念品。

約莫是文先生請假一個多月的一天，文太太拿了二本雜誌來還我，她有點心神不安的樣子，眼睛裡也有著猶豫的神色。

「文先生好點了吧？」

「謝謝你，好是好得多了。」她頓了一頓，突然眉毛一揚，告訴我說：「我已找到了一個工作——××顧問團當編譯，應徵的。」

「唔，恭喜你！」我不由衷地為她高興。「聽說那裡的待遇很好。」

「不管怎麼樣，總是有個收入。」她淡笑著，高興中摻著無可奈何的神情。「可是，困難的是我不曉得該怎樣對文彧說，他本來就疑心病很重，自尊心又強，如今他不能做事，我倒反出去——賺錢，而事實上……」她向我做了個苦笑，沒有說下去。

這的確是很難啟口的事，同這麼一個頑強、多疑的人。我只有勸她，慢慢地去說服他。二個人既是結為密切的一體，那麼一個做累了自然該由另一個接替，這裡面是不應該有什麼區別的。

一星期後，文太太到底開始上班了。雖然她僱了個下女在家裡照顧，還是忙得什麼似的，早晨得把一切安排妥當了，才匆匆地趕去上班。中午回來，又得先弄給文先生吃過了，再自己動手。她有那麼一份足以自立的工作，她並未躊躇滿志，反像做了什麼虧負文先生的事似的，兢兢業業，小心翼翼，一回來便守在屋裡不再出來。因此，我們見面的時候也少了。那天見到她時，卻發覺她瘦了，精神也有點委靡不振。

「妳瘦了，」我說：「是工作太繁重了吧？」

她搖搖頭，吶吶地說：

「也不頂忙，只是近來發胃病，不能吃東西。」

「是吃下去作痛還是不想吃？」

「不想吃，吃了就要作嘔。」說著，她又皺著眉頭吐了口水。

「哈，我看妳應該請教嚴太太了。」我笑著打趣她，她還紅著臉否認，但檢查的結果，卻證明她的確已有了身孕。

儘管「病喜」，文太太顯然更忙了。在一個機關裡服務久了，便有那些不得不應酬的應酬。而只要她回來得比平時稍微晚一點，文先生便起來頻頻在門口張望，那不安的神情，有似熱鍋上爬著的螞蟻。

一個晚上，院子裡闃靜無聲，夜已深了，我為著趕寫一篇稿子還沒有就寢。忽然文太太不聲不響地闖了進來，脂粉勻淨的臉上卻寫下了氣惱和無限委屈。

「真氣人，」她滿腹懊傷地回答我的問話，「我憑本事去換報酬，又不是做什麼不名譽的事，成天查三問四的不算，今天張上校開一個派對歡迎新來的洛曼顧問，我當然不能不參加，我等不到跳完就回家，他還要瞎疑心。真是，太把人看輕了，我受不了。」

「看在他的身體面上，你就原諒他一下。」

「要不是為他的身體……可是忍耐也是有限度的。」我從來不曾見過文太太生這樣大的氣，不知怎麼勸才好。這時文先生忽然像個影子般出現在門口。

「這麼晚還在寫文章！」他顯得尷尬地搭訕著，文太太便轉過臉去不看他。

「嗯，晚上清靜些。」

「是的，這份清靜確是難能可貴，打攪這份清靜的人簡直是罪不可恕。」他一下子又變得詼諧起來。轉臉望著文太太說：「曼漪，走吧，別盡在這裡把主人的文思攪亂了。」

文太太還是不動，我忍不住走過去把她半推半挽地送到門口說：

「倒不是文思不文思，你明朝還要趕上班哩。走吧，我要下逐客令了。」

「對不起，這麼晚還要來打攪你。」文先生走在院子裡輕輕地說，我瞥見他正抬起手來挽在文太太的腰上。

是文家兩口子口角的第三天抑第四天，一早起來便見一輛三輪車歇在文家門口，下來的是提著診箱的汪醫生，我心裡一慌，走過去時卻見錢太太也站在門口探望。

「文先生昨晚上吐血，吐了不少。」錢太太悄悄地湊著我耳朵說。「天一亮她便請我們錢先生去請大夫。」

據說文太太睡到半夜，忽然被什麼聲響驚醒了，房裡燈亮著，文先生不在牀上卻在書桌前坐著，而且正慌張地弄著什麼，她起來一看，桌上是一本翻開的英文雜誌，和一疊譯成中文的原稿，面前的稿紙上卻有一灘鮮紅的血，地上也有一灘。文先生蒼白著臉，嘴角上掛著血，正自迸住那還在湧上喉際的黏液……文太太從來不曾見過這場面，幾乎急昏了。幸好平時她看了不少醫藥書，連忙扶他到牀上墊高枕頭躺下，絞了冷手巾敷在他頭上，一面沖了濃濃的鹽水餵他——後來文太太問他為什麼這樣不愛惜身體，他還說原是譯著消遣的，不想一下寫出了興趣，不能釋手……。我驀地聯想起二樁事：一次是文先生向我借二本翻譯雜誌，說是要抄點東西；一次是那個送熟了的老郵差，送一封寄稿費掛號信來，笑著說就是我同四號掛號信多。……從這兩點推測，文先生譯稿已不是一天二天的事了，只是瞞著文太太。

文太太，神情憂鬱地送著汪大夫出來，看見我們掀一掀嘴角，眼睛裡起了霧似地潮濕了。我同錢太太勸慰了幾句。錢太太說：吐血並不是絕症，她有個親戚一次吐了怕有一面盆，人幾乎當時暈倒，可是現在，胖胖壯壯的，做起事來，誰也止相信他生過肺病。得了這種病，第一就是要心寬，第二是靜養，劇烈的運動一定要禁止，但如果精神好一點，散散步、換換空氣還是對身體有益的。那個親戚的復元大半得歸功於散步，他每天清早便穿得暖暖的，趕著二隻鵝子散步到附近的郊外去，感到有一點累了，就隨便在路旁的石上或草坪上歇一會，起初只走上十步百步，後來卻越走越遠，也不覺得累了。至於為什麼要趕著二隻鵝，一方面是限制腳步放得快，一方面多少解些寂寞。

「等你家文先生精神好些，很可以這樣試試。」錢太太誠懇地向文太太建議，文太太很感動，她說等他好些，一定要勸他這樣試試。接著，她斂神一聽，又躡手躡腳地進去了。

這在旁人看來是有點不解的，文太太忽然辭去了待遇優厚的××顧問團的職務，接受一個私立幼稚園的聘書。跟著文先生的健康一天比一天進步，文太太的肚子也一天比一天挺得高，走起路來都有點蹣跚了。文太太當真豢養了二隻小鵝，每天早晨二個人並著肩走到院門口，一個跨上腳踏車向東馳去，一個卻趕著鵝緩緩地走進路旁濃蔭覆蓋下的小徑。

那天我無意中散到樹林裡，首先就看見文家的二隻鵝悠閒地在吃草，看見我便伸長頸子叫起來，鵝一叫，驚動了坐在樹下的文先生，他略帶慌張地將膝頭那本雜誌掩上，我已瞥見了夾在裡面幾張排滿了鋼筆字的稿紙。

「散步！」他笑著抬起頭來跟我招呼，他發現我的眼光正從雜誌上溜到他手裡的鋼筆上。好像一個祕密被人看破的人一樣，他不好意思地眨了一下眼睛，吶吶地向我解釋：「一個人無聊得很，這樣嘿，嘿，消遣消遣，而且……而且。」他望著對面山嶺上那片雲彩。眼睛閃爍著光，那光輝使他清癯的臉顯得更年輕些，聲音裡洋溢著希望與歡悅。「為著即將來臨的下一代，總得做點準備，不過，這個請不要告訴曼漪。」

我明白了這是一種什麼新的力量，使他的健康進步得這麼迅速，如果他是個女的，我想我準會跑過去緊握住她的手，讓彼此浸沉在那種崇高的母性愛中，心與心之間建立起深深的默契。然而他是文彧先生，我只得抑制著，而激動地說：

「我答應你不告訴文太太，可是你也得注意不要太勞神呀。」

「當然，當然，謝謝你！」他感激地說。我轉過身去，卻見那對小鵝偎在一起交著頸子睡熟了，黃茸茸的絨毛上已長出潔白的羽毛。從樹隙漏下的陽光在羽毛上篩成一圈圈金色的斑紋。我不想驚動牠們，悄悄地放輕腳步，踏著軟軟的青草走向來時的小徑。

七

腦子裡想著文彧、江曼漪他們夫婦的事，一面漫步走出了樹林，折回家去。遠遠的在路上便望見院門口圍著一群人，正在向院子裡探望著什麼。難道院裡出了什麼事嗎？心裡疑惑著，腳底下也就加快了腳步。一走進門便聽見一個女人的聲音提高了嗓門在嚷：

「這是我們家裡的規矩懂不懂，『狗來開當鋪，豬來睏地鋪』。你們本地人本來睏慣了榻榻米倒無所謂，我們睏地鋪就是這家人家窮得什麼都沒有了。你想我們本來來台灣就受

編註：第六節原刊於《中華婦女》第三卷第三期，一九五二年十一月，頁三十～三十一；第三卷第四期，一九五二年十二月，頁三十～三十一。

苦，要是再沾上了霉氣，哼，這損失你們可賠償不起！」

接著又是一個男人的聲音帶著教訓的口吻說：

「畜牲沒有靈性！可是畜牲是人養的呀，人也沒有靈性嗎！照你說，睡到人家牀上去也是應該的。要養就要管，不會管就不要養。」

聽說話的聲音，正是張卓夫家兩口子。這時五號門口站著一個揹孩子的女人和一個強壯的男子，兩人都急的臉紅筋出，拉著權充翻譯的台灣籍高太太申說什麼——我認識他兩正是對面做屠宰業的。張先生二手抱在胸前，虎視眈眈地倚在門口那株芒果樹下，頭上連耳朵帶腮門的裏著一頂火黃色的睡帽，把他那副獐頭鼠目的嘴臉襯得更尖削，尖尖的嘴唇四周，還黑隱隱圍著一圈短鬚，大概這天還不曾用銅板拔過。張太太的樣子更隨便，彷彿是從夢中乍給火警驚醒，慌忙中胡亂扯一件衣服套上，上身穿的大概是張先生的汗衫，寬大無比。一條說不上什麼顏色的「好萊塢」式的短褲，褲腳又短又細，光裸裸露出二大截細長腿子當門站著，就像一支圓規。扁扁寬的顴骨，平平的鼻子，臉上分泌著一層黃蠟蠟的油光。微微地腫起的單眼皮上疏淡地點綴著三五根眉毛，說起話來還偏愛把眉毛一揚一揚的。現在她把眉毛一抬，頭一側，又向台階下的人訓起話來：

「告訴你們：別的沒有話說，就是要掛紅，要放爆竹，要殺了把血滴在門檻上——不然的話，牽回去，沒有這樣容易！者嘸者？」

原來是對面人家一隻豬，不知怎麼闖到張家後院去了。他們一口咬定豬闖到家裡是倒楣的，又說豬吃了他們種的蔬菜，提出好幾條條件來，說什麼也不讓人家把豬趕走。討價還價的結果，豬主人拗不過張家，只得自認晦氣。願意出二十元錢作為「掛紅」的折現。這才把在張家後院關了一個上午的豬趕回去。

一個個靠在門口，倚在窗前，用冷眼旁觀的態度看這場活劇的芳鄰們，這時都聳聳肩，輕蔑地說：

「真倒架子，只有他們張家做得出！」

「只有他們張家做得出！」這句話幾乎成了大雜院的居民用來批評張家的專門用語。說起張家所以與大雜院的左鄰右舍不結人緣，那還是去年夏天的事。張家與七號傅家之間，原來有一株大可合抱的大芒果樹，樹身雖然在張家這邊，茂密的枝葉卻分作兩家春，如果逢上大熟年，結得芒果少說也有二、三十擔。往年總是熟了就摘下來全院子嚐個鮮，打從張家搬來後，這年還是第一次結果。一天傍晚院裡的幾位先生在院裡納涼閒談，大家無意間把話扯到那株芒果樹上，傅先生便說：

「芒果都熟了，今年結得不少哩！湊一個星期日，找人給摘下來分一分，也讓孩子們快樂一陣。」傅先生這麼一說，大家也笑著附和，卻不曾留意到張卓夫雙手抱胸倚在自己門口，搭拉著臉一聲不響。

第二天早晨，月亮還不曾落下去哩，天色還是灰濛濛的。那位「川辣子」梁太太正起來上廁所，一眼便瞥見對面張家屋頂上影影綽綽，有個人在晃。她一急一怕，抖開嗓子便嚷了一聲。

「有賊啦！」

這時大家將醒未醒，正徘徊在夢的邊緣，經梁太太這麼一嚷，鄰近幾家從夢裡嚇醒過來，錢先生第一個光著腳提著一根棍子衝到院裡，接著好幾家的先生都光著腳慌慌張張地竄出來，太太們卻躡手躡腳地貼著玻璃門向外張望：只見張家屋旁那株芒果樹頂上的屋脊果然爬著一個人，樹下疊著桌子和椅子，地下還站著一個女人和兩個孩子——這賊不是別人，原來是張卓夫率領他的全體家員在摘芒果哩。他摘著放在籃裡吊下來，張太太在底下接著，孩子向屋裡輸送——屋子角裡小山般堆下一大堆了，樹下散置著一些大概是次等貨。張卓夫看見這些人跑出來瞪著他，似乎也有點不好意思，像個猴子般打從屋脊一翻身攀落在樹杈叉上，一面搭訕著像是解釋又像是跟他太太說：

「趁早晨涼快統統給摘了，回頭太陽出來就熱啦。」

「哦，好一個收穫的鏡頭！張先生，你在這屋頂上瞭望著，可曾見到『賊』沒有？」錢先生倒抽口冷氣，幽默地問他。

「賊？這院裡哪裡有賊？」

「是哪個缺德鬼！大清老早的來造謠言，開玩笑。」傅先生故意大聲抱怨著。這一嚷，八號裡果然立刻有了反應，梁太太把玻璃門嘩啦一推，理直氣壯地衝到院裡說：

「什麼是造謠言！明明看著屋頂蠕蠕動的，黑地裡又分不清是人是鬼！誰想得到半夜三更會有人爬到屋上去摘花採果的？真是，明人不做暗事……倒說我造謠言……」

張家兩夫婦聽著就像沒有聽到似的，照樣自管自地不停手摘著。一個全神貫注地在下面仰著頸子，眼睛在樹葉間搜索著，不住指點給樹上人：「那邊還有二只，靠你左邊……還要爬過去，哦！對了。」樹上的便聽著她的指示，小心翼翼地攀上另一枝危巔巔的枝枒，伸出手去抖擻擻地探著，探著……摘到了，立刻爆發出一陣抑制著的歡呼——不一會，院子裡的孩子們一個個起來了，瞧著芒果樹下青青綠綠的，便一齊蠭擁過去，急得張卓夫忙不迭在上阻喝地叫著：

「小孩子，不要動！回頭摘好了每家都會給你們送一點去。」儼然是主人的口吻。聽這麼一說，有的已把芒果拾在手裡的孩子便不服氣地往溝裡一摔，有的故意伸出腳去把芒果踏碎，鄙夷地吐著口水，然後悻悻地走開去。

大功告成，張先生果然同著他的大孩子挨戶送芒果來了，到一家門口，他就鄭重其事的，做出那種慷慨的神情，好像是送一份十分貴重的禮物似地向主人說：

「哪，這是我們門口那棵樹上結的，請你嚐嚐。」於是那孩子便把手裡提的菜籃向人家門裡一倒，六七個連枝帶葉，又青又小的芒果便跌落在地板上。可是鄰居們又怎樣領受他這份盛意呢？

有的說：「謝謝你，我們不吃這種東西。」

有的說：「你們辛苦了，留著自己多吃點吧！」拒不接受。

「這些人真不懂好歹，給送去還爭多嫌少的。不要，樂得自己多吃點。」張太太背地裡同丈夫咕嚕著。等張先生上班了，她一個人還細摸細想地盤弄著那些芒果。這天上午她大概忙得連午飯也不曾煮，就把芒果吃了個飽。到晚上，有人看見張卓夫悄悄地在腳踏車後面運了一炭簍芒果出去……

第二天早晨我們在門口碰到張太太時，不禁嚇了一跳，只見她那寬平的臉更寬了，扁鼻子深深地陷在肉堆裡，眼皮重甸甸地壓下來使眼睛剩條縫，整個的臉就像一隻吹胖了的豬肺。

「哎呀！張太太，妳是吃了什麼仙丹靈藥喲？一夜天工夫就這樣發福了。」

「我自己也不知道怎麼搞的！」張太太訕訕地舉起手去摸著臉頰，褐色的乳頭便毫不顧忌的從破汗衫洞裡跳出來。「痛倒不痛，只是發癢。」

但過了一天，張太太不僅臉上發福，身上也發起福來。一身腫脹得只躺在牀上喘氣，飯不能煮，孩子也不能照顧，張先生便從他服務的那個機關裡弄了一個工役來幫忙，那工役也還伶俐，一面帶著小孩子，一面把前院後院都收拾得乾乾淨淨的，就差沒有煮飯。中午張先生下班回來帶回一包饅頭，夾點隔夜剩下的酸鹹菜，倒一杯開水，一家子湊著便當午飯，卻打發那工役空著肚子回去，叫他吃了飯再來。

下午那工役再來時，再沒有上午那副殷勤了。一肚子的悻悻不樂，找著邵家的春生來發洩道：

「替人家做事，還得自己貼錢去吃飯，世上有這樣便宜的事！」

「你們那個也太小器了，飯都不留你吃一頓。」春生同情地說。

「他呀！他在我們處裡是有名的猶太，撈進不撈出，要他花一個錢比挖他一塊肉還痛些。」那工役一氣，把張卓夫的底子都翻出來了。「人家都說當庶務先生的人最是精明的，他比人家更厲害，不說別的，連買一刀草紙他都要揩幾張，買一斤茶葉也要揩油二三兩。真是『糞桶挑過沾一指』，你看他家裡用的、燒的，哪一樣不是公家揩油來的？上次我們處裡換處長，他混水摸魚，偷天換日頭，還整車整車往家裡運……」

這點他倒並不曾誣蔑我們的張卓夫先生，是有那麼一天，一輛大卡車馳進了院子裡，滿滿的載著一車，大至木器家具，小至舊茶壺、破風爐，大家正詫異是否搬場汽車走錯了路，家具堆裡卻猴子般鑽出個灰塵僕僕、汗流浹背的張卓夫來。指揮著往他家裡搬——寬大的柚木桌配著笨重的旋轉椅，彈簧露頂的破沙發搭著短一截腿的茶几，褪了漆的鏡框，缺了口的花瓶……只把那兩間十四個榻榻米的房間塞得密密實實，連風都得扁著身子才擠得進去。

第二天那個工役不曾再來。他們又另外請了個下女，但下女也只做了一天半就走了，臨走時還打著台灣話咕嚕著，說是因為家裡沒有飯吃才出來幫人家的，一樣吃不飽肚子還不如回家去餓死！

張太太的浮腫差不多過了一個星期才消，腫一消就似脫除了一層殼，人似乎瘦小了，臉色也更黃了——這都是去年的事，今年芒果才結子，他倆便望著樹梢展開了一個美麗的希望：一個偉大的計畫。沒事時兩人便站在樹下咭咭咕咕，有商有量的，還不時用充滿企望和熱情的眼光打量一眼樹巔，似乎巴不得眼睛裡那份熱和光能像陽光般促使芒果馬上成熟，為著不讓院裡的孩子攀折，他倆連午睡都犧牲了，輪班守在門口——據說他們的計畫是自己不吃，也不送人，預備全部售給果商。

人們並不個個是饞嘴，但張家的自私、吝嗇，卻引起了大雜院居民們的反感，尤其是孩子們。一天，彷彿是無意的，潘家的大孩子走過樹下順手用竹竿打了一只芒果下來。

「喂，不要摘，芒果還沒有熟哩！」張太太坐在門口喊著，但潘家那孩子卻裝作沒有聽見。

「哎。好酸！」他向旁邊站著的錢家的孩子伸伸舌頭。丟了，又打一只……

「你的運氣不好，看我打一只甜的。」錢家的接過竹竿去也是一只。

「你們這些孩子，跟你們好好說不要打，你們偏要打，沒有熟打下來真可惜死了！」張太太走下台階來干涉，看著心疼，連嗓子都尖了。

潘家的瞪了她一眼，把啃過一口的芒果朝她面前一丟：「你管得著嗎！」

「樹長在我門口，落下葉子來是我掃，結了果子歸我得，我怎麼不管？」

「是你們的？是你們的為什麼不藏到屋裡去？在院裡我就愛摘。」拍搭！又是一只。

「底下搆不著，我到樹上去！」別的看熱鬧的孩子趁火打劫地說，一個上了樹，二個上了樹……孩子們到了樹上就像一群蝗蟲，不一會便弄得果葉凌亂，遍地狼藉，張太太無法阻止，站在樹下只氣得一身發抖，頓著腳罵道：

「你們這批小土匪，小強盜！都沒有大人管教的……」一轉身索性奔進屋裡去，砰的一聲把門關上了。等張先生一回來，她立刻像個被別人欺侮了、飽受委屈的孩子般直撲到他面前，話沒有說，眼淚先迸射出來。

「氣死我了，明天就搬家！」

可是一個明天，二個明天……他們一直沒有搬，一直還是在大雜院裡津津有味地吃他們那份四季常備的「長生菜」。

所謂「長生菜」也是他們張家的特產。在他家後門口經常擱著一只甕，甕裡大概是鹽水什麼的，一年四季不斷地有蘿蔔、菜梗這類蔬菜加進去，逢上炎熱的夏天，揭開甕蓋便有一股惡濁的腳底臭直衝出來。那米泔水似的混水裡有靜靜的、浮萍般浮在水面的霉花，也有白白胖胖的、在水裡菜上蠕蠕蠢動的小東西。然而他們對這些向來是視若無睹，三天二天就掏一點出來，用自來水一沖，擱點辣椒一炒，便是下飯的菜。有時買點蔬菜，張太太有耐心，會為相差五分一毛錢的價爭論上半天，買好了明加一把，暗添一握，末了還硬要少給人家的錢。張太太炒起菜來也獨有一手，鍋裡不擱油，先把空鍋子燒得滾燙滾燙，然後把菜倒下去乾炒，擺一點鹽，擺一點水，要等菜起鍋了，這才用匙澆上一點油作為裝潢。

「張太太，妳真會過日子！」那一天我看了她的精采表演，不禁歎為觀止。

「哪裡喲！還不是瞎湊和。」她把眉毛骨一抬，眼皮綁得緊緊的。「現在出門在外面也講究不到那些了。在家裡時規矩可大啦，我們的家誡就是一個『儉』字——，妳聽過我們三叔祖的故事不曾？他才叫會過日子哩。」她頓了一頓，用誇張的語氣說，彷彿那是樁值得誇耀的光耀門楣的事。「從我們安徽歙縣到杭州，那時候是走水路的，坐航船去約莫要四、五天光景。有一次，我們那位三叔公有事到杭州去，你猜他帶了多少路菜？就是一只鹹蛋！到第四天早上，他吃過飯正在收拾碗筷，不料一陣風來卻把他擱在船頭上的鹹蛋吹到河裡去了。他眼看那只吃剩的蛋殼隨著波浪遠去，忍不住捶胸頓足惋惜了半天，幸好這時已快到杭州，他只得長歎一聲，自寬自解地哼了一首打油詩：『風吹鴨蛋殼，財去人安樂。』……聽說後來人家還把這事編進故事書裡去哩，你說他沒有錢吧，我們哪裡誰不曉得胡富仁胡百萬！」

「有你們這麼節儉，明天怕還不是張百萬嗎！」我笑著調侃她。

「嗳，談不上，談不上，那可差得遠啦！」她把小眼睛笑成一條縫，搖著手裡的鏟刀，但忍不住得意地閃爍著那種企望的光彩，瞥了一眼在旁邊守著她炒菜的丈夫和二個孩子；他們正飢餓地望住鍋碗，臉上同她一樣地泛著那種營養不良的菜黃色。

張家一直把小錢看得很大很大，有時要飯的到了他家門口，除了叱責和驅逐，從來就沒有看見他們施捨過一毛二毛錢。記得有一天中午，院子裡忽然瀰漫著一陣惡臭，害得正在吃飯的人連忙擱下碗筷去關窗。有人以為是挑糞夫不按時間來挑糞，走出去正想把他叱走，不料朝「臭」的源頭尋去，竟是張家賢伉儷圍在出糞處忙碌：張卓夫不知哪裡弄出來一只糞杓，在糞坑裡面掏滿了抽出來，張太太在一旁蹲著，一手擰著鼻子，一手便拿著火鉗在糞杓裡攪……只攪得滿院子臭氣沖天，人人掩鼻。就這麼著掏進掏出搞了二十分鐘，總算找到了他們所要找的——一塊被糞汁染成金洋的銀洋，是張卓夫上廁所時從褲袋裡掉下去的。

張家兩夫婦既捨不得吃，又捨不得穿，更捨不得玩，看起來他們的生活是十分單調乏味的。但是不然，他們自有他們的樂趣，有時張先生眉飛色舞地跟在張太太後面盡唧咕著，張太太呢？手裡做著事，眼睛卻不住眨巴著，像在心裡演算著一則複雜的算術，臉上還浮漾著一種滿足的笑意，如果誰側著耳朵一聽，就曉得他們所談的不是張先生又賺了多少，便是張太太又存了多少。有些晚上，院裡人差不多都睡靜了，獨有張家雖然門窗緊閉，窗帷沉沉的，裡面燈仍亮著，沉寂中隱約傳出「的嗒」的聲音，原來兩口子正在計算他們的財產哩：據說他們光是大大小小的金戒指串起來就有項圈那麼長的一串，每增加一只，就把所有的一起搬出來，擦一下，用戥子秤一秤，逐個逐個地加一加，然後又愛不忍釋地撫弄上半天。兩人就這樣對坐著，絮語著，可以消磨上大半夜。每當張太太結束這一樁趣味無窮的娛樂時，總像感到有點美中不足似的惋歎一聲，在實際的數目上加上一只虛的：

「哼，本來應該有××只了，如果那些天殺的強盜不摧毀那株芒果樹……」

八

為了打芒果的事，張家恨透了全院子的人，就剩貼隔壁的傅家沒帶上。因為傅太太向來就不愛管閒事，而傅澤恩先生又是大雜院裡有名的好好先生。

傅澤恩先生的人生觀是，昨天的事，好比蟬兒蛻下的殼，明天的事，自有明天管，至於今天，過了兩個半天便算一整天。傅澤恩先生的口頭禪是：「知足便是樂。」

傅先生生就一副福相，方面大耳，鼻樑正直，額角豐滿，嘴很大，「男兒嘴大吃四方」，但吃虧的是眼睛生得小了點，眼睛小了就沒有「神」，自然就作不起「威」，這也許就是他為什麼混了一、二十年還是當個委任級官兒的緣故。還有個缺點是三毛不豐，這三毛是頭髮生得少，眉毛淡，鬍鬚稀。別的中年男人嘴上多少總有點黑隱隱的鬍子樁，只有傅先生唇上卻像片瘠地。加上主人懶得耕耘，因此老是像蘿蔔絲般，稀稀朗朗飄著三五根淡至欲無的老鼠鬍子。傅先生什麼都不愛受拘束，連穿衣服也是，他最討厭那些牽牽絆絆的帶子如背帶、褲帶、鬆緊帶什麼的，他穿上西裝那根領帶的結總是落在第二擋扣子上，要穿上中山裝呢，領上又老留一條叉縫，據他說那是「向太太們的旗袍領子看齊」。他又跟人說：如果當真死了能轉世，他一定要求閻王來世給他投個女身。

「為什麼？」你要問他。

「為的舒服呀！你看她們一個個赤臂露腿的，多輕鬆，要穿上什麼三點游泳衣，一身還沒有一尺布，誰像我們倒楣的男人，全身就似怕走了氣的蜜餞罐頭，封得又嚴又密！」

來到這台灣南部，傅先生正是如魚得水，一年四季倒有三季他只穿一件寬寬蕩蕩的「夏威夷」衫，一條不中不西的便褲。逢上夏天，他下班回來把夏威夷衫一脫，汗背心往冷水裡一浸，待用冷水抹過身，又把浸濕的汗背心絞起來套在身上。

「嘿！」他說：「這比喝上二杯冰淇淋還涼快。」

編註：第七節原刊於《中華婦女》第三卷第五期，一九五三年一月，頁三十八～三十九；第三卷第六期，一九五三年二月，頁三十二～三十三。

飯後，他便揮著大芭蕉扇，端把竹椅子往院裡一坐。有人聊天，便海闊天空地聊開去，沒有人聊天哩，闔上眼就能睡去，不管蚊子像蒼蠅叮住臭魚似地向他展開攻勢。他真是能睡，只要五分鐘不開口，便酣然尋夢去了。星期日要沒有朋友找他，他一覺可以睡到午飯開在桌上才起來，起來吃過飯，接上又睡到下午四、五點鐘。有時一個人獨斟上幾杯，睡得更香甜。孩子在隔壁房裡吵翻了天也吵他不醒，太太看著生氣在他身上擂上幾拳，他也滿不在乎。嘴裡咕嚕二句，翻個身，又睡著了。

傅先生對睡覺也有一套他的高論，他認為什麼書中自有黃金屋，書中自有顏如玉，都是太空洞，太渺茫了，遠不如到夢中去尋取來得實際。只要有一點動機，夢便會毫不吝嗇地供給。一切現實世界所想望不到的，夢裡都有，夢的世界遠比現實世界豐富廣大不知多少倍！而且，他說：「人活一輩子倒有半輩子睡在牀上做夢，若這半輩子做著好夢，人生一世也就滿足了。」

傅先生笑他太太以及一切不懂得享受睡覺的人是傻瓜！

酣然一覺醒來，傅先生總是大大地伸展一下肢體，弄得骨節咯咯作響，然後帶著那副心滿意足、與世無爭的神情，大聲吟唱著：

「大夢誰先覺，平生我自知。」

傅先生不承認愛睡懶覺，說那是養精蓄銳。

有什麼疑難不決的事，付之一睡。

心裡有點什麼不痛快，付之一睡。

逢上傷風咳嗽，一睡三天，不藥而癒。

傅先生並沒有辜負他那副福相，他確是一個最懂得享福的人。只是他被笑為傻瓜的傅太太卻不曾沾到他的「福」。

傅太太生得不高不矮，身材也婀娜，不像已生過三個孩子的人。蛋形的臉上端正地安放著薄薄小小的嘴，由那雖然已皺起淺淺的魚紋但明亮有神的眼睛裡，可以想像得到她在年輕時一定很吸引人。她平常穿著的都是質料很好但裁製卻已過時的衣服，可以看出她從前的生活大概相當優裕，但她總說自己是生成的勞碌命。

「我這雙手嘿就是生成勞碌命的手。」傅太太為了證實自己所說的，把手從洗衣服的肥皂沫裡伸出來給我看，其實她的手也沒有什麼生得特別，只是給煤灰和油污弄得粗糙了點。而且因為生得瘦，骨節突出，手掌伸直，指與指之間便露出一條條很寬的縫隙，她指著那些縫隙十分感慨地說：「哪，就是這些縫，不聚財，多少家私都打從這裡漏走了。」

「可是看妳也克勤克儉的……。」

「自然咎不在我，錢都是他一個人花出去的。不過，話又得說回來，也只怪我手太鬆了，把不住……。」接著她告訴我傅先生家裡本來有點錢，而她帶過去的陪嫁也不少，可是傅先生向來不曉得計算，三天一請客，五天一宴會，三朋四友一哄，便去外面大喝大嚼一頓。而且只要人家向他開口借錢，他沒有不應酬的，那些借條若是留著簡直可以裝訂一本書，至於朋友因為手頭拮据，十兒百兒挪的更不要說了。有一次一個朋友要做生意，差一筆資本，他就兌了十兩金子借給他，可是後來人家還是照原還他現款，老法幣一跌價，結果連一錢金子也沒有買回來。「人家現在台北做綿紗生意，可闊得很哪！而他還是江山好改，本性難移！」

傅太太事事喜歡未雨綢繆，又多憂善慮。天一陰，她就擔心下雨，吹一陣風，又怕颳颱風。有一陣報上載著瘋狗咬人，她就每天擔心著去上學的孩子，坐臥不安。如今聽說要反攻大陸了，她又為回去的交通工具著急。

「坐船吧，那風浪想起來都讓人暈，乘飛機可又有點怕……。」

「妳這真叫杞人之憂！」傅先生笑她。

「你好，誰又像你，只要有覺睡，天坍下來也不管。」傅太太不服氣地頂他。

「『天坍自有長人頂』，我當然用不著管囉！」傅先生嘻皮笑臉地說，逗得傅太太直罵他「厚臉皮」。

傅先生對自己的收入是不是夠家用向來是不過問的，全權交給了傅太太調度，但他自己卻常常會破壞太太的預算。傅太太在外面來了幾個「會」，一天她等著傅先生帶回下半個月薪水來繳會錢，可是只帶回一點鈔票，傅太太便發起急來：

「你又用到哪裡去了？」

「老張借了三百。他太太在醫院裡等錢用，我總不好意思說不借啊！」傅先生輕描淡寫地說。

「借得好！這下把會錢一繳，明天可連買菜錢都沒有了。」

「明天的事有明天哩。」傅先生還是滿不在乎。

可是「明天」傅先生並沒有變出錢來。傅太太想懲他一懲，這天飯沒有煮便鎖了門出去了。下午她帶著孩子回來，看見門還鎖著，心裡想傅先生不知混到哪裡去了，身邊又沒有一個錢，不覺又暗暗譴責自己不該這樣硬心。她悄然推開門來，不覺吃了一驚，原來後面房裡亮晃晃的，後窗大開著——她清清楚楚記得出去時門好的，房裡似乎還有點動靜，她捺住心跳，屏住呼息，躡手躡腳地走到房門口一張，首先就嗅到一股濃濁的酒氣，牀上四肢仰天，睡得正甜的不是傅先生是誰？

「這死鬼，可把我嚇死了！」傅太太笑著罵了一聲。走進去一拳擂在傅先生腿上，他喉嚨頭「唔！」了一聲，一股更濁的酒味直竄進傅太太腦門。

「臭死了！喂，我問你，在哪裡吃的飯，喝的酒。」

「拐角上的『老北方』。」

「錢呢？」

「賒的帳。」傅先生含糊地說，翻個身又睡著了。

傅先生管教孩子一向是採取放任主義的，由孩子自己去發展。他認為一個人一生差不多全糾纏在生活和事務中，只有孩子時候，可以不受拘束還是少受點拘束，讓他們保持一顆「赤子之心」。但傅太太的看法卻又不同，她愛面子，要爭氣，把兒女的成績當作自己的榮譽，只想望子成龍。因此當她在老二傅家駒的成績報告單上看到有二項紅字時，一氣之下，竟罰他餓一頓飯。

「其實小孩子進學校本來就是學習學習，又何必斤斤較量那分數……」傅先生試著替兒子說項。

「兒子是我生的，你不計較我計較，嘿！自己不長進想教孩子也跟著你不長進！」傅太太一氣，說話也就重了。

「兒子是誰生的，我先不同妳爭論，妳倒說說看我哪一點不長進？」傅先生把腿一架，慢吞吞地說，望著太太的怒眉豎目，像欣賞一齣戲似的。

「問你自己？數一輩子的芝麻綠豆。」

「數一輩子芝麻綠豆也不錯啊，爬得高，跌得重；不爬也就不跌。再說，妳看見過造牆不曾！那一幢高牆不從牆腳砌起？基石越穩固，牆越久遠。要不什麼飛簷畫樑，經不住時間一拖就垮了。像我這樣的人就像那牆腳磚，不炫耀，不出風頭，而做的是最實際的工作。懂不懂！」傅先生對自己這番高論似乎感到很得意，晃著頭，二條腿直顛著。

「夜壺裡燉鴨，獨出一張嘴。說倒說得好聽！」傅太太在鼻子裡嗤了一聲，逕自端起殘菜剩飯朝廚房裡走。傅先生急了，在後面直喚：

「到底是給不給妳兒子吃飯呀？」

「不給。」傅太太答得很乾脆。但她暗地裡早留好一份菜，又把飯鍋在火上燉著，為著不屈這口氣，就要等傅先生睡午覺時讓他吃。

傅先生看兒子像一隻打敗了的小公雞，黯淡無神地縮在一角，他忽然靈機一動，瞧著太太在廚房正忙著，連外衣都未穿，跨上車子溜了出去，一會兒回來，將手裡一包滾熱的叉燒包悄悄遞在家駒手裡，叮嚀著：

「趁熱的吃！」

傅家兩口子儘管有時意見不同，卻從來沒有唇槍舌劍，起過衝突。傅太太要一發急燃上小鞭炮，傅先生便冷靜的，在那炮聲的空隙裡不痛不癢地插上兩句，逼得傅太太忍不住又好氣又要笑，再不傅太太說傅太太的，他也拉開喉嚨大唱其空城計，兩個人便比著嗓子唱雙簧，自然，最好的辦法還是蒙著被子往牀上一躺。傅先生說他所以不同太太正面起衝突，絕對不是怕老婆，只是「息事寧人」而已。

一個風和日麗的星期日，傅太太不知是心血來潮抑是有所感觸，吃吃午飯忽然感慨起來。

「辦公的，上學的，都有個星期日休息休息，只有燒飯的一年忙到頭，連看場電影的工夫都沒有。」

「要看電影還不容易，今天我就犧牲午睡陪妳去看怎樣？」傅先生說得那麼慷慨，頗有騎士為美人赴難的氣概。孩子們聽說看電影，立刻一個個在旁慫恿著：

「媽媽去嗎！」

「媽媽去嗎！」

「不曉得有什麼好片子？」傅太太猶豫地說。

「我曉得，光華演〈飄〉。」大女兒采英搶著報告。

「好，就決定看〈飄〉。一點半的那場，現在是十二點半，吃完飯馬上動身。」傅先生的主張，孩子們一齊附議。

「晚飯怎麼辦呢？」傅太太顧慮又來了。

「到那時隨便弄點什麼吃的好了，或者乾脆就在外面吃了回來。」

「我還浸了一腳盆衣服沒有洗。」

「明天洗又有什麼關係呢。」

可是傅太太仍得餵雞食，把衣服收進來，廚房弄清爽……這才化妝換衣，把三個孩子猴急得似熱鍋上的螞蟻。當他們浩浩蕩蕩奔赴電影院時，門口已排著兩條長龍，傅先生也不看龍頭在哪裡，趕緊占了個位子，回頭看太太時，也貼在孩子們後面，冒著一臉的油汗。歇了刻把鐘，停著的龍開始慢慢地移動了。站在傅先生前面的是個大塊頭，傅先生只望著他頸項上堆積的肉堆一步一挪地跟著移動，心裡也不知想些什麼……突然眼前一亮，大塊頭走開了，原來他已站在鐵門的入口處，迎著他的驗票員伸出來的手。他怔了一怔，連忙紅著臉轉開去，嘴裡自語：

「糟糕！我還以為是排隊買票的呢。」

可是這時票房的小窗子早就拉了下來。

「去買黃牛票吧！」傅先生聽見他旁邊有人在說，他也跟了過去，可是一問價錢是十二元一張，依他的主意要看就買，可是他沒有忘記要請示太太，回過頭去，卻見傅太太已率領蝦兵蟹將，氣鼓鼓地朝原路走去。

隨便傅先生提議上哪裡玩，傅太太總是不聽，一路上小鞭炮直放到家裡，把衣服一換，傅太太又下了廚房，手忙，腳忙，嘴更忙，那兩片口紅褪蝕的薄嘴唇猶自翻動個不停：

「……妄想消遣消遣看起電影來了，哼，沒有那麼好的福氣！生成勞碌命，只配一天到晚埋在廚房裡——累嘿累得要死，四點半鐘了，爐子還沒有生著，米也沒有淘，斷命炭又是濕的……」傅太太越是心急，爐子越是生不著，怨木炭，怨火柴……這裡傅太太急得火冒頭頂，七竅生煙，哪裡傅先生往藤椅上一躺，不到五分鐘，又去享受他那「黃金屋」和「顏如玉」了。

傅先生是個有福的人。

當朋友來說起傅先生什麼什麼，傅太太總是笑笑，笑得諷刺而不失嫵媚，淡淡地說：「他呀，他是有福氣的人！」

九

在這麼一位「有福氣」的先生斜對面，卻偏偏住著一位「福薄」的人——那是十號的倪太太，倪老太太要談起她的媳婦兒來，總是先在鼻子裡「哼」一聲，然後尖酸地說：「她呀！福薄，命裡連個兒子都招不住。」

倪太太確是生成一副似乎載不住福的樣子，生得瘦瘠伶伶，一副斜削的「美人眉」，更顯得身材狹小，臉很瘦，瘦得太陽穴微凹，下巴帶尖，因此一對深邃的眼睛和一張嘴看來便襯得更大了。臉色十分憔悴，眉峰是深鎖著，彷彿鎖著無限憂鬱，就是笑起來和一切慎細冗緩的動作中，也都摻著那種落寞的、濃厚的憂鬱性——使人懷疑這麼瘦小的身軀，怎能載負如許憂鬱！

他們本來有一個二歲的男孩子小洪，據說生得活潑可愛，可是當他們乘船來台灣時，卻不幸在中途夭殤了。他們坐的是船上的貨艙，人擠得滿滿的，一家四口只占到二席榻榻米的地位，艙底空氣十分惡濁，又遇著風浪，一家人全暈船，倪太太嘔得一身都癱瘓了，就在這時，小洪染上了疹子，沒有醫療，缺乏照料，二天就活生生地蹧蹋了。要不是眾人攔得快，在孩子舉行海葬的一剎那，悲慟欲絕的倪太太幾乎躍身海中。

倪太太來台灣後，便一直悒悒寡歡，人很快地清瘦下去。無意中看到孩子的一件衣服，或是玩具，總要偷偷地在房中泣上半天。但她從來就沒有跟人家談起過這樁慘事，偶爾人家問及，她亦總是含糊其詞，旁顧而言他，那是她心上一塊永遠不能結疤的創口，她不願在別人面前揭示——同情是無補於事實的。只是在沒有人看到的時候，她黯然撫視那創傷，獨自忍受著錐心的痛苦。

日子久了，她的悲傷雖然沒有減退，卻在絕望中萌生了希望，她希望再生一個。她還年輕，而多少十幾年不曾生育的人，來了台灣也都神蹟似地生男育女，她當然還能夠生！這希望一度曾使她重新獲得了生命的活力。她溫柔地侍候著婆婆和丈夫，她變得十分忍耐，忍耐

編註：第八節原刊於《中華婦女》第三卷第六期，一九五三年二月，頁三十三；第三卷第九期，一九五三年五月，頁三十一～三十二。

著倪老太太的嚕嗦，她關心鄰家的孩子，常常傾聽著做媽媽的無盡止地談著她的孩子。她收集著刊載了嬰兒照片的雜誌和畫報，無人時便悄悄拿出來欣賞，而當她在一天的家事中獲得一份餘暇時，大雜院的居民常常可以看到她靜悄悄地偎在窗前的大竹椅裡，膝上蹲著那隻雪白的大波斯貓，她一手撫弄著牠柔滑的毛，有時喃喃地對牠低訴點什麼，有時便抬起深邃的眼睛，做夢似地凝望著天空。當她這麼做時，臉色顯得那麼柔和安祥，眼角微向下垂著，眼睛裡揚射著一種情愛橫溢的光彩，那光彩使她的臉看來異常秀麗——她若不是這麼瘦，一定很美麗的。

當她這麼沉思默想時，她似乎忘了周圍的一切，更聽不到所有的聲音，因此，有時當倪先生跨進了房裡，她還是沒有覺察。

「嘿，想什麼？想呆了！」

「唔！沒有想什麼。」倪太太被他的突然出現嚇了一跳，但立刻掩飾著——她的思想領域是一塊禁地——推開膝上的貓站起來，走過去接過倪先生的外衣掛上，拖鞋拿好，又斟了一杯不冷不熱的茶送到他面前，倪太太做這一切都十分自然，不是殷勤也不是討好，就像一個母親寵愛她的孩子，樣樣都為他安排好，生怕他耗費半點神思。

倪太太侍候她先生確實算得體貼入微，吃飯時給他裝飯，吃過飯替他打洗臉水——甚至洗腳水，過些時就把乾淨的襯衫褲送到他牀前去給他換，把摺疊得方方整整的手帕悄悄地放進他褲袋，等倪先生睡了，她便檢點他的衣服，把鋼筆抽出來灌上墨水，看看名片是不是夠用，大便用的草紙帶了沒有，衣服上有沒有脫線掉扣的情形，等一切都檢查過而認為放心了，這才用毛刷刷一陣，掛回衣架去。

有這麼一位賢慧體貼的太太，做丈夫的是太幸福了。但倪先生卻坦然置之，沒有一點抱歉或是感激的意思，彷彿覺得那都是一個做妻子應盡的義務。不，簡直是天生成這樣的，吃完第一碗飯，他習慣地把空碗朝倪太太面前一遞，等太太給添飯；要出去了，他照例在門口一站，等太太給披上外衣；但有時對倪太太的過分關切似乎還有點厭煩。譬如說，倪太太看著天氣陰沉，連忙捧著件雨衣追到門口去。

「噯！」倪太太總是這樣喚倪先生，彷彿他的名字就像「親愛的」、「吾愛」那些字一樣難於啟口。「噯，把雨衣帶去吧！」

「唔，」倪先生正在結著鞋帶，只是懶洋洋地在鼻子裡哼了一聲。

「回頭怕會下雨哩！帶去吧！」倪太太說。

「用不著！」他不耐煩地說，頭也不回地走了。

倪太太抱著雨衣怔怔地站在玄關裡，望著倪先生一步步走遠了，悵然若失，惹得倪老太太在房裡低聲咕嚕：

「啥不跟著去？沒見過這樣的狐媚子，一步都離不開男人！」

倪繼祖就是這麼一個人，粗忽、浮躁，不大負責任，他對家的觀念也很淡漠，只把來當著旅店飯館似的。

倪先生向來不大關心倪太太做什麼，穿什麼，或是想什麼，他完全疏忽了。倪太太時常想找機會表露她的柔情蜜意，和那股蘊藏在心底的熾熱的感情。她的存在，在他幾乎就同一只杯子，一個枕頭的存在一樣，因為有杯子，他便在裡面喝水，因為有枕頭，他的頭便安放在上面——他們的愛情關係就限於此。他不了解她的靈魂，也不想去了解。

倪先生據說從前還是個長跑健將，在學校裡時曾當過廣西省的省運選手哩！

「那時的風頭可出足啦！」說起那時，倪先生那對深深陷下的眼睛發著亮，那骨骼崢峻、凹凸不平的黑瘦臉上也被著光輝，「最漂亮的女學生向我獻花，攝影記者圍著我攝取鏡頭，這裡請吃飯，那裡歡宴，簡直忙不過來。」可是過了不久，他說滑了嘴，又說自己是全運選手。

「那時要不是傷了腿，說不定參加世運馬拉松賽跑就有我一個。」

「我好像記得你說過當過省運選手？」聽的人如果這樣反駁他一句，他也會毫不猶豫地順著口氣說。

「是囉，是囉，我就是說當省運選手時要不是傷了腿，我就有資格參加全運，參加了全運，離世運也不遠啦！」

自然，倪先生是不是長跑健將，大雜院裡的居民是無法證實的，但他那兩隻長長的，一步間的距離要超過常人五分之一的「鷺鷥腿」，確是要與眾不同些。倪先生也就特別利用這天賦的特長，從不讓它閒憩，下班回家把飯一吃，乾毛巾在嘴上擦一擦，拉起長腿來便往外跑，不到睡覺不回來。他從來不邀倪太太一路去走走，看電影什麼的。倪太太也不知道他成天在哪裡逛。可是因為市區小，熱鬧的街只有那麼幾條，我們要上街去遛達遛達，卻也時常會逢到他：有時走過彈子房門口，見他正似孫行者玩金箍棒似地玩弄著彈子棍；有時在一大群大人孩子的包圍圈裡，他也擠在中間，俯身在一只木盆上，聚精會神地做「釣魚」的遊戲；或是蹲在吃食攤前，悠閒地吃著「當歸鴨」、「魚丸麵」；也有時在電影散場的觀眾群中望到他出人頭地的身影，他要看見你時便衝著一笑，老遠地大聲嚷著。

「好得很哩，不可不看！」——凡是他看過的電影，沒有一部不好的，你要問他好在哪裡，卻又說不上來——可是等你正預備答話時，他卻似驚鴻一瞥，一轉眼又不知鑽到哪裡去了。

其實，也不能怪像倪先生那樣坐不住站不穩的人在家裡待不住，換了別人，也不大待得住的。屋子裡那不和諧的氛圍，倪先生的母親已是五十多六十邊的老太太了，自己一身總是收拾得整整齊齊，就說一個頭吧，從來不見露出一根白髮來，填著假髮的「盤香頭」梳得一絲不亂，光溜溜地貼在頭皮上；四寸長的「金蓮」上，套上一雙潔白如雪的襪子，黑漆皮鞋總是亮亮的，一塵不染，老眼不但不昏花，而且灼灼有神，顯得是個精明的老人家。只是愛嘮叨，也愛挑剔，不管做媳婦的倪太太性情怎樣溫柔，也耐不住性子要頂撞她幾句，日子久了，言來語去，便成了家常便飯。每天都像老和尚做日課似的，大大小小總得吵上幾次，起因卻都是針尖大的小事，譬如吃飯時，倪老太太挾起一筷菜來嚼了二口，立刻把眉頭一皺。

「好鹹！」說著，忙不迭地扒上兩口飯，做出要減除鹹味的樣子，但隔了一歇，又故意誇張似地再挾一筷。

「哎，我的嘴唇都鹹得發麻了，準是倒翻了醬油瓶。」

「我吃一點都不鹹。」倪太太也挾了一筷慢慢地嚼著，沉住氣說。這一分辯，老太太可有點惱羞成怒了。

「那倒是我亂講！還說不鹹，再鹹可把人鹽成『板人』了。油精醬油三元五毛一瓶，又不是偷來的！」

「省油省鹽我是不會，明天妳當這份兒家好了。」倪太太也沉不住氣了，嘟著嘴使勁地把筷子在碗裡戳。

「當家有什麼稀罕，你以為我沒有當過家？只是我辛辛苦苦把兒子撫養大了，總不成吃著他一口，還得自己來費神操心？」

「那可難侍候啦。」

「什麼，你倒嫌起我來了！」

兩人的聲音越說越響，倪先生正好坐在中間，一左一右逼尖了的嗓音直向他耳朵裡鑽，吵得他不耐煩了，便粗著嗓子喚。

「得啦，得啦！一天到晚吵吵鬧鬧算什麼？」

「你這是在吆喝誰？沒良心的東西！自己的婆娘管不住，竟管到老娘頭上來！」

「是我愛吵吵鬧鬧？你沒聽到誰起的頭！」

兩人轉移目標，一起向倪先生採取攻勢了。

「好好好，你們吵，你們儘管吵！」倪先生把碗裡的飯三口兩口、連塞帶吞地吃完了，嘴都來不及擦，邁開鷺鷥腿像逃避洪流似地逃了出去，剩下婆媳倆又唇槍舌劍地鬥了一會，又不知怎麼自動地收了場。倪太太氣得躺在牀上淌眼淚，倪老太太便到左鄰右舍去講媳婦怎麼長，媳婦怎麼短……

前年秋天，倪太太居然有了懷孕的徵象，不說她本人滿懷希望，高興得什麼似的，就在倪老太太也看在未來的孫子面上，少挑剔，少嘮叨了。可是月經停了三個月、四個月，只是日見消瘦，身子的表面卻還沒有一點變化，到五個月時，倪太太忍不住去找產婦科醫生檢查。不想醫生的診斷後說不是懷孕，而是患了嚴重的貧血症，就是俗稱「乾血癆」，再也不能生育了。

倪太太聽了這診斷，當時在醫院裡暈了過去——

從那時起，倪太太變得更悒鬱，更沉默，人一天一天消瘦下去，就像一支竹筍給一層一層地剝除了殼。沒有事，她會成天躲在屋子裡，倪老太太唸經似的嘮嘮叨叨她也不接聲，她似乎怕聽有關孩子的一切事情。當與三五鄰居在一起，閒談中偶爾涉及孩子時，她便會嗒然若失，像心靈上負了創傷怕被人觸痛似的，悄悄潛行回家。有時別人正同她講著話，說著笑，忽然間她就像南部雨季的天空，一下子陰沉下來，默默無語；等人家再問她時，她卻似乍從夢中醒來，茫然不知所答；有時手裡正做著事也會這樣，突然停了工作，呆呆地半天不動。記得有一天我正打從倪家門口走過，側臉向門裡的倪太太招呼時不禁嚇了一跳，只見她坐在一木盆衣服面前，雙手塗滿了肥皂泡沫擱在洗衣板上的一件衣服上，一副正在搓洗的姿勢，但實際上卻是靜止的，她像一尊化石般坐著，眼睛直瞪著虛空，嘴角閉得緊緊的，兩頰的肌肉繃得僵直，我走過時她連眼皮都不動一動，彷彿根本沒有看見，那樣子確實有點可怕，直到我喚了她一聲，她才猛然一驚，一個顫慄醒悟過來，認清是我，她那執著的目光變柔和了，嘴角浮上一抹溫柔的微笑！

「沒有事，進來坐會兒吧！」

我笑著搖搖頭，想問她剛才想什麼想得那麼出神？但我沒有問，忽然一個可怕的意象侵入腦際，她不會……我不敢下那個令人心悸的結論，匆匆逃開去。

但事實卻作了那麼結論——一個深秋的早上，起早慣了的錢太太一打開門來，卻看見倪太太蓬著頭，赤著腳，就穿著單薄的睡衣在院子裡躑躅著，前走三步，後退三步，一個轉身，跪下去拜一拜，起來，又走三步，退三步，拜一拜……聽到開門聲，她疾奔過去，衝著錢太太給磕了個頭。

倪太太瘋了，想孩子想瘋了，但她並不「發瘋撒潑」，她只是智慧給蒙蔽了，不曉得冷熱、飢飽和乾淨齷齪。常常一個人輕輕地自言自語，有說有笑，一看見有三四歲的男孩子在院裡玩，便帶著那種奇特的、討好的微笑，過去拉拉他的手摸摸他的頭，有時，會突然想起什麼，跑回去拿件小襖子給孩子披上，喃喃地說：「小洪，冷了，要加件衣服。」或是把孩子的臉轉過來，半天半天地凝視著，嚇得孩子直哭直叫，孩子們的媽媽想不許孩子在院裡玩，但屋子小關不住，只得聯合了要倪先生把她看住，倪先生索性把脫鞋子的「玄關」改作囚籠，把倪太太鎖在裡面。

這個溫馴、善良的神經病患者，一旦關在那間小屋子裡，卻變得歇斯底里了，她瘋狂地從這邊撲到那邊，身子在牆上摩擦、扭曲，聲嘶力竭地哭喚著：

「我要小洪，我要看小洪呀！」

「你們這些狼心狗肺的，我知道你們要殺死小洪，還我，還我的孩子……」

她用力捶著門，門沒有捶開，門上的玻璃全給搗碎了，雙手給碎玻璃戳得鮮血淋漓，但她彷彿絲毫不覺得痛。

一個晚上沒有聽見瘋子的聲音，第二天才從倪老太太嘴裡獲知送到台北去了。隔了二天，倪先生一個人空著手回來，他回答鄰居們的關切的探詢是：

「送進精神病院了。」

「不要人照顧嗎？」

「噢，誰能騰出身子去照顧一個瘋子！」他搖搖頭，苦笑了一聲。

倪老太太沒有嘮叨的對象，寂寞使她跑鄰居的次數更多了，但談話的內容總少不了反反覆覆地說她的媳婦，聽得也都膩了，只有一次有點新鮮的材料。那是她在一只箱子裡發現了一堆小鞋子，從學走路起，一雙雙大上去，總共有八九雙，也不知倪太太什麼時候給一針一針製上的。

倪老太太又在兒子面前嘮叨著什麼「不孝有三，無後為大。」什麼「倪家的香火不能讓他斷囉。」她的意思不外想倪先生再弄個人。但是倪先生似乎對這些不大感興趣，照舊還是放下碗就跑，獨個兒自得其樂。只是衣服沒有人天天給他熨洗，已沒有早時那樣挺括整潔，皮鞋沒有人天天給他擦，已沒有早時發光發亮，有時摸出手帕來擰一下鼻子，人家會以為他是揣著一塊擦地板布在口袋裡。

這一年的冬天，倪家的屋子顯得特別陰森，特別寒冷，雖然台灣南部一年四季充滿了陽光。

冬天過去，春風帶來大地的新生，消息傳來，據說是倪太太已痊癒出院了。現住在她表姊家裡，等倪先生去接。

倪太太回來時還是那麼瘦，但臉上卻洋溢著一種柔和的光輝，她過分小心地注意著懷中一個白色的包袱——那裡面原來正裹著一個嬌小的嬰兒——這一切都是她用一個母性的心來了解她的表姊所安排的。

倪太太幾乎是全副精神，整個心靈都放在那個抱來的只會哭、只會吃和痾的小東西身上，丈夫的淡漠她不再掛在心上，婆婆的嘮叨她也充耳不聞，她自己省衣節食，為的孩子多買點奶粉、鈣片，她煞費苦心，為孩子縫製著一件件精美的小衣服。慢慢的，孩子會笑了，她樂得心花怒放，孩子會學走路了，她那早預備的一大堆小鞋子有了銷路，孩子第一次學著喚「媽媽」時，她激動地摟著孩子迸出了眼淚，儘管倪老太太一肚子不滿意，在後面咕嚕著：

「臭美！隔重肚皮隔重山，不知哪裡撿來的野孩子！」但當孩子嬌憨地喚著「婆婆」、「婆婆」時，也不由得軟化了。至於倪先生，他對這些一向是採取無所謂的態度，孩子叫他爸爸他就答應，高興時在小蛋臉上擰一把，但從來不說哄她玩玩，或抱著出去逛逛。

孩子成了倪太太的第二生命，她的影子，她滿心充溢著慈愛，她到哪裡孩子都跟著，她在廚房裡忙碌，她便纏繞在她身後，呢呢喃喃，問東問西。她在屋子裡替她做衣服，她便盤旋在她膝前，要講故事、要唱歌。有時當我走過倪家門口時，聽到倪太太溫柔的聲音在說：「小薇乖，來，我們來唱歌：一二三！母親的光輝，好比燦爛絢日……」於是，一個小小可愛的聲音，半刁著舌頭學著唱起來：

母稱得光輝
好比採來得……

孩子學不上來，賴在母親身上撒嬌，母女倆無邪的笑聲，從門洞裡洋溢出來。

十

當倪太太這麼在堂屋裡逗著小薇有說有笑的時候，在對面傅家那棵芒果樹的濃蔭下，常常會有一個四五歲的小女孩癡立著，一根食指吮在嘴裡，呆呆地望著這邊，彷彿這情景在她小小的心靈中喚起了什麼遙遠而熟悉的東西。本來在這般年齡的小女孩，正是做母親的賣弄匠心的活模特兒，把自己在幼時打扮洋娃娃的興趣，轉移到這大洋娃娃身上，而盡力隨心所欲地去打扮、去裝飾。但在這孩子身上卻沒有一絲經過這類關切的痕跡。身上老是一件分不清什麼顏色的舊花布衫，一隻一樣的木屐，童化式的覆額短髮已長得掩蓋到眼睛上了，因此，她不得不時用那骯髒的小手去擦拭眼睛，擦得眼圈紅紅的，像才哭過。眼睛大而無神，秀美的小臉上透露著營養不良的蒼白，永遠帶著些懼怯、畏縮和惶恐不安的神情，就似一頭被獵犬嚇破了膽的小白兔，即使藏在草叢裡休息，也不時提心吊膽，深怕又獵犬追來。她可以說是這院子裡最安靜老實的孩子了；但我卻常常看到她母親責罰她，最普通的是要她兀坐在一張高高的竹椅上，一二個鐘頭不准下地，就當她這麼全神貫注地呆立芒果樹下時，只要聽得她母親一聲喊：「珊珊，又死到哪裡去了，還不來看弟弟！」她立刻慌慌張張答應著，一面蹣跚地挪移著兩隻短短的小腿，連爬帶攀地跑上台階。

珊珊是六號趙鼎懋家的第三個孩子，當我一搬進大雜院來，最使我困惑不解的不只是幾個孩子在看待上有那樣地顯著的區別，而是趙太太對珊珊那種近乎仇視的冷漠。一個做母親的對兒女的愛，竟有那般輕重不勻，實在使人詫異，直到後來我才從別人嘴裡獲知原來這裡面還包藏著一齣人間悲喜劇——珊珊是趙先生的親骨肉，卻不是趙太太生的。

那還是抗戰時候，趙先生調差去貴陽，趙太太回漢口娘家去生第二個孩子建華，不想孩子生下來交通卻為烽火阻斷了，向來不甘寂寞的趙先生便在貴陽弄了個「抗戰夫人」。等勝

編註：第九節原刊於《中華婦女》第三卷第九期，一九五三年五月，頁三十二；第三卷第十期，一九五三年六月，頁三十～三十一；第三卷第十一期，一九五三年七月，頁二十六。

利回南京時，「抗戰夫人」生的珊珊已滿一週歲。趙太太早在家裡把這一切打聽得清清楚楚，卻絲毫不露聲色，悄悄地檢點行裝，帶著兩個孩子、一個傭人，由她叔叔伴著到了南京。浩浩蕩蕩直奔趙鼎懋新邸，趙先生上班去了，出來應門的是抗戰夫人本人。

「妳？……」趙太太故意十分莊矜的，像打量一件貨品般把她從頭至腳地打量了一遍，又作出突然領悟神色，用一個慈祥的太太對傭人的口吻說：「妳大概是照料這座屋子的了，這些日子多虧妳辛苦。」

「妳是？……」那個疑惑的審視著她。

「我就是趙太太。」

「啊？……」那個像猛地遭迅雷一擊，「鼎懋說他太太已死了。」

「是麼！」趙太太淡淡地說：「亂世時代謠言多，我還聽說鼎懋也被炸死了哩……哦，這房子小了一點，張嫂，妳先把行李搬進來……」

「不成！」那個一看情勢不對，連忙挺身攔阻。

「怎麼？這屋子外面不明明掛著趙鼎懋的名牌嗎？」趙太太眉毛一揚，擺出不可侵犯的威勢來，但眨一眨眼睛，立刻又寬容地笑笑，「哦！我懂得妳的意思了，妳是說妳是這兒的管家，不能隨便讓人進來，這很對！不過我是這屋主人的太太哪，太太還能冒充嗎？真是！」趙太太邊說邊示意傭人率領車夫將行李向屋裡搬。

「你們講理不講理啦！我才是這屋的女主人——趙太太。」那個氣得渾身發抖，聲音也變了。

「妳不是開玩笑吧，這又不是演〈五花洞〉，還能來個雙包案……」趙太太輕蔑地端詳著她，帶刺帶諷地說：「像妳這樣又漂亮又年輕的人，難道還怕找不著丈夫，會去霸占一個妻子兒女有了一大群的男人？」那個招架不住趙太太的唇槍舌劍，正氣得發昏，趙先生回來了。趙太太不等那個發作，先用充滿感情的聲音喚了聲：「鼎懋！」接著便推推身邊一雙小兒女說：「建英、建華，快喚爸爸，在家裡成天唸著爸爸，這下可高興啦！嗯，建華你還不曾見過哩，跟你簡直是一個模型燒出來的。」

趙先生突然在這樣的情況中不免感到萬分尷尬和惶恐，但一看到這個未見面的兒子已長成這般，也不由得天性流露。就在這時，「抗戰夫人」像一陣旋風般直撲趙先生，一把扭他的衣襟，兩眼發直，用摻雜著屈辱、憤恨和眼淚的聲音嘶喚：「你這騙子，撒謊者，你說你太太早死了，怎麼現在又竄出個太太來？有我無她，你說你怎樣辦？你說，你說……」

那裡又哭又鬧時，趙太太卻在一旁冷冷地觀望著，當趙先生偶爾向她投來惶恐的一瞥，她便用充滿同情和憐憫的眼光蓋住它，好像說：「我可憐你，扳了石頭壓自己的腳！」

趙太太知道「抗戰夫人」比自己年輕，學識強，但她懂得怎麼籠絡，懂得怎樣去媚事丈夫，收服他的心。她手裡有一張王牌——兒子，還有張嫂做她的幫手，叔叔撐她的腰。她第二個步驟便在屋子裡布置起來，她自己帶著建華在起居室住下，打發張嫂帶著建英睡在抗戰夫人房裡的走廊上，叔叔便鎮守客廳。還囑使建華整天牛皮糖似地跟住他爸爸，自己更使出千般溫柔，對「抗戰夫人」的吵鬧，趙先生在家時，她便擺出「宰相肚裡好撐船」的寬容，等待趙先生自己去解決。趙先生不在家時，她便憑三寸不爛之舌，極盡婉轉、刻薄、侮辱、冷嘲熱諷之能事。叔叔更以長輩身分，不住向趙先生警告，說趙太太所以不鬧開，只為顧全面子，他自己再不那個，可就……趙先生在重重包圍中，簡直一籌莫展，自知理屈。抗戰夫人畢竟年輕氣盛，又沒有親人助勢，兩方對峙結果，她終於被迫得撇下珊珊出走了。事後據說趙先生還向趙太太立了悔過書，趙太太對這件事並不隱瞞，談起來對自己的懷柔戰策還十分得意。

任何事情都會成為過去，只有愛和恨就像撒下的種籽生了根。珊珊的存在，在趙太太看來也許就是趙先生曾對她不忠實的物證。她把磨折她當作樂事，她從來不打自己的孩子，但常常關著門用根小棍子一五一十地把珊珊折磨上半天，而且不許她哭出聲來。有時珊珊好端端喚她聲「媽！」她便罵她，「誰是妳的媽？」不叫她呢，又罵她「沒有良心，帶到這麼大了，連媽都不喚一聲！」珊珊的工作很多，要掃地、抹桌，看領在台灣出生的弟弟建新。建新要摔倒了、哭了，挨打的總是她，至於挨餓受冷更是家常便飯。趙太太為博個「賢德」的稱譽，從來不在趙先生面前做這些事，但忘不了有時趁機挑唆幾句。譬如她若沒有打牌，下班時便帶了孩子到門口去接趙先生，孩子在她的慫恿下歡呼上前，只珊珊癡癡地站在一邊遠遠觀望著。

「別盡纏著爸爸，爸爸累啦！」趙太太笑著關照，一面從眼角裡瞧了一眼珊珊，討好的說：「這孩子教不會的，看見爸爸回來了都不喚一聲。」自然，做爸爸的在回答孩子們的親熱中，能夠剩給珊珊的，也只是冷冷地睃上一眼。有一次趙先生回來，趙太太破例不在門口迎接，也不在牌桌上應戰，而是躺在牀上生氣，經趙先生幾次催問，才恨恨地說：「告訴你又要生氣，這孩子可把趙家的臉都丟光了，要是我自己肚子裡出來的，那早就打死了——也不知你祖上哪一代做了缺德事，生下個兒孫做賊……」原來珊珊大概餓慌了，到梁家廚房裡去拿冷饅頭吃，不小心卻把蒸籠打翻了。

趙先生鐵青著臉，一聲不響便叫把珊珊喚來，可憐的小珊珊像頭待宰的羔羊般，才抖慄著爬上台階，趙先生猝地一掌揮去，緊接著又是猛地一腳……珊珊還來不及哭出來，便跌跌撞撞摔到院裡。

「看你真是，孩子做錯了事教訓她一頓也就算了，犯得著生這麼大的氣！再說把孩子打傷了也不是好玩的。」趙太太氣全消了，又趕著過來作好作歹地解勸——可是在珊珊額上，卻已留下了一條終生不會磨滅的傷疤。

珊珊不僅是在趙太太洩氣的對象，也是異母兄弟戲弄的對象，除了有時拿她開開玩笑，他們是不屑把她當姊妹看待的。有時珊珊也跟著建新一路喚著「哥哥姊姊」向才放學的建英、建華迎上去，但回答她的是一個在她臉上扭一把，一個在她頭上打一下。有時拿到什麼吃的糖食，建英或建華突然慷慨地遞一份給珊珊「給妳！」珊珊偷偷地覷了一眼，卻不敢舉手。

「真是不識抬舉，給妳就拿嗎？」那個生氣得把糖食使勁抵到她臉上，於是珊珊畏怯地伸出手去，手指剛要碰到那花花綠綠誘人的糖食，卻倏地縮了回去，那個把嘴一撇，下巴一翹，食指在臉上羞著，「想！」

珊珊只得轉過臉去，悄悄地吞下眼淚和饞涎。

趙太太要看見了，也只是笑笑，若是當著人面前便溫和地譴責一聲：「建英，你逗她幹什麼嘛，這孩子本來就愛哭！」

在趙家來往的人都稱讚趙太太賢德。

其實趙太太人確實也是能幹人，擅長交際，有一份愛管閒事的熱心。家務處理得有條不紊，孩子也收拾得伶伶俐俐。對自己的修飾更半點不能馬虎，已是三十上四十的人了，薄薄的頭髮每天都不憚其煩地做成一卷卷春卷覆在耳際，寬闊的額角總是修剃得光光潔潔，眉毛畫得又黑又細像一支鐵線弓，眼睛有點下陷，就是俗叫「肉裡眼」。儘管唇膏塗得厚，總不能掩住微微外翹的門牙，她臉上生得最美的一部分要算那個高高的、希臘型的鼻子，只可惜那上面又蒼蠅屎似地灑著一些雀斑，因此她每天總是在鼻子上補上四五次香粉。

趙太太對趙先生是有她那一套的，她懂得怎樣控制他，也懂得怎樣籠絡他，恩威並施，欲擒還縱。而且對自己那套御夫術頗自鳴得意，津津樂道，她說：「男人都有點賤，就像一匹不馴的駑馬，不得不給他加上一副韁轡，但韁繩可不能收得太緊，否則『狗急跳牆』，傷了他的自尊心，他也許會不顧一切地做出什麼事來，最好那根無形的韁繩具有橡皮筋的伸縮性，適可而止。」但趙太太對付趙先生的那副韁轡卻是那種近於諛媚的溫柔，她知道柔韌的絲要比粗實的鞭子更堅韌。她對待趙先生就同對待一襲名貴的外衣一樣：細心地照料他，洗刷他，安排他，收藏他；更用精美的食物滿足他的饕餮。於是，被安置得舒舒服服的趙先生，就用那種被餵飽後的熱忱，向太太俯首貼耳，一切聽命。當他懶洋洋地偎在那張躺椅裡，一動不敢動地讓血液忙著消化，一面有要沒緊地剔著牙縫裡的肉屑，一面瞇著眼端詳太太那愈益豐腴發胖的身體在面前晃來晃去……慢慢地眼睛轉動得更遲滯了，喘息更粗了，意識模糊了——這時候這副神態，任何人都可以看出滿足和幸福落在他身上的痕跡。

趙先生的模樣看來相當魁偉，肩背寬闊，胸脯厚實，粗壯的頸脖子上按著圓滾滾的一個大頭，頭髮老是梳得光溜溜一絲不亂地貼住頭頂，大有銀行家或經理先生的派頭。只是這只限於他坐著的時候，當他一站起來時，卻會讓第一次見面的人吃了一驚，怎麼會突然地矮了一截！原來他生就一雙與上身不大相稱的矮胖腿，而且腳特別得小，用來支持上身那龐大的骨架，似乎有點不能勝任似的，連腳步都挪邁不開，因此他走路時總是跨著急促而細碎的步子，身體和兩邊搖晃著，兩腮那橘皮似的、鬆弛的肌肉便隨著一顫一跳，鼻子忙不過來時，嘴也大張著幫著喘氣。平常日子，趙先生臉上的五官除了嘴巴費點咀嚼的勁兒，其他四官都很閒散，可是如果一看到年輕漂亮的娘們，那對小三角眼立刻光焰閃爍，彷彿貓兒發現了老鼠似的，銳利的目光不僅能透視過對方重重的服飾，幾乎直穿達內臟，他就是在娘們面前顯得靈活，急速地邁著小步子，獻著殷勤，說幾句俏皮話，要不遇到趙太太那含有警告意味的眼光，他的殷勤將是無止境的，但儘管他忌懼太太，那份拈花惹草的天性卻終難改，有時背著太太三朋四友地去「酒家」坐坐，泡泡女招待，趙太太曉得了責問他時，他便嘻皮涎臉，半真半假地一口否認。

「真是『偷食貓咪性不改』！」趙太太無可奈何地只是搖頭歎息。

「魚兒不准偷，聞聞腥氣總不罪過吧！」趙先生還涎著臉說，趙太太衝著他的臉便啐了一口：

「不要臉！」

趙家曾經用過一個叫阿珠的女孩子當下女，阿珠做事還伶俐，人也乾淨，只是太愛打扮，一天三次塗脂抹粉從不疏怠，花洋布的行頭少說也有打把半打，每天換著不同，十分風騷。趙先生看在眼裡，不時差遣她拿茶遞水的，還打起那半生不熟的台灣官話調侃她——可是不到一個月，阿珠卻好端端地被歇工了。而在阿珠歇工的前幾天，趙先生不知怎麼摔傷了腿，眼角上還青腫了一塊，我記得清清楚楚，隔日裡趙先生下班回來，在門口跟我招呼時還是好好的哩。

「妳們趙先生是怎麼回事？」我問趙太太。

「誰曉得他昨晚上怎麼鬼摸了頭，半夜三更起來東闖西撞地跌成那副模樣。」趙太太淡淡地說。

「他可是有夢遊症？」

「哼！夢裡也許比醒著還清楚。」趙太太瞟了我一眼，嘴角隱藏著一個揶揄的嘲笑。看見我疑惑的神情，又加以解釋地說：「前些日不是院裡鬧賊鬧賊的，我防著些兒，每天晚上等大家睡靜了，就擱一條長凳在門口，一端擱上盆水，還用繩子繫著凳腳欄門一綳，築一道馬奇諾防線，也不知怎麼地他就會碰了上去。」

「原還是妳自己布下的天羅地網，真是『害人反害己』，妳這是布在前門還是後門哪？也讓我提防些兒。」我打趣著。

「哪兒都不是，就安排在前房通後房的那道門口。」

所謂前房是趙太太的臥室，有一扇紙門可以通到後房——阿珠同著珊珊睡的。把防線設在房間裡，趙太太這樣的聰明人會想出這樣的聰明主意？就在我懷疑間，趙太太忽然撲嗤一笑，彷彿自言自語地說：「報應！」

我一定睛看見了她臉上詭譎而含有勝利報復的神情，我立刻領悟到事情的曖昧性。因此，當第三天那位十個中難選一個的、能幹的阿珠被歇工時，我一點都不覺得奇怪。

趙先生除了對女人深感興趣，還染有很大的官癮，不過他的志願並不太高，只想當名縣長，一跟朋友談到這點，就不禁眉飛色舞。

「父母官，顧名思義這個官銜……嗞嘿嘿嘿嘿……」他瞇著眼把頭那麼一擺，舌頭頂著牙縫嗞的一響，彷彿咀嚼一隻雞腿般顯得津津有味，陶然自得。「做縣長麼！要就做一等大縣的，名聲響亮，受人重視；要麼！索性做那些偏僻小城，『天高皇帝遠』，百姓也容易統御……」這是趙先生唸熟了的縣長經。

一天趙先生下班回來，便興沖沖地衝著在門口接他的太太說，「這下回大陸去縣長可做定了。」

「真的？」

「有把握，今天國防部發給我一張『儲備人才調查表』，就是準備將來回大陸時安排人才的，每個人可以填三個志願——妳猜我填的是什麼？」趙先生邊說邊挽著太太往屋裡走。

「自然是縣長囉。」

「著！我不僅填了一個，三個都填的是——回大陸去，妳可就是個堂堂的縣長太太啦！」

「你要當上縣長，我可有一個條件，不准用女職員。」

「哈，那人家不罵我老頑固嗎！再要曉得了這還是妳的主張，人家說妳自己女人不幫女人，更要恨死妳去。」

「那我不管，」趙太太一本正經地說。

「就算遵命，不過機要祕書總得聘一位。」

「女的？」

「當然——而且我早就物色好了一個，又能幹，又精明。」

「誰？」趙太太感到喉嚨頭有點火辣辣的。

「遠嗎？在天邊。近呢？就在眼前……」趙先生學著〈平貴回窰〉裡那一段唱詞和動作，斜睨著太太作揖下去——

趙先生的政治生命，確是得力於趙太太不少。譬如說，每逢過年過節，趙太太總是早就把該送的禮品安排得妥妥貼貼的，送長官的，送朋友的，包括一切夠交情——所謂「交情」就是利害關係——的都送。而每份交情在她心上都有個分量，一兩交情送一兩禮，一斤交情送一斤禮，分毫不錯，比秤還準確。趙太太還有她的一套藝術，儘管禁止送禮，她卻有本事使受禮的人不能不收下。趙太太還有一份好記性，某人某人的生日她都記得清，到時送一點小東西去祝壽，人都喜歡自己能在人家心裡占一角地位，自然，受祝賀者對趙太太由衷地感激，是遠勝於那一份賀禮的。

趙太太有時愛打打牌，但她說那也並不是她的嗜好，只是為聯絡聯絡感情。而趙先生對於打牌也有一套他的哲學，他說：「別看打牌這個玩意兒，卻有大道理，既可以當作消遣，聯絡感情，又可以陶冶性情，磨練腦筋。而且……」趙先生意味深長地笑笑，立刻又嚴肅地接下去說：「當然，儘管我曾經愛好此道，但做為一個忠貞的公務人員，對當局的禁令自然是絕對服從和力行……不過，這一來多少影響了我的政治活動……」

「這話怎講？」聽的人一定覺得十分詫異。

「理由很簡單，譬如平常我們想要跟長官接近接近，或是與某某人攀一份交情，這中間一條鴻溝是很難跨越的。可是如果能夠找機會陪他們摸上幾圈，這條鴻溝就無形中取消了，你可以趁牌桌上輕鬆的空氣裡，一句話解決公文上不能解決的問題，你也可以在牌桌上贏取主管的信任。還有……有個故事你聽過沒有？」於是他鄭重其事地清理一下喉嚨，呷了一口茶，搬出那個不知從什麼報章雜誌看來，而被他背熟了的故事：「據說當張作霖得勢的時候，有一個他的同鄉想謀一個小小的前程，也好回去光耀光耀門楣，但苦無啟口的機會。那天他去晉見，正逢上張作霖午睡醒後想摸幾圈消遣消遣，恰好三缺一，張便不問情由先囑他湊上一腳，打了一會，張忽然和了一副清一色滿貫，高興得撫掌大笑，那位同鄉正坐在他上莊，悄悄地邀張看他的牌說：『張大帥你看我這副牌可惜不可惜？』張側過頭去一看：原來是『攔和』，他笑著拍拍他的肩膀說：『好小子！有你的。』第二天張作霖馬上下了個條子下去，派那個同鄉做稅務局局長！——你看，這副牌的力量大不大！」趙先生的聲音裡似有不勝豔羨的樣子，聽的人就調侃他：

「可惜你老兄沒有逢上張作霖這樣的人！」

「笑話，笑話！時代不同，時代不同！」趙先生迭連搖著頭，皮笑肉不笑的，又一本正經的自圓其說，「現在是革命時代，做事第一就要守法。」

守法是守法，但太太們是法治之外的，要做官兒的話對她們的事最好是開一隻眼閉一隻眼，這樣的話有百利而無一弊——這也是趙先生的論調。誰都曉得趙先生上次由一等課員升任民政局第一課課長，大半是得力於太太的走內線，那時趙太太三天二天跑局長公館，陪局長太太打牌，設計服裝，逛街，燒了點精緻的菜餚一定要送去局長太太嚐嚐，據說趙太太、局長太太還有一個什麼太太，三個人還結拜了乾姊妹，親熱得什麼似的。不久，第一課課長出了缺，果正就發表了趙鼎懋。

趙先生榮任新職後，還宴了一次客，那天他喝了不少酒，帶著醉意，往沙發上一靠，躊躇滿志地說：「這回我可輕鬆了！」

「這恐怕不見得吧？」聽的人疑惑地望著他，「老兄榮任了要職，今後所負的責任也更重了，還能輕鬆嗎？」

「哈哈，這個老兄就不曉得做官的祕訣了！」趙先生瞇著小三角眼，翹得高高的二郎腿抖呀抖的，笑得十分得意。「官做得越大，可越是輕鬆，簡單一點，就拿字面來分析一下吧。譬如說課員的『員』字，底下兩點不就像兩隻八字腳，站得四平八穩的，這就象徵員字輩的人做什麼都得站著，向上面請示，聽上面吩咐，有時還得跑跑腿。可是這課長的『長』字可就不同啦！你看這一捺，捺得悠哉悠哉，不就像坐在沙發上架起了二郎腿。」說到這裡，趙先生又故意示範的抖了抖腿。「這就暗示著長字輩的人，只要翹著腿，安閒地坐在辦公室裡看看報紙，抽抽煙，一切事情都吩咐員字輩去辦，這還不輕鬆嗎？」

大家這才恍然領悟，不禁撫掌大笑，趙先生笑停了，卻又用隱藏著遺憾的聲音接著說：「不過話又得說回來，我這個區區課長，當然比過去輕鬆，卻還不太理想，因為上面還有個頂頭上司哩！」

但在大雜院的居民看來，趙先生做了課長不但沒有輕鬆，反比從前更忙了，忙的是交際應酬。自然，趙先生一忙，趙太太也不會閒著。可是，慢慢地她越跑越密的不是局長公館，而是縣長公館了，而且還讓建新拜了縣長太太做乾媽。內幕消息傳出來，據說趙先生不久又有做民政局長的可能。

十一

在大雜院裡最使趙太太看不順眼的是九號的呂太太。趙先生對趙太太什麼都言聽計從，可是儘管她故意在他面前批評得呂太太怎麼長怎麼短，示意他少去兜搭，但趙先生走過那裡卻總不由自主地會放慢腳步，睃起那雙小三角眼向裡睨視著。要逢上呂太太正在堂屋門口閒站著，兩頰那橘皮似的肌膚裡便堆滿了笑，一面點頭播腦地打招呼，一面貪婪地盯視著人家，直到走過兩家門面，才嚥下一口口涎，於是一本正經地邁著小步子走向自家屋裡。

呂太太不僅是趙太太看得不順眼，還招惹了院裡不少太太們的妒嫉和蔑視。因為她膽大，敢說有些太太們說不出口的話，敢看男人，敢賣弄風情。她更懂得怎樣炫耀自己，像一朵盛開的花朵惹引著蜂群。

呂太太生得高頭大馬，據她自己說跟美人魚伊漱惠蓮絲的身材不相上下，若不是腰圍粗了幾寸，夠得上審美標準。跟她身材配得極相稱的是臉上的五官，不過濃黑的眉毛經過了一番修剃和描畫，已畫成了一個大括弧直彎到鬢角，本來不算小的眼睛經常塗著一圈黑眼圈，

編註：第十節原刊於《中華婦女》第三卷第十一期，一九五三年七月，頁二十六～二十七；第三卷第十二期，一九五三年八月，頁三十～三十一。

懶洋洋的，帶著一種夢似的神情，更顯得神祕撩人。鼻樑很挺直，只是看著總有點不大自然，而且香粉掩蓋下還隱隱有道疤，有人說那是她開刀填鼻樑時留下的痕跡。最誘人的是那張嘴，真正是紅豔欲滴，豐滿光潤。近於紅棕色的頭髮蓬鬆地披覆在頰畔，平常說話喜歡用鼻音，也是懶洋洋、嗲聲嗲氣的，講一句話有一句話的表情。眼睛鼻子……臉上的官能幾乎無一樣不運用自如。她不是穿緊緊窄窄像香腸皮似的貼在身上的旗袍，使渾身曲線畢露，便是穿裸胸裸背的洋裝，短得不能再短的褲叉，展覽著那一身體腴肉感的肌膚。

呂太太從前是搞話劇的，據她自己說抗戰時在重慶，簡直紅遍了山城，誰不知道她姚萍；她還列舉了幾個現在台灣有點名聲的藝人說：「在那時還不過是充充配角的黃毛丫頭。」

「真是，那時她們要巴結我們還巴結不上哩，現在可山上無老虎，猴子稱大王，抖起來啦！」呂太太姚萍說時半斜著眼睛，眼珠在眼角那麼一溜，一手搿在腰際支著，另一隻手輕巧地從嘴裡抽出香煙來，然後悠悠地噴出一口煙圈，在嘴角似笑非笑地刁一絲輕蔑的淡笑——那神情簡直跟白光學得維妙維肖。

「那時不說別的，我演〈日出〉裡陳白露的時候，人家送我的花籃花束什麼的，簡直就可以把我埋起來。報紙上頌揚我的文章足足剪貼了一本，可惜這次不能帶出來。本來華電公司還預備請我主演一部電影的——嗨！那時就怪得呂光。」

呂光正打著赤膊，熱心地教他兒子阿毛「豎蜻蜓」哩，只見他兩手在榻榻米上一撐，兩腳輕捷地在半空中畫了個圓弧落下來，順手用食指在額上一括，揮下一把汗搭訕著。

「又是什麼事怪上我來了？」

「怎麼不怨你，要不那時不懷上阿毛，〈人面桃花〉一片的主角不是我還有誰！」

「那個……噢，這樣，身子挺直，頭仰起點……對了！」顯然呂先生對教練兒子比對太太的話興趣要濃厚多了。

「妳就只生了阿毛一個！」看看呂太太，滿腹怨尤，我岔開了話題。

「哪，還能有兩個三個呀！就只一個已把人磨夠了，依我的本意我是連這個也不想留的。可不把我藝術生命中最輝煌燦爛的那一段時間給毀了！我說呀，不管他什麼責任，搞戲劇工作的人就要能夠犧牲一切，獻身於舞台。」她不屑似地睨視了父子倆一眼，深深地連吸了幾口香煙。

「其實現在阿毛大了，妳還不是可以去演。」我說。

「妳說在台灣呀！」她撇一撇嘴，吹出一口煙。「條件不夠：第一沒有好劇本，第二沒有資本雄厚的劇團，第三沒有人才，第四……噢，太差勁了。不過……沒有肉吃時啃塊肉骨頭也能過癮——」正說著，她忽然興奮起來，眉毛一揚，向著呂先生，「真的，呂光，我上台北去找柳舒去好不好！」

「幹嗎？」呂先生正用一塊毛巾連頭帶耳地擦著臉，愕然相問。

「找他給我一個角呀，他不在中×公司做導演麼？」

「哪有名角兒送上門去的！」

「那有什麼關係，也許人家以為我結了婚不演戲了，不敢請我。」

「那……」呂先生拿了件汗衣待穿未穿，猶疑地望了呂太太一眼，「這份家呢？」

「這份家又怎樣？家又不是我一個人的，我總不能為這麼一個家就埋葬了前程，你難道想用家來束縛我麼？」呂太太馬上放下臉來，聲色俱厲地責問著，呂先生趕緊一納頭鑽進汗衣，聲音裹在衣服裡吶吶地分辯。

「我倒沒有這樣的意思。」

「嘿，我猜到了，敢情你還在吃飛醋吧……」呂太太真不愧是名演員，表情變化迅繁，說怒就怒，說笑就笑。她望著我說：「妳不曉得，柳舒從前追求我很兇。」

「NO，NO，」呂先生雙手一攤，肩膀一聳，搖著頭做了個諧星平克勞斯貝的滑稽姿勢，旋即招呼兒子，「阿毛，快把游泳衣帶上，爸爸帶你去游泳。」父子倆一前一後坐上腳踏車又一溜煙走了。

「你們呂先生脾氣好。」

「嘿，」呂太太在鼻子裡嗤了一聲，「像匹綿羊。」

「綿羊般馴良還不好麼？」

「可是人的性格有時有點兒怪。有時豢厭了綿羊又想去馴馴悍猛獅子，就像演膩了正派又想飾反派一樣。」她神祕地笑笑，傲然站起來把一口煙噴向天花板上——

呂太太說呂先生像匹綿羊，那是指他內在的性情；其實他的生相卻活像一頭壯健的牡牛，黧膚的皮膚，粗壯的腿臂，肌肉十分發達，走起路來高視闊步，步步著實，彷彿一腳就能在地上踩出個坑來，十足一副運動家的派頭。他那一頭茂密的頭髮永遠分不出是平頂還是西裝頭，有偃倒的，也有臨風屹立，猶如牆上春草。粗眉大眼方顎骨，臉上倒不少英雄氣概。他原先也在劇團裡混過，總是扮演些莽漢、丑角什麼的。跟姚萍結婚後，離開劇團他就恢復了他的本位行業——在中學當一名體育教員，他擅長足球，游泳在去年省運會裡也露過一手。籃球雖打得不十分好，卻也是個球迷，要逢上有什麼球賽，他可以白天連著黑晚，飯也不吃地看下去。他的精神真是充沛得驚人，彷彿從來就不知道疲倦。在學校時，便率領了一批毛頭小伙子在操場上奔馳，回到家裡，又帶著阿毛往游泳池跑，阿毛似乎成了他的尾巴，到哪裡都跟著，全身僅穿一條三角褲，露出一身黑肉跨在腳踏車後面，老子黑得像一座鐵塔，兒子就像一段黑炭，前後輝映，看著十分有趣。有時一清早起來，便見他們父子倆在大雜院外面的大路上練習跑步。呂先生放慢了腳步跟兒子並著跑，嘴裡還喚著「一二一二」，此外，他正預備訓練阿毛跳欄、跳遠、跳高、推鉛球、擲鐵餅和標槍。

「我要把阿毛訓練成一個全能運動員，將來代表中國參加世界運動會的十項運動。」呂先生常常當著客人叫過阿毛來，親暱地在他身上擂一拳，或是拍拍他的背，像家畜比賽會中參加比賽的誇耀他豢養得壯健的小犢。

「強將手下哪有弱兵！」聽的人要這麼附會一句，呂先生可更樂開了。

「嘻！我還沒有老吧！」說著便彎著胳膊挺起胸脯，迸一口「癩黿勁」，使肌肉大一塊小一塊地鼓突出來，教人驗看，「你摸摸看，硬不硬？」或是叫人「你在我胸前打一拳看，結實不結實？」有時逢上呂太太一不高興，向他撒嬌撒潑，拳頭雨點般落在他身上，他也是這般迸住一口「癩黿勁」，銅像般挺立著盡她打，等她打累了，這才鬆口氣涎著臉問：「打痛了手吧？」

「你這死東西，你再不把你那死皮癩勁收起來讓老娘好好捶一頓，可不能饒你。」呂太太纏著他不放，恨得牙癢癢的。

「一定我要痛了妳才舒服？」

「就是這樣你怎麼樣？」

呂先生纏不過她，結果還是讓她打上幾拳過癮，一面挨打一面還閉著一隻眼睛裝鬼臉，嘴裡喚爺喚娘的，呂太太運動了一陣拳頭，臨末了還在他臂膀上擰了一把問他：「討饒不討饒？」

「討饒，討饒，請太太開恩。」

「服不服？」

「服、服，甘心拜服。」

呂太太這才勝利的笑了，順手拿支香煙向唇間一刁，朝呂先生瞟上一眼，呂先生趕緊裝出一副誠惶誠恐的樣子，乖乖地給燃上火柴。呂太太對著他的臉噴了一口煙，食指在他額上輕輕一戳，用低沉的鼻音懶懶地說：

「厚皮豬玀！」

呂先生也許是太注重於體格的鍛鍊了，以致忽略了智力方面，這也不是說他怎麼蠢笨，只是他為人處世都隨隨便便，像是嘻嘻哈哈，無憂無慮的。除了對參加比賽的運動分數毫厘必爭外，對什麼都抱著無所謂的態度。他對呂太太的賣弄風情、浪漫行動，一向是置若罔聞，跑累了，游累了，回到家裡納頭便睡，也許連夢都不會做一個。但如果他這天正看了球賽來，那他睡熟了都會在夢裡大喚「加油！加油！」。記得前年華僑籃球隊回國義賽勞軍，呂先生不能去台北，只得整天守在收音機旁邊，聽著報告，一個人又是歡呼，又是歎氣，就像個癡子似的。

他們夫婦間似乎有一個默契，就是彼此尊重自由，彼此不干涉行動。呂太太愛遊蕩，愛交朋友，愛泡咖啡館，愛蓬拆拆。呂先生愛跑，愛跳，停下來就愛守著收音機聽體育新聞。

有時逢上朋友的派對，呂先生也會陪著太太同去，但呂太太卻從來不跟他跳一隻舞，她的理由是同自己丈夫跳舞，又有什麼意思呢！

「跟別的男人跳就有意思嗎？」有人問她。

「至少，新鮮一點，帶點兒刺激。」

「妳不怕妳呂先生也去找刺激！」

「只要他有本事找儘管去找好了，我絕不介意，本來，人生就跟舞台一樣，逢場作戲，又何必太認真；說老實話，我所以喜歡跟男人在一起玩，就因為他們豪爽，不忸怩作態，其實我根本看不起他們，只要一個眼風，一個媚笑，就可以論打論十地勾引得來，全是些沒骨蟲！」

有一個時候呂家來了一位客人，據說是他們夫婦倆在劇團裡的同事，長頭髮，尖下肥，帶幾分流氣，他倆管他叫「小禿子」，說是因為那時他演煙葦港裡的小禿子，叫順了口，索性連真姓名給丟了。

小禿子在呂家一住下來便是三個月。本來小倆口兒的寢室裡睡了三個人已經不倫不類的，加上呂太太又毫不避忌地跟小禿子打情罵俏，同出同進，常常撇下呂先生在家帶阿毛，他們逍遙自在地去泡咖啡館，坐電影院，那親熱的模樣簡直像新婚的倆口子。呂先生自己倒滿不在乎，照樣打球、游泳、吃飯、睡覺。同院子的人冷眼看在眼中，卻憤憤不平起來，有人主張給呂先生寫封匿名信，有人主張給那混小子一個警告，有人認為這事有傷風化，乾脆趕他們搬出這院子——一天忽然發覺呂太太跟小禿子已有二三天沒露面了，而呂先生卻仍是安詳無事地帶著阿毛在腳踏車上進進出出。

「好像幾天沒看見你太太了？」那天傅太太忍不住問呂光，他點點頭說：

「嗯，上台北去幾天了。」

「一個人？」

「不，同著小禿子一路，想去拍電影——我正在這裡恭候封贈銜頭哩。」

「你也要去？」

「不是，我是說從前人家介紹我起來，只要簡單地說一句呂光呂先生，以後可得改啦，得說這位是電影明星姚萍女士的丈夫呂光先生，嘿嘿嘿，這叫夫以妻榮。」呂先生認為自己這話說得很幽默，先天真地笑起來，順手一掌落在阿毛背上，「阿毛，有這樣的媽媽可比爸爸光榮咧。」

「才不稀罕哩！」阿毛嘴一撇，卑夷地說。「索拉」一聲，把拖在嘴上的黃膿鼻涕縮了進去。

呂太太向來對家務馬馬虎虎，對孩子也沒有盡到管教的責任，因此她走了，這家也並不顯得特別不慣。呂先生索性上課也帶了阿毛去，飯也包在學校裡，其他生活習慣，各項訓練活動，一切照舊，每天晚上，總可以聽見呂先生用著運動會裡報分員的口吻，唸著阿毛這一天練習的成績：

「今天一百公尺跑了十二秒五，唔，比昨天慢了點五，要加油。鐵球二米三，保持原狀。游泳一百米是二分四十秒，哈，這下差不多突進了一秒，要得！」於是呂先生高高地把兒子舉了起來，又拉著他雙手在屋裡旋了一轉，小黑炭索性雙腿一跨，騎跨在他父親頸背上，父子倆就這麼疊著羅漢，從屋裡直走到院中，衝著在院裡閒立的左鄰右舍，便興高采烈地誇耀自己的兒子：

「我們阿毛今天游泳突進了一秒，一百米只游二分四十秒，三年五年後，怕不刷新全運紀錄，一代強過一代，兒子比老子興！嘿嘿嘿！」

有時，父子倆夜遊回來，想是才看了西部武打片，興有未盡。忽的一個一支木製的玩具刀劍，在房間裡比起武來，一個模仿埃洛弗林的姿勢，一個模仿羅勃泰勒的姿勢，一會兒做父親的飛躍過一張椅，一會兒小黑炭跳上了桌子，一時房裡交雜著刀劍相碰，撞翻家具，和小黑炭嘴裡發出的「咄咄」聲，惹得鄰近的孩子全簇擁在呂家門前，吶喊助威。

沒有了管束，呂家父子倆似乎生活得更逍遙了。

大概是呂太太去了台北約莫三個月的一天，我在院門口逢著呂先生——自然帶了阿毛。因為門口溝上只鋪了狹狹的一塊木板，他閃在一旁讓我的車子先進來。

「上街去遛達！」我搭訕著。

「NO！」他搖搖頭，回頭指著車後的收音機，「用這個去贖回姚萍。」

「什麼？」

「姚萍在台北待膩了，要回家，來信叫我馬上匯旅費，可是我這個月薪水早借光了，只得把這個賣了去。」

晚上，鄰居們忽然感到耳根一陣清靜，不再受到九號嘩啦嘩啦的收音機的擾鬧。不久，呂太太果真就回來，一副十足的大明星派頭，與前更不相同。回來的那天，她穿一襲純紅軟綢袒胸長裙，紅色高跟鞋，肩上披一條既不像披肩，又不像圍巾的素白薄紗，嬌慵地斜欹在三輪車上，神情怡然，光豔逼人。半截鐵塔跟小黑炭騎著單車跟在後面，一路經過，惹得同院子的先生們一個個引頸伸領，目逆而送之。

台北回來後，呂太太說什麼也離不了台北，台北現在流行什麼髮式，台北最時髦的是什麼服裝，台北哪家咖啡館最好，台北哪一家電影院最舒服……但卻沒提過那最值得誇耀的拍電影的事。有一天我忍不住地問她：

「妳主演的片子叫什麼名字，告訴我，也好早留心著。」

「別提拍戲啦，提起來真嘔氣。」呂太太頭一揚，豐潤的嘴唇一噘，一臉憤恚而不屑的神氣。「那些人根本不懂得什麼叫演技，不從藝術的觀點出發，只曉得盲目地把自己的太太、愛人捧起來，成為明星，老實說，不適合我個性的角色，我是寧可不演的。說起來也真可憐，中國的影劇圈子實在太小了，不能容納人才，看人家好萊塢，還請人到各鄉各地去發掘人才哩，像瑪麗蓮・夢露，就憑一身長得豐滿風騷而富誘惑，就紅遍了半片天；最近說是又在一個遊方樂隊裡羅致了一個瑪蜜萬丹麗的歌女，同夢露跟珍羅素是一樣的作風，馬上就要主演一部歌舞片〈你是屬於我〉，看人家多幸運！如果人才產得這樣生在中國的話，哼！那還不是珍珠落在沙土裡，白白給埋沒了。」呂太太在鼻子裡嗤了一聲，便舉起那根細長的象牙煙嘴，吸了一口，懶洋洋地噴出煙來，一面扭著腰，像青衣花旦走台步似的，緩緩地從東端踱到西端——忽然我從她的動作中領悟到她那嬌慵的神態。她那走路時扭絞著腰的姿勢，她那半闔的眼睛，半啟的嘴，那抽煙和打呵欠的姿態，甚至那襲袒胸的紅色長裙……全係從〈飛瀑怒潮〉中的瑪麗蓮・夢露模仿得來的，而且模仿得維妙維肖。

也許，發現呂太太的祕密的我已不是第一個，那天莫太太就把來當作一樁祕密悄悄告訴我：

「妳看得出嗎？咱們大明星的一舉一動全在模仿那個『性感明星』瑪麗蓮・夢露哩。」

「賣弄風騷罷了！」趙太太在一旁不屑地嗤之以鼻。

呂太太大概在台北受了點挫折，回來後似乎安分得多了，除了看電影、睡覺，沒事時便買了些流行歌曲的小書，一個人嗲聲嗲氣地唱著電影裡的插曲，一句句愛呀靈魂的，唱得纏綿悱惻，迴腸蕩氣……但不知從何時起，她那迴腸蕩氣的歌聲卻又變成洋腔洋調的唸

ＡＢＣＤ了。

一天走過呂家門口，聽見呂太太正拉長了腔調，帶著濃重的鼻音，在反覆誦讀一句英語：「十分榮幸，能夠獲得你的友誼，在我是十分榮幸——」趙太太這時在對面向我撇撇嘴，做了個鬼臉。

「她倒用起功來了。」我說。

「像她這種人哪裡會真用功，還不是學幾句洋涇濱，好去走國際路線。」趙太太又一副不屑的神氣。

「怎麼叫走國際路線？」

「虧妳連這個也不懂！真是。」趙太太瞟了我一眼，放低聲音說：「走國際路線嘿，就是陪那些洋顧問跳跳舞，說說笑笑。進一步地再交個把洋情人，開開洋葷，少說也可以撈進點洋禮物，什麼尼龍絲襪，尼龍衣料，化妝品……」

「妳……」我聽她越說越不像話，笑著攔斷了。這時呂太太越唸越起勁的聲音向這邊飄送過來，我不由得倒抽了口冷氣。

編註：第十一節原刊於《中華婦女》第四卷第二期，一九五三年十月，頁三十一～三十二；第四卷第三期，一九五三年十一月，頁三十。

十二

大雜院的居民做什麼都蔚成一種風氣，作興學洋裁時，不少太太們把裝著皮尺、剪刀、畫圖本的手提袋或包裹掛在腳踏車上，聯袂結伴地去學洋裁，而補習英文的風氣一開始，又有好些太太躍躍欲試，第一個步呂太太後塵去補習的是十二號的林太太，跟呂太太兩個正好結伴同行。

林太太就是這份癖性，眼孔淺、好模仿。看見人家做什麼，她也要做什麼，看見人家有什麼，她也要買什麼。早些時她也曾興孜孜地跟著別人一淘去學洋裁，可是繳了一學期的學費，還沒有去上兩個星期，就把皮尺帶畫圖本什麼的往壁櫥角落裡一丟，從此沒有挨過。說是：「成天量尺寸，畫圖樣，算比例的，同學校裡的幾何三角一樣煩人，誰耐煩去學！」如今不知怎麼又耐煩去補習英文了。

林太太生就一副纖細小巧的身材，嬌小玲瓏，大有做「掌上舞」的風姿，英格利褒曼式的齊耳短髮下覆蓋著一張短短的柿形臉，圓圓的眼睛，和微微噘起的上唇，使她看來帶著幾分嬌憨的稚氣，就像演〈獨留青塚向黃沙〉裡那個法國女明星絲素柯蓓莉一樣，讓人有一種永遠長不大、長不老的感覺。尤其當她穿上紅白條子的運動衣，白色短西褲，白色絲帶子的白底涼鞋，完全一副跳跳蹦蹦的學生派頭，沒有人會想到她已是做了一個孩子的母親。然而她似乎不大懂得怎樣適合自己，只曉得一味地趕時髦，跟別人學，因此她的裝扮和穿著，往往增加她不少的婦人氣概，不過也只有那樣才使她跟林步雲先生走在一起顯得更調和點，不然不曉得的人準會把林太太當作林先生的女兒哩。

林先生約莫有四十歲左右，中等身材，多骨的臉上架了一副玳瑁邊眼鏡，仔細端詳，鼻子跟嘴巴都有點兒向左邊歪。講話時有個掀鼻子的習慣，口沒有開，鼻子先一掀一掀的，鼻子兩旁頰上的肉也跟著一掀一跳，接著眼睛向上唇都參加了這運動，那樣子就同狗或老虎要咆哮時的神氣一樣，其實發出來的倒並不是令人心悸的怒吼，而是像子彈從生鏽的槍膛裡射出來似的，用力迸出口的說話，幾乎每一句話的開頭都是這般迸射出來的。雖然他不多說話，人卻看著滿和氣的，在院子裡看到鄰居們，老遠的便掀鼻子眨眼睛，嘴角向左掀呀掀的，迸出一句：

「吃過了！」不管清晨黃昏，他招呼同問候的總是這一句話。

據說林太太本來是林先生一個朋友的侄女，正上中學，因為在台灣沒有親人，便託林先生照應照應。也許林先生覺得住在學校裡照應不到，索性把她接到自己身邊來就近照應，所以侄女兒就馬上升了一級，改稱「林伯伯」為「雲哥」了。大概就因為這雙重關係，林先生對林太太的感情有著長輩對子侄的疼愛、寬容，也有著丈夫對妻子的憐惜、溫存。

林先生在一家貿易公司負責營業部分的事，很忙，待遇也豐厚。他能有今天的地位，據說也費煞了一番苦心和努力。開始出來做事時，他只是一個小學畢業的練習生。但他處處用心，肯下苦工，那時他在一個礦務局的材料科裡服務，科裡各種材料約有數千種，有英製的、德製的、美製的，而林先生的英文程度僅僅唸得二十六個英文單字，於是他第一個步驟就是準備一本筆記本和一支鉛筆，隨時隨地用耳朵，用眼睛，用嘴巴，去聽、看、問，然後再記在本子上。他不懂拼音，每個字都註上譯音，而將整個名字包含的英文單字一個一個硬記下來，沒有事時便拿出來讀一讀，或默默地背誦一遍。這樣二年多下來，他不僅清楚所有材料的名稱，就連各種材料的來源、性能，他都瞭如指掌，往往管理員一時弄不清楚的，他立刻頭頭是道地回答出來，日子一久，上面終於賞識了他的才幹，而把他擢升為管料員——這以後他都是採取這遲緩而妥穩的階梯，緩緩地、吃力地爬向事業的高坡。為了不懂公文，他曾經把整本公文程式熟讀死記地背得出來，為了不諳某種業務，他也曾用背物理定例、算術公式的方法硬記下來。他還擅於畫表格，他可以把一樁事情分成若干格例，一等於二，二等於三……分析得清清楚楚。林先生雖不是精明練達、腦筋敏捷的人，但他卻擁有耐心和苦心這雄厚的資本，而因此之故，他常使自己和職務進入一種「黏著狀態」。就是回到家裡來，也念念不忘，有時一個人坐著，眼睛那麼眨呀眨的，嘴唇翕動著還喃喃有聲，直到林太太不耐煩地嬌嗔著：

「雲哥，真討厭！叫你也不聽見，又在唸叨什麼往生咒喲！」

「啊！你叫我了麼，對不起，對不起！我正在擬一個業務計畫哩。」說著，才從沉思中醒過來的林先生，連忙踱到林太太身邊，拍拍她的肩膀或是握握她的手臂，像大人愛撫著正在撒嬌的孩子似的。

自然，林先生有過那麼一段艱辛的歷史，對金錢是看得很重的，他平常很儉省，從來不濫花一個錢。他沒有別的嗜好，就是抽幾支香煙，也捨不得抽二元五的「新樂園」，而抽二元錢的「老樂園」。但他對太太卻十分慷慨，自從結了婚，他就把全部積蓄移交給太太保管或運用，而且為表示絕對信任起見，不顧不問，按月拿到薪水，也原封不動地交給太太支配。逢上出差台北什麼的總是盡量剋扣自己，該坐二等車的坐三等車，該吃飯時找最便宜的小館子吃，把旅費省下來給太太買點衣料、毛線、化妝品什麼的。回去博得太太一高興，便挽住他的頸子，把塗得紅紅的嘴唇印得他滿面滿臉。

儘管林先生自己經濟算盤打得緊，「一個銅板看得洋錢重」；林太太卻剛剛跟他相反，也許，用錢出去時從來沒有在腦子打個轉，她有本事把林先生一個月賺來的薪水在幾天裡花光。在剛發薪水的那些日子裡，總看見她菜籃子裡裝得滿滿的，買了豬肉又買豬肝，買了魚又買蝦，這還不算，四元錢一兩的來路貨蘋果，她也捨得買幾只娘兒倆啃啃，新上市的新鮮荔枝一秤就是幾斤，高興也散散鄉鄰，至於巧克力糖、夾心蛋糕、花生米什麼的，都是她普通的常備零食。她有一種難以滿足的欲望，就是購物欲，看到好吃的東西要買，看到好看的衣料要買，看到好玩的飾物要買，看到人家買了什麼更要買。錢用完了，就到處賒賬。雜貨店、煤球店、布店……都是她的債權人，鄰居們十元、二十元也常有挪借的。「蚤多不癢，債多不憂。」我們的林太太就從來不曾把這些債放在心上。

打麻將、林太太還是搬來了大雜院才跟趙太太她們學會的，一學上了就迷得不得了，成天拉人打，可是慢慢地幾個常在一起打牌的人都開始暗暗排擠她了。原來她有個毛病，贏了拿濕的，輸了呢？舌頭上打個滾，拍拍身子走了。有時幾個愛打牌的太太們又湊上了，大家故意冷言冷語，說些嵌骨頭的話：

「輸了拿出去濕的，贏了是乾的，這種牌打得有啥意思！」

「就是囉，誰是開銀行的，光管付款。」

話都是說給林太太聽的，可是林太太呢？彷彿充耳不聞，正一個人興孜孜的，搬桌椅，數籌碼，在安排戰場哩，嘴裡還催人家：

「快點，快點，閒話少說，該上場啦！」

有時人家已悄悄約好了搭子，她卻冒冒失失闖得去，還怨人家不早喚她。

「哎喲！先沒想到，多了一個人怎麼辦？」主人故意失聲叫喚起來。

「沒有關係，輪流『做夢』好了。」說著，林太太一屁股已先坐上牌桌，找出四風來扳莊——

大家拿她沒奈何，只得暗地裡叫她「十三點」。

十三點確是有點說不出的性格，說她刁又不刁，說她傻又不傻。就是這麼捉摸不定，做什麼都得看她的興致，她興致來的時候，就濃妝豔抹，眉毛畫得長長的，唇膏塗得厚厚的，指甲油搽得紅紅的，還特意上理髮鋪做了頭髮，好像隨時隨地準備去參加什麼宴會似的。一下子懶勁發起來，可又完全是另外一副派頭，頭髮蓬得像個喜鵲窠，胡亂拿塊布一紮，臉上是脂粉褪餘後的憔悴，若是穿著旗袍，領上襟上的扣子便由它敞開著，而說不定那還是才縫上不過一個月的新衣服——她老是縫一件新衣服，一穿上身便要等穿厭了才脫下來。腳上是一隻一樣的木屐，就這樣梯里拖羅地上菜場去了。或是靠在門口一面跟人兜搭搭，一面磨著牙齒在嚼花生米什麼的。她高興起來，不管是阿毛阿狗，挑蔥賣菜的，都有話跟人家兜搭。沒勁的時候，可最熟悉的人也愛理不理。記得有一次我在街上碰著她，穿著剛從裁縫鋪裡取回來的新裝，顧盼自憐，婷婷嬝嬝地迎面走來，我笑著向她招呼：

「上街嗎？」

她彷佛由於我的聲音才發現我，眼睛在眼角裡看著我，臉上肌肉僵直，毫無表情。嘴角似笑非笑地掀了一下，就像一位貴夫人接受她的僕從問候，在鼻子裡哼了一聲做為回答。立刻又眼觀鼻，鼻觀心，高跟鞋咭咯咭咯地從我身旁掠過，我氣得在街上怔了一會兒，發誓不再跟她兜搭，可是第二天早晨，我正在菜場裡揀番茄，驀地背上重重地落上一掌，親熱得我幾乎承受不了，回頭一看，竟是林太太。

「菜買好沒有？」掀起的嘴唇笑得那麼甜，笑得那柿子臉更扁了。

我一看見她，昨天的氣又來了，也把臉拉得長長的，眼睛望著番茄，冷冷地說：「好了。」

然而她彷彿一點都沒有覺察到我的冷淡，反一手扣住我的臂膀，拉拉扯扯地說：

「走！我們去喝杯冬瓜茶，歇一歇再回家。」

後來，我才知道她本來是這麼一個「瘧疾病患者」，冷熱無常。基於此，大雜院的太太們若是在街上或別的場合遇見她，先得鑑貌辨色。若是她老遠便望著你眉飛色舞，跳跳躍躍地迎上來，那就不妨招呼一下；如果老遠便看見她穿戴得整整齊齊，一副一本正經，笑一笑怕笑壞了唇膏，點一點頭怕掉了睫毛的神氣，那趕緊也裝出眼觀鼻，鼻觀心的樣子，就像不相識的一樣，彼此擦肩而過。

林家有一個男孩子羅羅，今年三歲了，但還不會一個人硬朗地走路。當羅羅一生出來的時候，林太太就堅持自己絕對不餵奶，理由是有損體態的美觀，並且容易衰老。而林先生中年得子，喜歡得什麼似的。偏他又不知從何懂得母乳對嬰孩最有益處，苦苦央求林太太自己餵乳，他委婉地勸解著說：「我就不相信餵了孩子身體會有什麼影響，有些太太自己乳大了二個三個，漂亮的還不照樣漂亮！就算有一點影響吧！為了下一代，這一點微小的犧牲又算得什麼……」

不想林先生這一說可說起林太太的火來了！也不管在月子裡不月子裡，便撒嬌撒癡，哭哭啼啼地罵林先生道：

「原來你根本不把我放在心上，我好看難看，死呀活呀，都不算什麼，要緊的是給你生兒子，做養子機！」

林先生一看見林太太生氣，生怕她月子裡氣出病來，趕緊又是道歉，又是哄勸的招賠不是。可是隔了一個星期，林太太當真發起燒來，倒不是產後熱，而是乳部發炎。原來她的乳汁特別豐富，不給孩子吃，又沒有好好疏導，停滯的乳汁起分解作用，演變成化膿性的乳腺炎，紅腫潰爛，痛得林太太喊爺喊娘地滿牀打滾，結果不得不請醫生動手術開刀，把潰爛得很厲害的左乳割掉，這一下林太太苦頭吃盡。為了體態美觀，只得在左胸裝上了一只假乳。

小羅羅確是應該由衷地感激美國，因為他生下來第一口吸食延續生命的糧食，便是克寧奶粉。自然，這個大時代的嬰孩靠奶粉餵大的不在少數，但林太太總覺得羅羅沒有人家的孩子餵得胖，而且喜歡哭。雖然規定三小時餵一次奶，只要羅羅一哭，她又馬上把奶瓶塞到他嘴裡去。可是羅羅倒反把餵下的全從嘴裡吐出來，同時三、二天不通大便，找醫生一檢查，說是患了嚴重的消化不良症。醫生問孩子吃什麼的，說是奶粉，又問每次吃多少，林太太一說，醫生吃了一驚，原來那數量超過了孩子年齡的定量一倍有餘，怎不把小肚子塞得跟糯米填鴨似的！

「吃得太多了，妳不知道奶粉的數量是跟著孩子年齡走的嗎？」醫生譴責地說。林太太卻天真地回答。

「我原是想他吃得多一點，也長得胖一點嘛！」

醫生望著她搖搖頭，可憐的小羅羅那麼一點兒大就又是灌藥，又是清腸，這一來更清瘦了。

小羅羅命裡也是磨劫多，有一天林太太又上了牌桌，下女在煮飯，還不會走路的羅羅一個人在地板上爬著，那樣大的孩子本來看到什麼就要抓著往嘴裡送。下女進來看見他正把個小拳頭從嘴裡拿出來，嘴裡還在嚼什麼。

「太太妳拿了什麼給羅羅吃？」下女問林太太。

「沒有啊！」林太太望著手裡的牌，漫不經心地回答，下女把羅羅沾滿了口涎猶是揑得緊緊的拳頭扳開來，手心裡竟是一小截死壁虎的殘軀！

「哎呀！不好，羅羅把壁虎吃下去了！」下女邊嚷邊用手指去羅羅嘴裡掏，掏來掏去也只掏出來一片灰褐色的壁虎頭殼，芝麻大的一小粒腳，林太太這下可急了，加上那幾個太太也在旁邊製造空氣，一個說：

「壁虎在『五毒』裡稱第一毒，是最毒的了。」一個說：

「可不是嗎？想想看壁虎尿沾在皮膚上都會潰爛，吞到肚子裡去那還得了！」

孩子號啕大哭，林太太手足無措，完全失了主意，也陪著掉淚，倒是別人提醒她去找醫生，這才要下女叫了三輪車來。自然，去醫院的結果又是打針，又是灌腸。孩子總算沒出事兒。還有一次是吃了自己痾在地上的大便，經過情形也是如此。這些事，林太太卻瞞著林先生。她知道林先生疼愛兒子有甚於她，他盡可以在別的地方依順她，放縱她，唯獨兒子的事卻馬虎不得，下班回來，鞋帶還未解，就「小羅羅，小羅羅」地喚著從太太手裡抱過來親一會，吻一會的。如同他喜歡讓太太穿戴得漂亮一樣，他也喜歡裝扮兒子，給他買小海軍裝，小高統皮鞋。就像有的人愛炫耀自己的財富，有的人愛炫耀自己的智識一樣，林先生有一點喜歡炫耀自己的嬌妻麟兒。有時，逢上有客人到林家去，他一定要哄著小羅羅把教會的一點小玩意搬出來炫耀一番。

「小羅羅，做個小眼睛！」

「小羅羅敬個禮！」

小羅羅習慣地照著做了。於是林先生樂得鼻子一掀一掀，兩頰的肌肉一跳一跳的，拍拍小羅羅的背心，得意地笑著說：

「這是我家的『三寶』之一……」

「哦！那還有兩寶又是什麼？」

「一寶嘛，是我太太，還有一寶……嘻嘻！」林先生始終沒有說出還有一寶是什麼。因此，很多人猜想那一寶大概是他家收藏著的金條。

林先生善於經營，又懂得節省，家裡若沒有十條二十大條，至少三五條總有的，人家都這麼猜想。

究竟林家藏有多少金條！說是有一次林先生下班回來，興孜孜地問林太太：「梅英，平常我們怕箱子裡的衣服給蟑螂咬壞，總是放什麼在裡面的！是樟腦不是。」他盡顧一個人亢奮地說，沒有注意到林太太陰沉、沮喪的臉色。

「對啦！就是樟腦。台灣出產得頂多，而且在國際市場的銷路也不錯，我們幾個朋友想搞一個樟腦廠。一萬元錢一股，我來了三股。回頭妳把那兩根條子撿出來。」林先生向太太囑咐著，不想林太太一聽「條子」兩字，更驚惶失色，手一震，幾乎把羅羅摔下來。

「怎麼啦？妳！」林先生瞪大了眼睛望著她，經他這一瞪，林太太把頭一低，幾乎垂到了胸前。

「說嘛！」林先生迫著問。

「那兩條沒有啦。」林太太用從未有過的低聲下氣囁嚅地回答。

「何事搞得囉？妳！」林先生一急一氣，鼻子、肌肉、眼睛一起都緊揪緊跳紅掙著臉，半天，把湖南土話都迸了出來。

「受了人家的騙。」林太太委委屈屈地說，眼淚隨著落下來——

吳太太是趙太太的朋友，林太太是在牌桌上認識的，平時衣著摩登，舉止闊綽，那兩片薄嘴唇更是會說會笑。林太太早就私心羨慕，那天三人坐著閒談，話扯到經濟上，趙太太就稱讚吳太太理財有道。

「錢本來是死的，全靠人怎樣運用。」吳太太一半賣弄一半得意地說：「若是有錢放在保險箱裡，才是大傻瓜！」

「可是存在銀行裡收那兩個利息也就算了！」林太太撇著嘴說。

「存銀行？」吳太太在嘴角浮上一個輕蔑的笑，瞅了一眼林太太。「存銀行就跟放保險箱一樣地傻！人家一兩金子一個月還生一錢哩。」

「哦！」林太太聞所未聞，心裡默默盤算著：一兩金子一月生一錢，十兩生一兩……以此類推，不禁怦然心動，忙問吳太太：「妳有這樣的路子沒有？」

「那也得看！」吳太太淡淡地說：好像不願再繼續談這個題目，忽然把話題扯到別地方去。惹得林太太心癢癢的，又不便再探詢——但歇了一歇，吳太太卻坐到她旁邊稍稍地說：

「剛才妳問我那個，因為大家在一起不方便公開講，妳是不是想要……」接著她告訴她自己也是朋友介紹的一個銀樓，放了幾十兩金子，又怎麼按月拆息，還可以利上加利……說得林太太更心旌搖搖，便央求吳太太代她放一點金子。吳太太吟思了一會說：「代是不能代的，這事關係大，而且我不曉得他們是不是還需要——這樣，我明天介紹妳認識那個老闆，你們自己談談再決定。」

——就這麼著，林太太把林先生克勤克儉掙下的積蓄，放了十五兩金子在寶成銀樓，第一個月她收到利錢，高興非凡，狠狠地濫用了一陣。但不到第二個月，寶成老闆忽然因虧空而自殺了，銀樓自然也貼上了大封條，林太太急得去找吳太太，只見她也愁眉苦臉，訴說自己三十兩金子全完蛋了。賠，要嘛去鬼門關找他賠——其實林太太是受了她的騙，這是趙太太後來洩露出來的。她說吳太太早就聽到寶成有不穩的風聲，便天天迫著要提本。那時寶成還想撐過難關，只得告訴她金子一起辦了貨，要嘛她介紹一個存戶進來他們就還本，結果吳太太張下網恰捕住了林太太，便讓她做了替死鬼，林太太現在還蒙在鼓裡哩——

林先生聽林太太把金條被騙的經過一說，鐵青著臉，怔愣了半天，「那麼還有呢？」

「還有……花了。」

「全部花了？」

「嗯……唔……還剩二只戒指。」

「妳，妳，妳……」，林先生倏地站起來，從牙齒縫裡迸出了三個字，鼓著眼睛，額上青筋暴起，逕向太太走去——林太太後來還傻裡呆氣地告訴人家說，那時她以為他要謀殺她，她從來沒有看見他這樣兇惡過，嚇得她瑟縮在牀頭連一聲都噢不出來——但他只是狠狠地攫住她的雙肩猛力震撼了一陣，接著頭也不回地轉身就跑了出去。

這以後林先生足足有二三天沒有理林太太，連兒子都懶得逗引。直等牛性子過後才好起來。林太太呢？似乎為彌補自己的錯失，馬上把下女給歇了，向隔壁十四號的譚太太看齊：家中一切粗活細活都一個人來包辦，牌不打了，零食也不吃了，連原來十元二十元一天的菜錢也減成四元五元，驟然間由揮霍愛玩的人一變而成克勤克儉的賢主婦，這不啻是奇蹟，但林太太是個性子浮躁的人，可不能像譚太太那樣持之有恆，過上二星期半個月，可又慢慢地故態復萌，走著路嘴裡嚼著花生米、口香糖，把午飯吃開就東家遢到西家，有牌局也會坐上去摸幾圈，摸得來不及煮飯就吃蛋炒飯，家裡欠收拾，弄得亂糟糟的，換下的髒衣服一堆一堆塞在牀底下，壁櫥裡……不久下女又僱上了，她還是嘻嘻哈哈地過日子，吃零食、買飾物，向林先生撒嬌。

十三

譚家跟林家是貼隔壁，譚太太跟林太太年齡也相仿，但兩人的個性卻迥然不同。譚太太

編註：第十二節原刊於《中華婦女》第四卷第三期，一九五三年十一月，頁三十～三十一；第四卷第四期，一九五三年十二月，頁二十九～三十；第四卷第五期，一九五四年十二月，頁二十八。

勤儉克苦、愛清潔，在他們第一個愛情的結晶小安屏還沒有出生時，譚太太還在一家委託行裡做會計，但她照樣能抽出工夫把房子收拾得乾乾淨淨，一塵不染，連年代久遠的門框木柱都擦洗得發白發光，院裡的太太們最佩服的就是她擦榻榻米的本事，她能把榻榻米擦得潔淨而又光澤，老像新的一樣。林譚兩家的廚房是毗連的，逢上林太太下廚房時，常常果殼菜梗亂拋一地，譚太太嫌踏不下腳去，總是默默地給打掃了，心裡卻多少有點不滿，因此當幾個太太們在一起閒聊時，話一扯到內地人和本地人的生活習慣上，譚太太就瞟著眼睛揶揄道。

「誰像你們外省人哪！」弦外之音好像說內地人都是愛享受、好吃懶做，而她，是這大雜院中唯一的台灣籍太太。

「外省人又怎樣？」內地太太們一個個望著她，準備群起而攻之，她卻輕描淡寫地一笑，呶呶嘴說：

「哪！就像林太太她……」話沒有完，別的太太便接過嘴去：

「嘿！怎麼能拿她來作比哩，十三點！」

「不管怎麼，她總是外省人呀！」

「那妳的痰盂瓶不也是外省人？妳為什麼又要嫁給外省郎嘛！」

「根據現在的戶籍法，丈夫是哪一個地方的人，太太也得跟著入籍，妳自己還不早就算外省人了。」

「那個，那個……」譚太太沒有話可說，只得附和著大家一起笑。譚太太跟一般台灣女孩子一樣，喜歡鑲金牙齒，不過她不像人家一般在當門前鑲上兩只三只，黃澄澄地顯得俗不可耐，而是鑲在右首小臼齒的位置，平時看不出來，一笑便隱約閃爍，倒也別有幾分嫵媚。

譚先生的名字叫宇平，譚太太咬國音咬不正，叫起來又是連名帶姓的，乍聽之下就像在喚「痰盂瓶」，久了熟了，大家也就跟著她叫痰盂瓶。

譚先生是北方人，個子高大魁偉，濃眉、大眼、鼻樑正直、顎骨方正，輪廓很顯明突出，純粹淳樸憨直的北方典型。見他第一面時似乎覺得他有點粗獷，但稍稍相處些時日，便會發覺他卻是個親切豪爽的人，待人接物都很誠意，說話還有點詼諧。他從前在部隊上當過指導員，揹過槍桿，出入過槍林彈雨中。現在服務於「軍人之友」分社，譚先生今年也不過二十七、八，三十邊緣。不過在外貌上，由於風塵的磨劫，顯著要老成些。青年人做事憑血性，憑熱忱，因此逢上什麼勞軍、招待、參觀、慰問等等，他總是第一個忙人，常時忙得飯都不回來吃，忙得深更半夜才回家。逢上這樣的時候，譚太太總帶著孩子在院裡遛遛，去門口望望，一副坐立不安的樣子，那些早吃了飯的太太們，便故意操著半生熟的本地話喚他：

「譚太太，來『剃頭』嘛！」

「窪還未呷崩。」

「哦！又是等妳的『頭家』！」

譚太太只是笑笑，等確定譚先生不會回來吃飯了時再一個人潦潦草草把飯吃了，有好菜還得留著。晚上等孩子睡了，她便湊著燈光，一面鉤結線的編織物，一面等候丈夫歸來。那些用潔白光澤的細線鉤成的織物像枱布、枕布、花瓶墊、手提袋，看是好看，鉤結起來卻太花時間了，沒有耐心的人是鉤不好的，但打從我看見譚太太起，只要她有空閒，總看見她一手一根鉤針，一手一團棉線，一針一針，把時間和匠心鉤進去。她家裡雖然只有簡單的幾件木器竹器，鋪上潔白、精緻的線氈，卻顯得雅致而優美。自小安屏出生，譚太太不得不辭去了會計職務後，她把鉤結的東西放到委託行裡去寄售，賣到些錢便貼補貼補家用，或是添幾件衣服。我很欣賞她鉤結時那嫻熟靈活的手法，只見手指那麼輕巧地一鉤一挑，便是一個活環，快得叫人眼花。她告訴我在她八九歲時便學會了鉤結，本地的習慣：若是一個女孩結婚時嫁妝裡沒有幾張自己鉤結的線氈，人家便要訕笑的。說到這裡，她忽然想起了什麼似的笑著說：

「可是我結婚就沒有一張半張線氈做嫁妝。」說著，她的眼睛明亮起來；臉上煥發著一層柔美的光彩，顯然為旖麗的回憶所激動。

的確，譚家兩夫婦結合是有點不平凡的。從戀愛到結婚，這其間經過了不少波折、阻撓。介在他們中間最大的障礙便是本地人對外省人的隔閡、成見，而他們——尤其是譚太太嬌蓮，為愛情付出了最大的勇氣和堅毅。我還記得，當那天晚上他們兩夫婦為我講述他們的奮鬥史時，那副眉飛色舞、情意洋溢的神情。我本來是找譚太太學台灣話去的，當我們正半真半諧地學著「戀愛」這兩個字的發音時，痰盂瓶一腳跨進來搭訕著說：

「你們在講誰的戀愛故事，恐怕誰的戀愛故事都及不上我倆的精采吧！」說著，深情地望了一眼譚太太，譚太太也用溫和譴責的眼光回看了他一眼，似嗔非嗔地說：

「胡扯！你又來了。」

「我猜你倆的故事一定非常精采的。」我深感興趣的說：「可以講一講嘛！」

「嬌蓮，妳說可不可以？」痰盂瓶笑著問她。

「不怕聽的人給編成小說？」

「那最好沒有了！如果寫出來給大家看看，一來可以增加內地青年向本地小姐進攻的勇氣；二來可以加強本地少女嫁外省青年的決心——好！我一定說。」痰盂瓶用食指在人中上一擦，望著含笑不語的譚太太說。譚太太卻避開他的眼光，站起來給一人斟了一杯茶——應該說是淺淺的半杯，譚先生端起來一照，仰著杯子一口就喝乾了，放下杯子還咂著嘴說道：

「還是你們那一套規矩，改不掉。」

「什麼規矩？」我也看看茶杯，卻莫名其妙。

「妳不曉得本地的規矩，給客人倒茶從來不倒滿的，說是倒滿了就是大不恭敬。有時我到人家去做客，跑得十分口渴，只想有冷開水乾上幾杯，可是他們端出來的卻是酒杯那麼大的茶杯，而杯裡還只半杯子茶水，真像王母娘娘賞賜的甘露醍醐似的，害得我只得把嘴唇浸一會，又伸出舌頭舔幾舔。」譚先生說完，譚太太已笑彎了腰，一手指著他，連說：「考妖，考妖！」

譚先生一說起他們從前的事，譚太太也被回憶所激動，興奮起來，於是兩人一個補充幾句，一個加添兩聲，為我們述說他們兩人的故事。

譚太太名嬌蓮，原是新竹人，那時譚先生在新竹軍人之友社，正好斜對著嬌蓮哥哥開設的外科醫院，譚先生常常逢到嬌蓮上學去，心中早便留有印象，但從來不敢冒然自薦。湊巧有一次嬌蓮那學校配合軍人之友社一起勞軍，嬌蓮負責廣播，他們便由此認識了，因為住得近，慢慢地就由點頭招呼成為好朋友。青年男女間的感情本來很微妙的，半年後他們竟已深深陷入情網，不可自拔，於是譚先生便託人去嬌蓮家說媒，不想不僅媒人碰了一鼻子灰，還不許嬌蓮再和他往來。一家人——祖母、母親、哥哥，都聯合起來責罵了她一頓，罵她不該同外省人結交。尤其是祖母，氣得最兇，說她從前違抗家裡的勸阻嫁給了外省人，後來台灣讓日本人占了，他受不了壓迫，就悄悄逃回祖國去，這一去從此沒有回來，卻留給她五歲的女兒，三歲的兒子要她撫養；她性格又倔強，不肯接受娘家的接濟，自己一個人含辛茹苦把一雙小兒女帶大了，幾十年痛苦的折磨，使她痛恨外省人，儘管嬌蓮想解釋時代不同，而人也不是個個一樣的，但她老人家卻固執著自己的成見，總說外省人是靠不住的。

就在這時譚先生奉到調差P市的命令，嬌蓮一往情深，預備不顧家庭的阻撓同他一路走，但譚先生卻考慮到這一來的後果。他擔任的工作任務不僅是為軍人服務，更負有溝通軍民之間的感情，使軍民融合一體的義務，若是因此而惹起本地人的反感，豈不違反他的責職！正當他猶疑間，不知怎麼這消息也讓嬌蓮的哥哥知道了，他們深恐她採取什麼行動，就把她軟禁起來，並且把她日常穿的衣服、皮鞋都收藏起來，儘管嬌蓮哭鬧、絕食都不予以理會。終於有一天他們防衛得鬆懈一點——他們料她沒有錢和衣服也不能走，不想她憑著愛情的鼓舞，不管三七二十一，便穿著舊衣，拖著木屐，將一支自來水筆換了僅夠買火車票的錢，便搭車南下，到了P市，她為減輕譚先生的牽累，不去找他，卻逕投當地的婦女會，找著理事長把他們的事情一一說了，請她援助，碰巧這位理事長很開通，也很愛多管事，聽了他們這段衷曲，便一口擔承由她主持婚禮，這樣他們便結了婚。隔了一個多月，她家著人把她平常穿著的衣服送了來，其他一字不提。原來嬌蓮應得一份很豐厚的嫁妝，也完全取消了，但嬌蓮卻不在乎這些，只要愛情滿足便已滿足，而且不管家裡從來不覆她一字回信，過些日子她總要寫一封信去問候並報告自己的近況，直到後來安屏出世了，家裡才認了這門親，囑人帶信來要他們回去玩玩。骨肉終究是骨肉，我還記得譚先生回娘家住了半個月才回來，她跟孩子從頭到腳都是簇新的行頭，連譚先生也叨光了一身西裝和皮鞋，大概是丈母娘看著這外省女婿還不錯給賞的見面禮。

「我媽媽前幾天來信還說要是小的生出來了，我帶不了兩個孩子，可以把安屏放到家裡去，她會照顧。」譚太太在故事的結尾加上這兩句尾聲，下意識地望了一眼懷裡的「西瓜」，臉上露著得意的笑容，好像說：「看吧！最後勝利終歸屬於我的了！」

兩個籍貫不同的人在一起，生活習慣上總免不了有不少不協調的，他們才結婚時，譚先生最不慣的便是解決「民生問題」。台灣人幾乎個個都是嗜魚如命，而她們烹魚的方法又與他們不同，不用油煎，不用醬油，也不用蔥薑醋什麼的以減除腥味，就這麼白水煮煮加上一把鹽，有時還擱上豬肉一起煮，認為是無上的佳餚。他們的口味又淡，無論炒什麼菜總是淡淡地摻著甜味，甜照營養學上說本來是敗味的，因此，譚太太弄出來的菜，像譚先生那樣吃慣酸辣蔥蒜的北方人簡直難以下嚥，偌大的個子，每餐只都勉勉強吞下一碗半飯。譚太太問他怎麼吃得那麼少，他推說是犯了胃病，但不久譚太太就從他那吃菜像吃藥的樣子看出來，他是不愛吃自己弄的菜，於是她便開始留意別的太太們怎樣燒菜，並向她們請教。一回又買了本《烹飪術》悄悄地躲著看，過些時日自己覺得有把握了，便照樣燒了幾只內地菜不聲不響安排在桌上，譚先生仍像平時一樣，眼睛也不看把筷子伸到碗裡去夾了兩根菜花炒肉絲，便和著飯胡亂往嘴裡塞——。

「今天的菜是誰燒的。」他抿著嘴唇，眼睛睜得大大地望著桌上的兩碗菜，又望望太太，太太瞟了他一眼。

「你家裡請了幾個廚子嘛！」

「是你燒的呀？你又是幾時學會的？」

譚太太只是含笑不語，譚先生便也先顧著吃飯，狼吞虎嚥，一下子便吃了三碗半。

「你今天去了醫院了沒有？」譚太太看他吃完了，才悠悠地問他。

「沒有，為什麼？」譚先生愕然望著她。

「不然你的胃病怎麼一下子就好了！」

「那要謝謝妳哪！妳是醫生，妳配的特效藥把我治好了。」譚先生笑說。

「原來你害的是饞病，那過去你吃那麼少，一點不餓麼？」

「不餓。」譚先生神祕地笑笑，但接著還忍不住說了出來。原來他每餐總在外面先吞二個饅頭打底子，今天恰好事忙，本來預備飯後再補充的。

「看你一點都不老實！」太太嬌嗔著，有點生氣，「你吃不慣台灣菜為什麼不跟我說哩。」

「我要跟妳說，只是預備過些日子說：因為一來妳在家裡也沒有做慣這些油膩事，一開始本來有些不習慣，說了更讓妳心煩；二來我們才相處不久，又何必為這些小事費口舌，我想妳慢慢地一定會學會的，但沒想到妳一下子就學會了，我說妳真有烹飪的天才哩，趕明兒咱們倆開家小飯館去！」譚先生輕輕把賭氣的譚太太摟過來，就用油光光的嘴在她臉上摩著。

「油嘴！」一語雙關，譚太太笑著把他推開，她願意「痰盂瓶」稱讚她有烹飪的天才，不讓他知道自己為學烹飪花了多少苦心！

譚太太跟譚先生結婚後，不但學會了燒菜，連穿著上也有了新的改革。記得才來台灣，大家都對榻榻米不習慣，脫鞋穿鞋，很是麻煩，若是連著鞋子上去，又不成話；那麼學本地人穿木屐吧，偏又彆扭，不只走路走不快，有時走不了兩步猛地一拐，不僅弄髒了襪子，還扭痛了腳踝，而且看上去總覺得不大雅觀。那時眼看譚太太拖著一雙木屐走來走去，兩塊木板就像黏住在她腳底，輕便靈活，蓮步過處，一片清脆悅耳的節奏，真教人欽佩。可是曾幾何時，事實卻完全掉了個頭。慢慢地，內地太太們看慣了也穿慣了木屐，既方便，又省錢，於是大雜院裡風起雲湧，一片震天價響的木屐聲。隨便一點的主婦，不只敢在門口溜達溜達，照樣敢拖了上菜場去。再看譚太太時，門口台階上的木屐已變換了一雙皮鞋，進進出出，不憚其煩地脫鞋穿鞋，在屋子裡也不再打著「光腳丫子」在榻榻米上爬，而套上了縷花的紅絲絨拖鞋。這一改變，起初大家還不覺得，有一天，院裡幾個太太先生在一起談起本地的風俗習慣，譚先生就說他最看不慣的是穿木屐。

「這全是日據時代遺下的惡習。」他不以為然地說：「滿街霹靂拍拉一片木屐聲，實在有礙觀瞻。尤其是女人，上面燙髮，擦口紅，穿得花蝴蝶似的，底下照樣赤腳、木屐，把雙纖纖秀腳弄得又粗糙又污穢，真是道地的『半截觀音』，看不得！」說著，似乎不經意地瞥了一眼自己的腳，大家也跟著向腳下望了望，只見參差零落，全是拖鞋木屐，只有一雙皮鞋，舊雖然舊，卻鶴立雞群夾在木屐叢中，那皮鞋的主人便是譚太太。

譚太太跟一般本地知識婦女一樣，最喜歡看日文的《婦女俱樂部》、《主婦之友》這一類雜誌，一有空暇便手執一本，看得津津有味。有一天，我因為新來的下女聽不懂話，去譚家找譚太太做翻譯，卻見她背上揹著孩子，一面哼著催眠曲走來擺去地哄他睡覺，一面還拿了本書在手裡看。

「妳真用功。」我說：

「莫啦！還不是閒著沒有事。」她笑著忙把書擱在桌上為我去倒茶，我順手把書翻過來一看；原來是本《中華婦女》。

「什麼時候妳也看起中文書來了？」

「嗯，痰盂瓶說我不應該老看日文書。」譚太太把茶放在我面前，笑著閃耀了一下金牙，「他叫我以後多看中文書籍，說是一面好了解祖國的文化，一面也好進修進修國文——我的國文真太差了，日本人在的時候，不但禁止我們看中文書、說國語，平常連台灣話都不准講哩。」她憾恨而激憤地說：似乎想起日本人的專制統轄來還有餘悸。

「文化侵略是野心家最毒辣的一種手段，它的目的就是要使被侵略者完全忘記自己的祖國。」我說，揚了揚手裡的書，「妳看過沒有！覺得怎麼？」

「好極了！我最喜歡看有關我們婦女的書，裡面有什麼家事啦，育兒啦，烹飪啦，家庭常識啦，還有種種有關婦女的問題和小說，看了可以獲得不少智識和益處哩。只是，」她頓了頓，望了一眼我手裡的雜誌。「一個月一本總覺得太慢了，等得急死人！還有什麼這一類的書妳給我介紹介紹好不？」她熱切地望著我，等候我的回音，身子依舊不停地搖擺著，其實小安屏早就在她背上睡著了。

「過去在大陸時倒有不少有關這類的書刊，現在台灣出版的卻不多。除了《中華婦女》，好像還有一本《家庭文摘》，一本《婦女生活》，有幾家報紙每星期有一次婦女家庭的專刊，辦得還不錯——其實，妳如果喜歡看別的雜誌，現在倒多得是。」我告訴她。

「痰盂瓶也是這麼說，他說他們社裡訂閱了不少雜誌，只要我想看，他負責借給我，只是限定兩天看一本——這便是他給我帶回來的。」譚太太說起譚先生來，大眼睛裡便洋溢著柔和的光輝，顯得一往情深，她每次談話中總少不掉要提她的「痰盂瓶」。

別看譚先生粗獷豪爽，卻生就一顆細膩的心。顯然他暗暗地對譚太太做著潛移默化、移風轉俗的工作，並已漸漸收效了。只是還有一點譚先生拗不過她的，就是她為了方便，總愛把孩子揹在背上做事；她用本地人常用的那種繡著花的方方的包袱兜著孩子，把包袱四角的寬帶子在自己胸前交叉著挽上個大結，孩子便像隻大蛤蟆似的伏在她背上，只露出一個頭和兩隻小腿。背上負著這麼一個累贅，譚太太卻還輕鬆地像沒事人兒似的，洗衣服、燒飯、抹榻榻米，做著一切家裡的瑣事；孩子要哭了，她還搖擺著身體，嘴裡唱著，腳下踏著，手裡仍舊不停地做著。譚先生看著著實心疼，疼太太也疼孩子，若是在家裡時，自然忙不迭去解下來抱著，不然總是囑咐太太：「妳把小安屏解下吧。」

「他要哭嘛。」

「那就抱他。」

「抱著又怎麼做事？」

「妳這樣子把他裹得緊緊的，簡直教他受罪嘛，而且四肢不活動，是會妨礙發育的。」

譚先生說：

「嘖！才不會哩！」譚太太鼻子一掀，嘴一撇，像個小孩子似的做了個不信任的表情。「看我，我不就是我老母揹大的，也沒有比誰弱一點呀！」

譚先生說不服她，自己又得上班，沒有人抱孩子，也只得由她揹著了，只是，他千叮萬囑可不准揹著擦榻榻米，寧可等他下了班回來由他來擦。但譚太太又覺得他忙了一天再回來

編註：第十三節原刊於《中華婦女》第四卷第五期，一九五四年一月，頁二十八～二十九；第四卷第六期，一九五四年二月，頁二十二～二十四。

做苦工太累了，總是想方法哄小安屏睡著了偷空擦一下；再不然就把他送到對面潘家去，請潘太太給帶看一會。

十四

小安屏最怯生了，可就見著潘媽媽親熱。

潘太太溫雅文靜，體態端莊！十足一副大家閨秀、宦門千金的典型。清秀而略帶橢圓形的臉龐，下巴有點尖，白嫩而潔淨的皮膚上，從來不用脂粉渲染，只淡淡地描一下細而彎的柳眉，陪襯著那雙像潭水般深邃的眸子；柔細的秀髮長長地披垂在兩肩，說話時輕聲輕氣的，帶著蘇州人那種嗲腔的鼻音；看她那纖細勻盈的身材，一點都不像生過二個孩子的媽媽，她平時總喜歡穿素淨的衣服，像淺藍的、灰色、米色的；雖然是粗布衣服，經過她設計，裁製而穿在身上，便顯得勻稱合體，優美大方。但是別看潘太太生來嬌柔，生活的磨練，早就使她放棄了從前那種嬌生慣養的習氣。那雙十指尖尖，白嫩纖細的手，不只洗濯污垢，烹茶煮飯，還鋤泥篩土，施肥灌溉，原來他們夫婦倆還是一對勤懇的業餘園藝家哩。

如果說錢家的後園是這大雜院裡的農場，那潘家的前園便是這大雜院裡一座美麗的小花園。他們用細竹子在門前那塊坪上築了道精緻的短籬，籬上牽纏著鳥蘿花，籬內更是紫奼紅嫣，一片燦爛。每天清晨，無數紅的、白的小喇叭花第一個迎來了朝陽，一朵朵在晨風裡顫晃搖擺，彷彿為院裡的居民奏起一曲無聲的晨興曲。幾乎是成了習慣，每天我在門口盥洗時，總不由得先向那一片紅花綠葉望上兩眼，朝陽、新鮮空氣和蓬勃而豔麗的花朵，這一切都足以澄清和振奮沉睡了一夜的神智。為這一點，院裡的居民都得感謝潘家夫婦在這沙漠裡開闢了一角綠洲。

無論陰晴風雨，每天下午總可以看見潘家夫婦在小園裡忙碌著：一個篩土，一個便來播種；一個分株，一個便來撒泥；一個提著澆水壺灌溉，一個便蹲在地上除草、鬆土，把柔弱的花扶持一下，把惡劣的姿勢矯正過來。聽說要起颱風，他們先趕著用樹枝木棍，把一株株花草紮實撐緊。逢上下雨，一個打著大傘，一個便在傘下巡視有沒有被驟雨摧毀的花枝，有時，潘太太一聲喚：

「逸塵！看，這裡有了個蓓蕾！」

於是潘先生撒著兩手泥，趕緊過去審視，帶著那種新生的喜悅，兩人端詳上半天。有時，是潘先生一聲歡呼：

「靜嫻，快來看波斯菊又開了一朵紫花！」

於是，潘太太顧不得手濕淋淋，連忙過去觀看，兩人滿懷欣忭，品賞了好一會。看他兩那副怡然自得、悠哉悠哉的神情，渾然忘記了自我，忘記了這紛紜的人世，而與花魂融成一片！

每當這時，若有鄰居們踱過去探首矮籬上，搭訕著稱讚一聲：「真美極了！你們這一角園地布置得就像個伊甸園，你身旁那朵大紅的叫什麼花呀？」

平常謹言訥語的潘先生，只有在人家同他談起花草來時，才顯得健談，他會立刻托一托那副深度近視眼鏡，親切諦視著那株被詢的花，愉快地告訴你說：

「這是大理花，顏色最多了。」於是接著他便不憚其煩地告訴你這花的特性和繁殖情形，「大理花是屬於球根類的，每年花開過後，留下地下的塊根，到第二年春天又會發芽長枝。這花色最多的小花是石竹，這淡紅的是美女櫻，這枝金黃的是松葉牡丹……」

「那兩朵紫的是菊花吧，開得可真不小！」聽的人聽潘先生介紹了一大套，找機會表示一下自己也認得一種花名。

「這是蟹爪菊。」潘太太接上去說：「還是去年譚太太從她娘家分來送我的，今年可就開花了。」

「說起菊花來，台灣的種類實在太少了。」潘先生搖著頭，很有點感慨系之。「記得我們家鄉，有菊癖的人，誰不在園裡種下百十千把株！一年一度的菊花賽會，更是燦爛滿目，美不勝收。有些貴種就像家傳祕方一樣，連最親切的戚友都不給分種，只有在賽會時才露一露絕代花容，別說花美豔無比，就連取的花名也雅致極了！」

「還有梅花會、蘭花會不也一樣。」潘太太補充著說：

「台灣的蘭花可也不錯啊！」聽的人說：「蝴蝶蘭不還在國際花展中為自由中國爭得兩次金像獎榮譽的！」

「真的，台灣蝴蝶蘭倒是不錯。」潘先生極表同意地點點頭，又托托眼鏡，轉過頭去望望那掛在屋簷下的四五塊蛇木板，在潤濕的板上，有兩三張的、五六張的，長長的綠葉正蓬勃地生長著。「我正預備好好繁殖一些，等回大陸時把這寶島的名產分贈給親友哩。」他興奮地說：視線從蝴蝶蘭上落下來，正好碰上潘太太的眼光，於是兩人會意地一笑。

院子裡的居民公認潘家夫婦是「雅人」，也是最懂得領略生活情趣的人。

潘逸塵先生有著從前文弱書生那種氣質，也具有倜儻不群、灑脫不羈的名士風度，頎長個子，背微微有點前傾，清癯的臉上架著深度的近視眼鏡，下巴帶點上翹，白皙而顯得不太健康的皮膚，兩個細長的手指卻被香煙薰得焦黃。一看就讓人知道這人是個耽於沉思、耽於幻想的聰明人。

潘先生寫得一筆漂亮的趙體字，畫得兩手淡墨山水。閒來便吟詩填詞，還善鐫刻圖章，做麼玩藝他都能來一手，就單只缺乏生活的技能。若在太平時代，他很可以藉祖遺的田產，做個超然的文人雅士，時或偕三五知友，徜徉在山林泉石間，領略大自然的真和美；或者持蟹賞菊，或者煮酒論文，興來時，便吟詩聯句，即席揮毫；或者陪太太調琴對弈，說古談今，不望顯官達仕，但求享盡人間清福和溫情，悠哉悠哉地過他們恬淡自適的生活。然而戰亂卻破壞了這一切，他們幾經流離逃亡，更不得不為生活而搏鬥。逢上潘先生又生性耿介，大有陶淵明「不為五斗米折腰」的傲氣。他告訴人家說，他給自己訂下了三不主意：「一不阿諛，二不奉承，三不受閒氣。」因此，做事稍不如意，就寫一張辭呈往上一送，落得兩袖清風，不聲不響回家了——但儘管境遇坎坷，蹭蹬不遂，只要偷得浮生半日閒，他們兩夫婦仍舊相互依偎慰藉，生活得其樂融融，顯然地，困苦的物質生活，終不能影響他們精神生活的領域。

空暇時，我也愛去潘家小坐，那小小伊甸園果然誘人，但更逗人喜愛的還是他家那精雅、幽靜，而充滿著恬淡氣氛的小客廳。自然，他們家裡是不會有貴重的柚木家具、漂亮的沙發、窗紗等裝飾房子；也沒有裸體畫、石膏像什麼洋裡洋氣的點綴；素白的牆上疏朗地懸了幾幅字畫，壁際一枝淺紫的蘭花，吐著幽幽的芬芳，屋子裡幾件簡單的竹器，位置都安排得妥貼恰當。顯然都經過女主人的匠心布置，桌子茶几上都鋪著抽紗的白布，醬菜罐子裡供著鮮花，案頭一只小瓷缸裡栽著蓮花，碧綠的荷葉只有銀洋那麼大，粉紅的蓮花卻是潘太太用通草製了放上去的，書架上一盆青翠欲滴、似蘭非蘭的植物，原來是盆栽的禾苗，最精緻的，是用台灣特產的珊瑚石、蚌殼、海花石什麼的膠成的盆景，潘先生說那是蘇州虎丘的模型，完全憑他的記憶架設的。「鄉夢何時了，藉此聊慰思鄉病耳！」潘先生說著總不禁撫石感歎！

平常看著潘先生有點拘謹，熟了才曉得他還是個很風趣的人。某次我去他家，正碰上他們夫婦倆端一只小几，兩只竹椅在花前對斟，一杯紅露酒，兩塊豆干，數十粒花生米，慢酌細斟，正自得其樂哩，兩人殷勤地邀我共飲，我只笑說不會喝酒。

「不飲這杯，就是表示你拒絕與我們為伴。」潘先生說。

「這麼怎說？」

「你不記得杜甫的一句詩嗎？『白日縱歌須當酒，青春結伴好還鄉。』叨在同鄉，這杯酒便是為異日買棹還鄉，締下的約呀！」潘先生說著一仰脖子，便乾了一大口。

別看潘家兩夫婦結婚十幾年，據說一直相敬如賓，從來沒有口角過，而且閨房中樂事不少，除了花前或月下對斟，有時還下兩盤棋，潘太太下棋是只許贏不許輸的，她還有個傲脾氣，就是明知潘先生比她棋勝一籌，她卻不接受他讓她幾子，等到輸急了，便把棋子一頓亂搓，或是將懷中抱著的那隻「鐵棒打櫻桃」的黑尾巴白貓往桌上一推，四隻貓腳立即把棋局弄得亂成一片，再也分不清誰勝誰負，潘先生嚷著罰她重列陣勢，潘太太卻把貓咪抱在懷裡，笑作一團。有時已經很晚了，兩人忽然心血來潮，想著去消夜，便把門反鎖了，悄悄地打從窗戶上爬出來隨興之所至，跑到夜市去就著路旁的小攤子吃碗擔擔麵，或是去小店裡喝碗魚丸湯、當歸鴨什麼的，吃完了回來，潘太太還逢人就推薦，說是經濟實惠，而且別具風味，不吃就等於犧牲了一次口福。他們夫婦倆同是小說迷，常常爭著看一本書，實在爭不勻時，就得由潘先生打起藍青官話來朗誦，好讓坐在一旁縫縫補補的潘太太也聽著過過癮。最有趣的就是他們夫婦倆時常為書裡的人物或是情節爭論不休，大家都列舉理由，為自認為對的那方面辯護。從吃過飯一直爭論到上牀睡覺，於是：

一個說：「對不起，無論如何，我不會同意你的意見。」

一個說：「抱歉得很，你總不能說服我。」

「那麼，明天見，」一個向左翻了個身。

「明天見！」一個把身子側向右邊。

電燈一關，眼睛跟嘴巴同時閉上了。可是說不一定一個忽然想到一個充足的理由，熬不到天亮，又會搖醒對方，硬把話給灌進耳朵裡去。

潘先生雖然對「名」與「利」看得十分淡泊，但愛國獎券倒是每期必買，他說他儘管巴望中獎，卻不是想發財。

「希望中獎卻不想發財，你這是什麼相對論？哈哈，真是笑死人！」聽的人一定會笑著揶揄他，但他卻一本正經，從容不迫地講出他那一套處世哲學來，如果他正在獨斟，便先啜一口酒，放一顆花生米進嘴裡，邊嚼邊有條不紊地說：

「你聽我說嘛：我也不望中多，只要萬把塊錢，中了獎第一步，我就可以擺脫這份職業，不必再終日庸庸碌碌，年年壓金線，為他人做嫁衣。第二步嘛，將拿這筆錢去開一間書報雜誌社，兼營茶室——這裡我得先聲明：我的目的不在圖謀厚利，而只求溫飽。所以經營書報雜誌而已，一來總算是文化事業，不致淪做渾身銅臭的市儈，二來呢，自己看看書也湊個方便。」說著，潘先生又呷了口酒，撕了一角豆干鄭重地擱在口中：「我的這個茶室與眾又不相同，不裝收音機，不用女招待，一來布置務求調和、優雅，造成一種清靜寧謐的空氣。還有，凡是來喝茶的顧客，可以優先閱讀雜誌，這樣不僅軀體獲得片刻休息，心靈上也有了滋潤，一杯茶的代價可以換取兩份享受，還不值得麼！那時我便掌櫃，太太當爐……」

「別瞎安排了！我可不當什麼驢呀馬的。」潘太太岔進來抗議道，衝著他皺皺鼻子。

「妳不當爐？人家卓文君當爐還傳為千古佳事哩。」

「好呀！你還把我比起卓文君來了，別忘了我是明媒正娶，花花轎子抬到你們潘家來的，可不曾經過什麼琴挑私奔，這一套可是學都學不像的呀。」潘太太睨視著潘先生，頭一側，還透著年輕時那份嬌俏。

「那妳就掌櫃，乾脆僱一個台灣女孩子來當爐。」潘先生說得很輕鬆。

「那麼你自己呢？」

「我嗎？還不是閒來種種花，看看書，興來時斟上兩杯，就像白樂天那首有感詩裡所說的……食來即開口，睡來即闔眼；二事最關身，安寢加餐飯。忘懷任行止，委命隨修短；更若有興來，狂歌酒一盞。」潘先生搖頭晃腦地吟誦著，吟到得意處，眼睛還半啟半闔，一副渾然陶醉的神情，接著把頭那麼點兩點，悠悠地說：「就這麼著，慢慢兒地等。」

「等？等什麼？」聽的人有點莫名其妙。

「唉！你老兄真是，連這都不明白，等國軍反攻大陸回老家去過安樂日子呀！」

「哦，原來如此！」聽的人不禁啞然失笑。

潘先生有個弟弟在海軍服役，還沒有結婚，每逢假日常來探望兄嫂。他一來時，就像一片幽靜的林中飛來了一群鳥，立刻啾啾唧唧，又唱又叫地熱鬧起來，兩個孩子也跟著他起鬨。弟弟完全是爽直的軍人性格，他總嫌哥哥太消極，眼光只看到自己狹隘的生活圈子。一來兩個人便愛抬槓，有一次弟弟問哥哥：

「大哥你曉得有一種名字叫草履蟲的蟲麼？」

「沒有聽說過。」潘先生淡淡地回答。

「據說這是一種小得只能在顯微鏡下面才看得見的生物。它們總是生活在一小滴水裡，浮來浮去，有時也盲目地亂撞亂轉，但只要一碰到任何障礙，它立刻又掉轉頭，向另一個方向游去……就這樣轉來轉去，永遠在那一小滴水裡。」

「唔，有這樣的蟲。」

「不但有這樣的蟲，還有這樣的人哩！」弟弟深刻地說，凝視著他的哥哥：「你現在的生活不就有點像草履蟲！」

「我知道你繞了個大圈子就是想扯到我頭上來。」潘先生帶著那種寬容的微笑，從眼鏡後面看他弟弟。「如果那滴水是清水，草履蟲又何必跳出來落入外面的大臭溝裡去？」

「大哥，我就最不贊成你那種『舉世皆濁我獨清』的處世態度，你不敢面對現實，還在緬懷著過去，做著過去那種隱退遁世的夢，存著抱殘守缺的幻想，對國家缺少貢獻。」弟弟激憤地從一張椅子裡站起來，又坐進另一張椅子裡去。

「胡扯！難道說一定要弄槍使炮才算對國家有貢獻？我擁護國家的戡亂政策，對得住自己的良心，這不就成了。」

「你這樣充其量也不過是獨善其身，但求個人心安理得，不想改造環境，創造環境，嚴格地說，這種思想還是消極而帶點自私。」弟弟仍舊不以為然地反駁著，潘先生卻使勁把煙蒂往痰盂裡一擲，不屑地在鼻子裡哼了一聲。

「哼，如果過去在大陸時，每個人都像我這樣但求獨善其身，不貪污、不舞弊、不苟且，老實說，中國也不致淪落到這般地步！」

「你這就不對，辯論歸辯論，可不作興發牢騷——喂，嫂嫂，妳來說說看⋯⋯」弟弟抓住正進來沖開水的潘太太作後援，潘太太在他的茶杯裡注滿開水，笑著溫柔地接著說：

「你們的話我都聽到了，本來，各人的生活方式都因為各人對人生的看法差異而有所不同。你強調進取，他珍惜安逸，生活最終的目的，原來都只是為了和平安詳的生活。再說，做哥哥的若不爭氣，有了你這位弟弟，也就夠替潘家撐門楣了。」

「嫂嫂真會說，我忘記了你們原是一鼻孔呼吸的。」弟弟被潘太太幾句讚揚弄得臉上訕訕的，一回頭可找著了兩個侄子：「還是我的兩個侄子好，來，老大，你說你大了預備做什麼？」

「畫家！」老大正專心注意著把書上的卡通描下來，頭也不抬地回答。

「你呢？老二。」

「我要做個飛將軍，駕著噴氣機，嗚嗚嗚……」老二邊說邊展開兩臂作機翼，在屋子裡打了個轉，一轉轉到叔叔身邊，猴子似地爬到他背上去。

「喂，飛機在我身上下彈可不成啦。」做叔叔的逗著侄子，一瞬眼忽然想到了什麼，望著兄嫂提議道：「這樣好的天氣關在屋裡多可惜，我們去山地門玩玩好不？」

「好呀！」兩個孩子立刻歡呼擁護。

「這太陽厲害得很哩！」潘先生望一眼天空，猶豫地說：

「要爬山，怪累的。」潘太太也有所顧慮。

「別婆婆媽媽的，要去就去，我就去準備乾糧。」

「呀！那我買了這麼多菜怎麼辦？」潘太太又著急了。

「那要什麼緊，晚上早點回來，我幫妳煮好了。」說著，騎上腳踏車就飛似地走了，不一會便買了一大包饅頭、牛肉乾什麼的回來，孩子們也揹好了水壺，禁不住又是慫恿，又是催促，潘家兩夫婦也只得出發了——像這樣的日子，要算他們生活中最有生氣的日子了，平常正像一潭止水似的，他們懶得出去應酬交際，也少有人來串門子。記得有一次一個潘先生的老同學，官兒做得不小，路過P市時，特地駕了小包車來看他，潘先生卻表現得一點都不熱忱，說話格格不入，連飯都不曾請人家吃一頓，客人走了，他還對人說：「我招待他幹什麼？他如今是大官兒，我們處境不同，跟他來往，不知道的人還以為我是趨炎附勢，去巴結他哩；如果來的是跟我差不多的朋友，那我就是典當了衣服也得好好地招待他一番。」

「逸塵就是這點耿脾氣，」潘太太只是在一旁笑著搖頭。

這幾天，雲高氣爽，風和日麗，正是南台灣最美麗的秋天。潘家小園裡的菊花都開了，有紫的、黃的、白的，開得一片絢爛。清晨黃昏，潘家兩夫婦更是不斷地在花前欣賞徘徊，把一點空暇全消磨在小園裡，他們那悠然自得、與世無爭的神情，彷彿完全忘卻了這紛擾的人世，生活在另一個超然的世界裡。

「你們賢伉儷大有五柳先生『種菊東籬下』那副悠閒的神情哩！」有一次我笑著說他們。

「你倒說得好！不過是偷得浮生半日閒，圖片刻清靜罷了！」潘太太笑著說，順手摘下一片半黃的葉子摔掉。

「別說我們比不上大詩人陶淵明，就是現在這遭遇和陶淵明那時的境遇也迥不相同了，那時他作〈歸去來辭〉中，開頭便說『田園將蕪兮，胡不歸！』但現在大陸上所遭遇的又何止田園將蕪，恐怕不少地方，都已成為廢墟。詩人若是生在今日，也只得吟作：田園已蕪兮，胡為歸！」潘先生仰望著雲天，說著說著又不勝感慨起來。潘太太微睨看他，立刻用帶點安慰和鼓舞的口吻說：

「就算破壞了，我們難道不能在廢墟上建立新的麼？說起來也是，我總覺得我們老家的大房子都太蹧蹋浪費了，不說別的，光是廳就分什麼轎廳、花廳、正廳、客廳、內廳，還有東廳西廳，好些廳都成年關閉著，一年難得用上次把兩次的，晚上經過時卻黑黝黝空虛虛的有點怕人。我說呀，等我們回去只要有一個廳那點面積蓋房子，再帶個小花園，就盡夠住的了。」

「說起蓋房子，我倒喜歡在重慶住的那些竹房子，精緻幽雅，小巧玲瓏。」潘先生顯得有點神往，潘太太立刻用充滿回憶的聲音接過去說：

「尤其是細竹子編成的花格窗、門楣、迴廊的欄杆，真美極了。迴廊上夏天可以納涼，冬天可以曬太陽。」

「還可以看花賞月。我們在前園種花，後園作菜圃。」

「再闢一個小小的池塘，種上幾株鳳凰木和芭蕉。」

「不，免得妳種了芭蕉，又怨芭蕉，我看還是把台灣的扶桑木移植幾株好了。」

「胡扯，誰怨過芭蕉來著！我看還是芭蕉更富詩意。我一定種芭蕉。」潘太太故意執著自己的意見不讓。

「扶桑木開起來多美！我一定要種扶桑木。」潘先生也學著潘太太執拗地說。

「種芭蕉！」

「種扶桑！」

「芭蕉！」

「好吧好吧，我們來個折衷的辦法：讓芭蕉與扶桑齊栽，紅花共綠葉交輝，就這樣兩全其美，總行了吧！」

潘太太抿著嘴一笑。說：

「那時老大愛畫嘛，窗明几淨，小橋流水，盡可以隨他興之所至，揮上幾筆。」

「那時老二愛飛呢，就由他海闊天空地去飛，飛倦了時恬靜的家正好供他斂翼小歇。」潘先生說。

「那時我們最好再辦一個小規模的農場。」

「對了，種點稻麥瓜果，養些雞鴨牛羊，這也是怪有意思的——就這樣安安逸逸遣娛我倆的暮年。」

於是，兩人相視著在唇角浮上一個幸福的微笑，眼睛被希望的火花燃亮著……

潘家夫婦就是這樣一對平凡的「雅人」，他們家裡瀰漫一種恬淡靜諧的氣氛，似一層輕柔的薄紗，籠罩在現實生活上，使一切美麗的更顯得隱約迷離，使一切醜惡的遮掩了一些可憎可厭，儘管窮困潦倒，蹭蹬不遂，他們卻享受著一份人間難得的安謐而恬適的生活。

十五

如果說潘家夫婦倆象徵著十八世紀那種相敬如賓的夫婦生活，那麼住在他們隔壁十五號裡的柳家夫婦兩，便代表著二十世紀五十年代的夫婦生活。在前者，他們兩者之間有一種默契，一種了解，他們注重精神上的享受，他們的感情是內蘊的，像一支潺潺的清泉，他們的家便是他們的天地。相反地，在後者，他們追求的是物質文明的享受，他們的愛情放在嘴上，表現在行動上，出必同行，行必攜手並肩，攬腰挽臂，那股熱勁兒，簡直讓已婚的看著眼紅，未婚的看看羨煞。他們是時代尖端上的夫婦，自然他們的一切娛樂、消遣、生活情趣，也全建立在時髦的玩藝上。平常日子，不管什麼電影都得去擠，逢上哪裡有舞會更不放鬆，星期日更撇下孩子在家裡給下女照顧，兩人出去一玩便玩上一整天。柳先生在一家公營事業機關裡做事，待遇豐厚，生活也就過得相當優裕。

柳太太說不上美，一張亦方亦圓的團臉，一副不算太矮的身材，但她懂得打扮，更擅於化妝，一眼看去，總覺得她風姿綽約，漂亮而惹眼，她將臉部化妝保護得特別仔細，哪怕就是喝一口茶，吃兩顆花生米，也小心翼翼地掀起嘴唇，唯恐弄壞了口紅。只要看到一面鏡子，她總要停下來顧盼自憐，摸摸頭髮，按按眉毛，看脂粉是不是均勻，唇膏有沒有褪蝕，若以她一天作息的時間計算，每天大概有五分之一的時間耗費在對鏡顧盼上。晚上她仍舊要化好妝上牀，早上不化好妝是不出來的，哪怕是生病，也得掙扎著起來描一描眉毛，塗一塗唇膏。因此，大雜院裡的居民們，儘管同她做了幾年鄰居，卻從來不曾見過她的廬山真面目。關於化妝，她還有她的一套見解，她說：

「三分姿色七分妝，從前舊小說上形容美人總是說粉妝玉塑，再漂亮的女人還不是要靠化妝！如果說做小姐的時候要化妝，做了太太就更需要化妝，因為年輕時本來就有一種青春的光彩，看在那些追求者的眼裡，愛情更會使七分姿色變作十分。可是結了婚就不同了，男人一達到目的，先就減除了自己增添的三分，日子一久，又倒扣除三分，再加上年紀一天天大上去，女人又比男人容易老；如果不用化妝來駐顏，叫男人天天面對著一個黃臉婆，怎麼不會生厭？我說呀！那些自以為是老夫老婦不要緊，一味價刻苦耐勞地操作家事，自己忙得

編註：第十四節原刊於《中華婦女》第四卷第六期，一九五四年二月，頁二十四；第四卷第十期，一九五四年六月，頁二十六～二十七；第四卷第十一期，一九五四年七月，頁三十。

不修飾也不打扮的女人才是傻瓜！一旦丈夫厭倦了，變了心，他只嫌妳是黃臉婆難看，哪裡還會記得妳為他吃苦節儉的那份情！」

自然囉，根據柳太太那套卓見，憑她的駐顏術，她那副如花嬌容是足以永遠縈住丈夫的愛情的了。但是，不知是他們夫婦倆相愛太深，正如文人筆下形容的如膠如漆，不能忍受須臾的分離？抑是柳太太關心柳先生了，只要柳先生一上班，她就顯得坐立不安、怔忡不寧的樣子，有事沒事一天要搖上好幾個電話到辦公室去。常常在鄰家聊得正起勁哩，她也會忽然想起了什麼似的，匆匆忙忙趕回家去搖個電話給柳先生。我曾經聽過不少次有關她打電話的內容：有時是特為告訴柳先生他的手帕遺留在家裡了，有時是告訴他今天買了什麼他喜吃的菜，有時只是問候他，問他此刻在做什麼……似乎主要的目的只要柳先生的聲音接電話，她就安心了。記得有一天我到她家去時，她正在打電話，我們談了幾句話，大概隔了五分鐘的樣子，她又搖了個電話，好像偵察對方是不是在剛接過一個電話後，趁機溜了。

「成了習慣。」她回答我的嘲笑說：「不曉得為什麼，嗚遠一走開，我就好像覺得他飛到很遠的地方去了，剩下我一個人，感到十分空虛，就像活在濃霧中，什麼也抓握不住，這樣的感覺常常會令人窒息，一定要馬上抓住電話機，只要聽見他的聲音，才覺得我們仍舊隔得很近……」

「正是恩愛夫妻，寸步不離！」

談他們兩夫妻相愛，該是柳太太最愛聽的頌揚，她一樂，接著馬上就會告訴人家她的柳先生怎樣細心，怎樣體貼，他在同學同事之間一直有美男子之喻，多少女孩子追求他不理，而他單單地看中了她，他對她一直是十分忠實，他……。但說到最後，柳太太卻對男人們下了個結論，說是男人的心十個倒有九個是水銀澆的，再加上外面誘惑大，有時不能不防患於未然。

柳太太有兩件事是每天從來不間斷的，一件是檢查柳先生的口袋，就像有時我們檢查孩子們的書包，看看帶了什麼危險的不潔的東西一樣，連口袋裡一張草紙都要仔細地打開來看看，哪怕大冷天，從襯衣、外衣、褲子到大衣，大大小小幾十個口袋，她照樣不憚煩地一個個都摸摸、翻翻，於是煞有介事地給他補充幾元零用錢進去。還有一件就是每天下班時到門口去迎候柳先生，也是柳太太風雨無阻的一樁日課，柳先生是六點十分到家，同院子的人若是看到柳太太重新勻添了脂粉，穿戴得齊齊整整地向院門口姍姍走去，不容懷疑的那準是六點過五分，但如果過了六點十分，路上還不見柳先生的影子，柳太太那副悠閒自在的神情，立刻隨著時間一分一分地過去，一分比一分焦灼起來，頻頻地眺望著路的盡頭，又頻頻地注視著手錶，如果原來是在同鄰居們閒聊的，這時說話也冷落顛倒了。十分鐘後再不來，馬上又回家去打電話，自然，回來了更少不掉一番盤詰，就像背行車表似的，這一天裡柳先生說幾點到幾點在做什麼，全得對太太詳細報告出來。因此，也許柳先生為免得太太焦心，或者是避免疲勞轟炸，他從辦公處騎單車回家，永遠是衝鋒式的。有好幾次我在街口上碰見他，只見他兩眼直視，雙唇緊閉，別說是打招呼，連掀一掀眼皮的工夫都沒有，一直衝到大雜院門口，在太太面前下了車，於是一手推車，一手挽住太太的腰肢，邊說邊笑，親熱地朝自家屋裡走去。

柳先生的身材魁偉，加上太太善於打扮他，西裝總是筆挺，皮鞋總是雪亮，夏天裡穿上使人顯得年輕俏皮的大花大朵、顏色嬌豔的香港衫，或是透明透亮的尼龍衫，卻也風度翩翩，只是舉止行動不大靈活，似乎太做作了一點。長長的馬臉上最明顯的是一個高隆的羅馬型鼻子，耳朵有點招風，最特別是那一頭頭髮，儘管燙成波浪，凡士林擦得蒼蠅叮上去站不住腳，但柔軟纖細，就像嬰孩頭上未經剃過的胎髮，總有那麼一撮掛下來披拂在前額；柳先生便不時把頭一揚，將它甩上去，自然它又很快地落了下來，彷彿這一揚一甩，只是為了強調那股瀟灑勁兒。

無疑的，他們出入相隨，的確是一對令人羨慕的恩愛夫妻，但他們出去玩了回來，鄰居卻常常可以聽見這些爭辯：

「喂，你今天看電影究竟看的什麼？」是柳太太帶著點挑釁性的聲音。

「這倒問得滑稽，看電影嘿當然看電影囉，還看什麼？」柳先生傻楞楞地回答。

「看電影眼睛為什麼盡向我旁邊溜？」

「向妳旁邊溜？我自己倒不曉得，再說妳旁邊又有什麼好溜的？」

「別裝幌了！我曉得你還不是看我旁邊那個穿一身紅衣服的妖嬈女人！看得像饞貓聞見了腥似的。」

「看妳又無中生有了，我根本不曉得妳旁邊坐的是什麼人，再說眼光也不會轉彎啊！」柳先生連忙分辯著。

「其實就是大大方方看幾眼也沒有關係，何必做賊心虛，說得連我旁邊坐的人都看不見！」柳太太尖酸地說，說得柳先生急了。

「我可以發誓……」

「算了，發誓幹什麼，口不應心，萬一應了誓咒，還不是做老婆的倒楣！」

有時大概是跳了舞回來，平時他們出去玩了回來時，總像一對鴿子般咕咕不停，若是一直沒有聲響，那沉悶之後準有迅雷，只聽見門窗砰碰響過之後，接著拍達兩聲，大概是柳太太把高跟鞋使勁地摔下來。

「哼，今天窩心了吧！盡摟住人家的太太跳。」柳太太冷冷地在鼻子裡哼著，聲音裡有抑制不住的氣惱。

「這才怪，妳不也跟人家先生跳了。」

「我，我那個只是一種應酬，誰像你，臉貼臉摟得緊緊的，就像要溶在一起了，看著也肉麻！那個女人也賤，一碰到男人就像骨頭都酥了，真不要臉！」柳太太越說越生氣，不知又把什麼往桌上一丟。

「媚，不要這樣隨口誣蔑人，」柳先生耐住氣說。

「什麼？隨口誣蔑人！哦！是誣蔑你和你心愛的人，你心疼是不是！」柳太太又是一串令人難堪的冷笑，柳先生顯然忍無可忍，聲音也粗了。

「你老是這樣懷疑我的人格，我可真受不了！」

「你受不了！你當了那許多人使我難堪，我又受得了，你以為人家都看不見你們的醜態，人家望望你們又望望我，那種眼色就像說：他居然當著他太太跟人家調情，虧她受得了！如今居然反咬我一口，說我誣蔑你——哎喲！我真受不了，我的心……哎，我的心疼死了，我知道你存心要氣死我，好另娶一個，哎喲！哎……！」柳太太說是有個心疼病，只要一氣一急就犯上了，痛起來滿牀滿地地滾，一定要有人在她胸口輕輕地揉、撫，才能止痛，這時大概又犯了，於是柳先生不再爭辯，有倒開水的聲音，柳太太聲急氣促地哼了一陣，慢慢地低了、稀了，哼哼的聲音中斷斷續續夾著彷彿摻有眼淚的申訴和柳先生的低語——常常一場醋海中掀起的小風波，便這樣平息了。

柳先生只要對一個女人多看兩眼，柳太太就會小器，對熟識的太太小姐多說兩句話，她就要懷疑，如果誇獎了一聲誰的太太怎樣能幹、漂亮，她更得嘮叨上三五天；因此，柳先生走在太太身邊時，除了面向著太太說話，不然總是眼觀鼻，鼻觀心，心朝著腳尖。平常碰到異性的熟人，除了點一點頭，更一句話不多說，十足一副目不邪視的正人君子模樣。但柳太太那窄狹的心眼，卻並不因此放寬一些，就連柳先生跟同性的朋友交往得密切些，她也會妒嫉。有一次是柳先生的一個多年不見的老同學來看他兩人，暢談竟日，晚上夫婦倆更陪同他上公園去遛達，柳先生和老同學邊走邊大談其往事，不料一轉身卻不見了柳太太，兩人等了半天不見，於是由一個等在那裡，一個各處去找，找不著，又輪流著換班去找，最後兩個人找得豪興盡消，垂頭喪氣地回到家裡，開亮電燈，卻見柳太太一個人正默不作聲地面壁躺在黑地裡。

「怎麼妳一個人不聲不響先回來了？害人家找得焦頭爛額，回來也不跟人家說一聲。」柳先生忍不住責怪著太太，但柳太太卻一句也不哼，直到後來，那同學看看沒趣，告辭走了。柳太太彆了半天的一股怨氣才獲得了發洩的機會，她怨柳先生只顧和朋友高談闊論，完全忽略了她的存在，讓她孤零鬼似地跟在他們後面，由此可見她在他心目中的地位，她怪他有了朋友，可以連太太都不要了，太太還不及朋友重要，她一怪怪了一大串，結果還得柳先生陪了小心，從那晚起，柳先生似乎更不敢把他的朋友向家裡引了。

「我最討厭在宴席上，有人故意拿了一瓶醋，用那種曖昧的口氣，問女客要不要醋，就好像醋便暗示著某一種不光明的行為，象徵著女人狹隘的心胸，一說一聲要吃醋，個個都笑得那副鬼樣子，我就說我偏愛吃醋，而且喜歡吃得多，那又有什麼好笑的！」柳太太有一天跟大家聊天，不知怎麼一扯扯到吃醋上去，她又當場發揮了她的一番高論：「男人又最喜歡搬出常遇春的故事來取笑女人，說什麼常遇春建立了戰功，明太祖封他為王，還賞賜他美女做侍妾，卻為他妻子所不容，常遇春訴苦到太祖面前，太祖立刻召了他的妻子來，說是他如果再不容許她丈夫納妾，那就當殿賞賜毒酒自殺，她毫不考慮就舉起酒瓶來喝了下去——結果卻沒有死，原來瓶裡裝的不是毒酒，是醋。據說女人喜歡吃醋的典故就是這樣來的。其實這不正是女人的偉大處，顯示著女人對愛情的專一？這明明是男人自己對感情不忠實了，結果企圖卸罪，反轉來咬一口，倒說是女人愛妒嫉，愛吃醋，真是豈有此理！如果應該吃醋時不吃醋，那夫婦間還有什麼感情？」柳太太說得很激昂憤慨，大有為女性吐氣揚眉的氣概。

於是聽過柳太太這番高論的鄰居們，立刻替她取了個綽號，叫「醋罈子」。

柳太太這個醋罈子盛著幾十年的陳醋是不用說的，而且因為盛得太滿了，有時不免氾濫出來，弄得酸味四溢。有天上午，柳先生偏特別不到下班的時候便回來了，一進門只見屋子裡凌亂不堪，所有的櫃門、抽屜都打開了，柳太太紅著眼圈，臉扳得比廟裡的菩薩還青，正在把自己的東西裝進箱子裡去，孩子在旁邊哭著全不理會。

「媚，這是幹什麼？」柳先生怔住了。柳太太卻連眼皮都不動一動，一面更特別做作地把衣物往箱子丟。

「是不是我什麼地方開罪了妳，也好說明啊！別這樣教人丈二和尚摸不著頭腦。」柳先生過去搖撼著柳太太的肩頭，這一搖，可把她極力抑制著的怒和恨全像火山般地爆發了，她猛然摔開他按在肩上的手，瞪著柳先生挺立著，身體因激怒而不住顫抖，連聲音也變尖銳了。

「別反穿皮襖裝什麼羊（佯），你以為紙包永遠包得住火。讓你逍遙自在！你這沒有良心的東西。我哪一點虧待了你，還瞞著我到外面去搞野女人，你——」柳太太覺得自己眼淚要流下來了，忙收住話頭，換成冷酷的語氣說：「事到如今沒有什麼說的，我們法庭上見！」說著又一本正經地檢點箱子。

「法庭上見！有那麼嚴重嗎？」柳先生還是摸不著頭腦，「至少妳先告訴我究竟是怎麼回事！」

柳太太一手拉過皮包，從裡面摸出張相片便預備摔到柳先生臉上，但也許一想這是物證，給他毀了不就沒有證據了，於是她對著柳先生揚了揚說：「證據確實，還有什麼話說的？」

柳先生定睛一看，卻不由得捧腹大笑起來。

「我說妳神經過敏真是神經過敏，這下可錯得兇了，你說這是誰，這是我一個朋友的女兒，他託我辦入境證的。」

這下輪到柳太太愕然了，她瞅著照片，仍露出一臉疑惑的神情。

「看吧，這是她父親的信，我此刻特地回來就是來拿這張相片的。」柳先生將一封香港來的信丟給太太。

「那你昨天為什麼不告訴我呢！信擺在身上，相片又擱在記事本裡，這不是你存心搞鬼！」柳太太看了信大概感到有點愧意，自己下不了場，仍把過失全推在柳先生頭上。但大雜院的人可全知道了柳太太為一張相片的事要上法庭。還有一次，不知是人家請客還是聚餐，平常參加什麼宴會柳太太總是相偕相隨的，這一次柳先生卻說那是羅漢席，沒有一個攜眷的。柳太太一個人去似乎不大好，柳太太去是沒有去，可又犯了疑心，尤其是左等右等不見柳先生回來。一頓飯哪有吃上三四個鐘頭的！她越想越懷疑，越懷疑越不安，於是也不管天有多晚，便濃妝豔抹地一股子衝勁跑上街去，她只記得柳先生告訴她在康福路一家新開的叫什麼芳的酒家裡，到了康福路，她果然找著一家叫聚芳樓的酒家，裡面燈燭輝煌，傳出來猜拳飲酒的聲音。她一口氣跑到樓上，也不見有人，只見一間間房門口都垂著門簾，她揀一間傳出笑語的房間走過去，猛一掀門簾，卻不由得紅了臉，原來那房裡四五個男客正在跟酒家女調笑，動作猥褻而粗野，裡面的人先是一怔，當她窘迫地轉過身子時卻聽見一個輕薄的聲音在喚著：「喂，不要走，來陪我喝酒嘛！」接著是一陣哄笑！柳太太連頭也不敢抬，一氣衝到街上，再回過頭去，這才看見招牌角上還有特種酒家四個小字，而在特種酒家過去兩三家門面，另外又有一家涵芳樓，這時靜悄悄的，不像有宴席，柳太太沒有勇氣再去；回到家裡，卻見柳先生已吃得酩酊大醉，泥豬似地躺在牀上了。

柳太太就這樣永遠處在一種戒備警惕的狀態中，心理上永遠是緊張的，除非她的柳先生能夠永遠陪在她身邊。

看見柳先生下班時騎腳踏車那副雙眼直視、雙輪飛馳的樣子，我幾次都想告訴柳太太把韁繩放鬆點，這樣有危險，但總不好啟口，那一天果然闖禍了，據說那天柳先生因為下班遲了兩分鐘，車子騎得更快，不提防便在路角上撞上一輛卡車的後身，總算不幸中的大幸，只壓傷了右腿的膝骨，經醫院檢查，至少得躺三個月。

奇怪的是柳先生躺在牀上的那些日子裡，柳太太倒反變得安靜了，不再打電話，不再檢查口袋，不再盤三詰四，更不再提心吊膽瞎疑心。只是原說要在醫院裡療養兩個月的，不知怎麼只療養了二十多天，她就把柳先生接回家裡來休養了，說是讓護士照料總不放心。

「妳想那些護士小姐都是年紀輕輕的，卻一點不避嫌疑跟男人摸摸弄弄，儘管她們是為著職務，又怎保得住那些男人不想入非非呢！」

柳先生躺在牀上養傷的人不見胖，柳太太卻漸漸發福了。

柳太太平常除了怕丈夫有外遇，第一就怕胖，有時多時不見的朋友隨便說了一聲：「柳太太妳發福啦！」她準得照上三日三夜鏡子，逢人便問：「我胖了沒有？」她說一個女人最大的享受莫過於穿好的，可是身材一胖，不管再好一點的料子，再新穎一點的式樣，穿在身上就像套在桶上似的，還有什麼意思——然而，不管有沒有意思，在柳先生躺在牀上的那些日子裡，柳太太的的確確在長著脂肪，這下可急得她又是請教醫生，又是買了各種書來研究怎樣變瘦的方法，一早起來便牀上滾到牀下的做柔軟操，減少食物……有一天下午我正在錢太太門口閒聊，忽然看見她臉色慘白，呼吸急促地提著一袋東西，一走進院門便扶著門檻搖搖欲墜，我同錢太太忙把她扶進屋子，問她哪裡難過，她只喘息著指指衣服背後，我幫她把外衣解開，嚇，裡面可真是洋洋奇觀，什麼布的、橡皮的、鋼筋的，各種帶子捆滿在背上，我弄斷了兩個指甲才好容易把那些嵌進肉裡的扣子解開，柳太太才深深地舒了口氣，恢復過來。

「哎喲，真虧妳受這份洋罪！」錢太忍不住大聲驚歎著。

「其實習慣了就不覺得什麼，剛才是因為天氣太熱，我又跑了點急路。」柳太太笑著說，她做得滿不在乎的樣子，歇了一會，又做了個手勢央求我說：「勞駕，煩妳再給我扣上吧」：說著她站起來扶住椅背，深深地吸了口氣迸住，又讓我把密密的扣子一個一個給扣上，錢太太在旁邊看著直搖頭。這以後過不了幾天，我到錢家去還本書，又碰見柳太太上街回來，只見眼睛無神，身體虛恍恍的，拿著東西的手有點發抖。

「怎麼，又是扣子的事，要不要我幫忙？」我迎著她問。她笑笑搖搖頭，一腳直奔廚房，放下手裡東西便拿著飯碗盛了碗冷飯，用開水一泡，便就著一碟鹹菜，三口兩口地划著飯吞下去，一下子就吞完了一碗，看樣子一口氣足足可以吃上三碗四碗，但她吃了一碗便停止了。

「看妳這副窮凶極惡的樣子，倒像餓牢裡逃出來的。」我打趣她說。

「可不是，這三天我就沒有吃過飯，我從來不曉得飯有這樣好吃。」她從容地說：

「當真三天不吃飯？」

「嗯，今天一天我就只吃了兩片麵包，半杯牛奶，一點青菜和果汁，我在書上找到一張食譜，說是一個體重二百九十五磅的人每天按照食譜吃東西，隔了五個月，居然變成一百三十五磅——像我這樣剛剛開始發胖的人，就只要吃半個月就成了！可是今天我怕我會餓得自己支持不了，所以寬容一次，僅僅一次！」

柳太太努力阻止發胖的那種精神和勇氣確是令人欽佩，只要她做得到的全做了。但是，很顯明的，她還是在胖，那些漂亮合身的衣服漸漸穿不上了。

「哎喲，怎麼辦？我又胖了！」柳太太逢人便嚷。可是，她這份憂煩並不太長久，三個月過去了，柳先生已可以上班了。於是，柳太太在心理上又恢復了緊張戒備的狀態，她又變

編註：第十五節原刊於《中華婦女》第四卷第十一期，頁三十～三十三。

得苗條了。

十六

住在「醋罈子」柳太太對面十六號裡是謝鴻聲家，謝家伉儷是大雜院中的一對「問題夫婦」。

謝先生的樣子常常使見了一次面的人不容易忘記，就像那些擅於剪影的藝術家，只要捉住對方臉上的特徵，便把影子剪得唯妙唯肖一樣，人們也只要隨便看謝先生兩眼，眼睛便不自覺地剪下了他的影子貼在腦幕上。謝先生最顯著的特徵是他那特出的下巴，尖尖、長長，嘴那裡凹一凹，尾梢便瓢兒似地翹出來，如果對歷史上那些古代帝皇的畫像還留有印象的話，那麼一看見謝鴻聲就不由得會聯想起那位明太祖朱元璋來，要不是謝鴻聲姓謝不姓朱，憑那個特出的下巴，準以為他是明太祖嫡傳的子孫。在那長長翹翹的臉中間，安嵌了一個太高的鼻子，棕色的眼珠卻欠缺些神采，粗而濃的眉毛，黑而密的頭髮低低地蓋到眉骨上，方方寬寬的肩膀，十足一副西裝架子，只是西裝在他身上卻並不顯得挺括，有時似乎繃得太緊了點，使人想起在樹上熟透了的芭蕉，從中裂開皮肉來。謝先生平常很愛喝幾杯，常常看見他下班回來帶著一瓶特級清酒，或是提著個空瓶子去換，因此一說起謝先生，總會想起他的酒瓶子，「飯前三杯，健脾開胃。」這是謝先生喝酒的哲學。

謝太太生來有欠豐滿，在謝先生面前更顯得瘦瘦小小，十分清癯。長長的頭髮常時用跟身上衣服一種顏色的寬帶子繫住，柔軟地披垂在肩背上，更把那張瓜子臉襯得清癯文秀；臉上帶有那種貧血性的蒼白，眼睛有點近視，總是那樣半睜半開地瞇著，當她不做什麼而瞇著眼睛直視著空間彷彿在做夢，在回憶，也像在期待什麼，有的時候就像黃昏第一顆出現在天空的星星般閃爍，有的時候也像薄霧瀰漫了的古潭般幽暗。平時她不大與鄰居兜搭，與其說是沉默寡言，不如說是拙於詞令，她總是用一個溫柔質樸的微笑招呼熟人，這微笑給人有一種親切的感覺，更替代了不少空洞乏味的應酬話。大雜院裡有兩個家喻戶曉的編結專家，一個是譚太太，專鉤棉線織物；一個便是謝太太，專編絨線。她編結起絨線衫來，不僅手法嫻熟、敏捷，而且式樣新穎美觀，大雜院的太太們沒有一個不向她模仿請教的。她經常替兩家絨線店編結並設計絨線衫，因此除了大熱天，她到哪裡總帶著編結物，黃的、紅的、藍的絨線不斷地纏繞在靈活的指間，絲絲引放，就像一條永遠吐不完絲的巨蠶。小蘭是謝家的唯一女孩子，謝太太疼她真可以說無微不至，每天小蘭上學，她總是親自接送，看到起一點風，怕她冷了，馬上送衣服去，看到天空布上一點雲，又恐怕要下雨淋濕了，又趕緊送雨具去。小蘭平常就是在院裡同小朋友玩玩，謝太太也老不放心似的，歇一歇便出來看看她在哪裡，問一聲：「小蘭，冷不冷？」「小蘭，不要在太陽底下曬。」「小蘭，肚子餓了沒有？」要看見小蘭玩一些稍微劇烈的遊戲，她更嚇得心驚膽戰，忙不迭高嗅著阻止。

「小蘭，不要跑呀，看摔倒；吃飽了跑要生盲腸炎的呀？」

「小蘭，快不要跳！當心跌斷腳骨可不得了呀！」

謝太太對自己的穿著是很隨便的，常常換穿幾件半新不舊的陰丹士林，或是褪了色的花麻紗旗袍，只是洗燙得十分潔淨平整，看著並不顯得寒傖。可是她的女兒小蘭，卻是大雜院裡穿得最漂亮考究的一個女孩子，冬天裡各色各樣的絨線衣少說也有五六套，夏天裡穿得像隻花蝴蝶似的，台灣花洋布便宜，她自己又會獨具匠心地設計、縫製，穿著總顯得合適而活潑。但是，儘管穿戴得神氣，小蘭這女孩子卻並不見得活潑，她酷肖母親，十足是謝太太的模型，身體也很嬌弱，不像別的像她這般年齡的孩子那樣喜歡跳跳跑跑，大聲叫嚷。性情高傲而有點冷僻，常常玩得好好的，一不稱心，就沉著臉嘟著嘴，一聲不響地撇下小朋友們回去了。有時她的沉默和抑鬱，超過了八九歲的年齡所應有的性情，有時當我們向她表示親熱時，她卻瞪著那對比她母親美麗的大眼睛，帶著那種懷疑和淡漠的眼光注視著你，當別的孩子看見自己的父親下班回來，歡呼著「爸爸」迎上去時，她明曉得他父親也回家了，卻站在原來站的地方，連頭都不抬一抬，有好幾次謝先生從外面給她買了點什麼玩具回來，老遠便討好地喚著：

「小蘭，快來看給妳帶了什麼好東西來了！」

小蘭呢？望一眼她父親，卻並不加快腳步，只是慢吞吞地迎上去。她父親故意逗她要她猜，她卻搖著頭不作聲，她父親托在手裡，她也並不去拿，一定要等謝先生把玩具遞到她面前，她才接過去。

「好不好玩？」謝先生問她。

「好。」小蘭短促地回答。

「喜不喜歡？」

「喜歡。」

於是小蘭望著謝先生淡淡一笑，算是答謝，便逕自抱著玩具走開去，但是頂多玩上一兩天，卻再不見她拿出來玩了。

大雜院的人都說小蘭大概給她媽媽疼壞了，怎麼小小年紀卻這般冷漠怪僻，倒像一個在情感上受過傷害的、對一切都敵視的大人！

最奇怪的是從來沒有聽見小蘭叫過爸爸。在平常看來，謝先生不失為一個溫柔體貼的丈夫，總是隨時隨地幫太太做些家庭瑣事，喚起謝太太來左一聲「蕙蘭」，右一聲「蕙蘭」，喚得十分親暱，更常常不忘記帶點太太心愛的小東西回來博得她一笑，有時看她一天悶著頭做事，便搶掉她的編織物，硬拉著她出去散散心。可是當他忽然間那股性子來起來時，卻變得粗暴蠻橫，毫無理性，三句話不對，說打就打，謝太太哪裡是他的對手，他只要拿著她一條手臂一拗，就把她拾起來摔到牀上去，擂上幾拳，他的火性完全是暴風雨式的，發洩過後，又是向太太痛哭流淚地懺悔，又是比天指地地發咒起誓，千方百計哄得太太消氣。脾氣發得最厲害的一次，好像起因便是為了小蘭，謝先生多喝了幾盅，責備太太不會管教孩子，兩人爭執了幾句，便聽見屋子裡家具砰砰碰碰的，小蘭驚惶地哭喚著，鄰居們怕打出人命，這才趕進去勸解，只見屋裡滿地狼藉，謝太太左額上被椅角摔了一個洞，血流滿面，坐在地上，謝先生兩臂兩頰滿布指甲爪的血痕，手裡還拿著只鐘想摔，卻又好像被太太流出來的血怔住了。謝太太讓鄰居們在她傷口上紮上紗布，便堅決地撿箱子要出走，大家勸阻無效，眼看謝先生已經軟化下來，便把這份責任交還了他，散了。謝太太經不住他橡皮糖的那一套，自然，結果還是脫不了身，接連幾天她都沒有露面，躺在牀上，一半生氣一半撒嬌。每逢打過太太後，謝先生更是搬出全副功架，特別地溫存體貼，不僅家裡一切雜務都由他來擔任，還把臉水端到太太牀前，飯盛到太太手裡，她不吃時便哄著餵她吃，噓寒問熱，處處陪小心，獻殷勤，那一份侍候的勁兒，比孝子還孝順。有人說他們打過一次架後就像又度了個蜜月，但每度一次蜜月，謝太太總顯得更蒼白清癯。

有一天，小蘭正在柳家同他們的孩子一起玩，眼看著下班了，不知誰說了一句：

「小蘭，看妳爸爸回來了！」

「他是伯伯，不是我爸爸。」小蘭不經意地瞥了一眼，冷淡地說。

「什麼？他不是妳爸爸，那妳爸爸在哪裡？」小蘭的話落進柳太太的耳朵裡，就像拾到了天上落下的星星似的，立刻好奇地盯著小蘭探詢，但是，小蘭的嘴唇像閉緊了的蚌殼，再也不為回答這句話而啟開。

比無線電廣播還要快，小蘭的話從一個太太傳到另一個太太的耳朵裡，不多久，全院子的太太們就都在猜測謝家夫婦倆的關係。好事的太太們還故意在同謝太太聊天時，旁敲側擊地把話頭套到她的身世上，先好像不經意地談起自家的婚姻家庭小史，然後把話一轉：「妳們小蘭今年幾歲？」

「八歲半，叫九歲了。」謝太太一面編結著絨線，隨口閒談著。

「妳和謝先生是自由戀愛的吧！在哪裡認識的？」

「台灣——噢，不，在南京。」好像被觸到了什麼隱私似的，謝太太蒼白的臉上立刻泛上一層紅暈，一時言語顛亂慌失，馬上左顧言他，用別的話岔開去。這一來更證實了大家的疑端，有的推測她是棄婦，有的說她是寡婦再醮，有的說她是背夫私奔——大家紛紛猜測，謝太太似乎覺察了大家對她的猜疑，處處躲避著，見面除了招呼一笑，不多兜搭，成天待在屋裡，更少左鄰右舍去閒聊，連小蘭都很少上人家家去玩了。

一天下午，正是升火煮飯的時候，差不多家家門口擱著一只剛燃著火的煤爐，滿院子瀰漫著煙。就在這時，一個頰上有一塊傷疤，腳有點跛的中年男人從煙中走進來，精桿的個子，黧黑的臉，艱辛和風塵的折磨在他臉上所留下的痕跡，顯然超過歲月的雕刻，他帶著猶豫尋覓的神情，在每家門口站一下，很客氣地向女主人探詢。

「請問，這裡有沒有一個叫任蕙蘭的？」

「任蕙蘭？」太太們唸著這名字都覺得十分生疏，顯然那是個女人名字，但大雜院的女人多半跟著丈夫的姓叫太太，回答他的是搖搖頭，不清楚。

當那中年人問到謝家門口時，謝太太正端了盆水從裡面出來。

「蕙蘭！」中年人略一猶疑立刻迎上去激動地喚一聲，她驀地看清面前的人時忽然變了臉色，嘴唇動了動，沒發出聲音，忽然手一鬆，一下子連盆帶水全倒翻在地上和那人身上，自己晃了晃便軟癱了下去。

那人忙不迭彎下腰去，雙手抱起昏厥了的謝太太，朝屋裡走，一面向看見謝太太暈倒而趕過來的柳太太說：「勞駕給弄點水。」柳太太跟到屋子裡。正在做功課的小蘭先看見母親被抱進來，吃了一驚，連忙迎上來，及看到抱著母親的那人，卻又一下子呆住了。

「小蘭，長這麼大了！」那人望著小蘭，無限慈愛地說，但小蘭只是半張著嘴，睜大了眼睛，疑惑而驚愕地瞪著他。

「不認得我了？小蘭。」那人的聲音帶著點悽愴。這時謝太太被安置在牀上已清醒過來，一睜開眼睛，便望著那人，兩串熱淚奪眶而出，聲音顫抖地說：

「永崗，你當真還活著！可是……我……我……」

柳太太覺得自己在屋子裡不便，就悄悄地退了出來，但她沒有回家，卻做個手勢同另外幾個來探問的太太一起溜進了譚家的後院，譚家與謝家比鄰而居，隔著那一層薄薄的牆，本來兩家說話只要大聲一點就漏了風，後院是兩家共的，更是歎口氣都聽得清清楚楚。

「……我跟謝鴻聲純粹是報恩，這裡面沒有一點愛情，你想那時你的消息已經斷絕，小蘭生肺炎，我生病，初到台灣人地生疏，舉目無親，偏這時經濟又告斷絕，多虧他張羅照顧，才拾回了兩條命。本來我還一直堅持天涯海角，終要尋到你，等著你，誰知道最後一個消息：卻說你已經作戰陣亡。」謝太太的聲音哽哽塞塞地在訴說。

「是的，我等於已經死過一次。」那陌生人的聲音說：「我受了傷，做過俘虜，被共匪槍斃過，僥倖沒有死，又逃出鐵幕，到了舟山，才曉得我們的部隊已全軍覆沒。我又改投了別的部隊，終因為腳傷不便而退役了。便來台灣同一個同事合夥做點生意。我一直到處打聽妳的消息，直到前天偶然碰見了秋芳，才曉得妳在這裡。」

「我對不起你，永崗，我沒有面目見你……」

「我並不怪妳。」

「雖然跟著他過活，四年來我卻無時無刻不想到你，我常常癡想你也許還活在世上，忽然有那麼一天，我們又團圓了；如今我的夢想成了事實，可是……唉，永崗，我真恨……」

「不要這樣，蘭，這不是妳的錯，也不是我的錯，而都是共匪害的，如果妳願意回來，我仍舊會像過去一樣愛妳。」

「真的，你不會嫌棄我，蔑視我？」

「當然不會，蘭，我是那樣的人嗎？」

「我知道，我當然願意回到自己丈夫的身邊，可是……」就在這時門口腳踏車一響，是謝先生回來了，屋中驟然浸入沉默中。

「我叫王永崗，特意來看蕙蘭的。」那陌生人先打破了沉默，生硬地自我介紹著。

「哦，哦，王先生，早聽見蕙蘭提過。」謝先生的聲音裡流露著驚訝和疑懼，遲遲疑疑地說。接著又是一片沉默，像陣雨前的低氣壓，壅塞在室內，半晌，又是那陌生人低沉的聲音，突破了低氣壓。

「謝先生，事情擺在面前，已用不著誰多說什麼，雖然我有權利處置這件事，但是我還是尊重蕙蘭的意見，可以由她自己選擇，不過小蘭是我的孩子，無論如何我是要領走的。現在請你考慮考慮，明天我再來。」

陌生人走了，燃著導火線走了，卻給謝家擲下了炸彈，謝先生像審判官鞫訊犯人似的，向謝太太迫供，謝太太一面哭泣，一面斷斷續續地回答。大概她的回答惹怒了謝先生，接著又是砰砰碰碰摔東西，叱責謝太太，演了齣全武行；末了又是諄諄地說服，苦苦地哀求，但謝太太的答覆卻一味哭泣，這樣從陌生人走了一直鬧到深更半夜，倒楣的是隔壁譚家，幾次三番被從夢裡吵醒，好容易聲音平息下去了，天一亮，譚先生又被敲窗子的聲音喚醒。

「譚先生，譚先生，請你起來一下。」譚先生一聽是隔壁謝先生迫切的聲音，忙披衣開後門出去，只見謝先生赤著腳，穿著睡衣，神色倉皇地站在後院中，手裡拿了張信紙，一看見譚先生就急急地說：

「不得了，我太太恐怕發生意外了，你看這封信。」

信上這樣寫著：

鴻聲：

五載夫妻的情誼，我不能割棄，而你待我的一番恩情，也不忍辜負，他叫我選擇，我無法取捨，而生存在我只是痛苦的延長，我只得選擇自己該走的路——兩者之間的另一條路，請忘記我，忘記我這不幸的人，小蘭她爸爸會來帶去，另外一信也請交給他。

永別了！

蘭留字

「糟！趕快先去報告派出所，我們再分頭去找一找。」譚先生換件衣服，連盥洗都來不及，便偕同謝先生兩個騎著車子分頭去找，不一會，譚太太便把這消息傳遍了全院子，十點多鐘時兩人先後回來了，謝先生像隻被打敗的公雞似的，垂著頭，沮喪地騎在車上，那神情彷彿一下就老了十年，雙眼下陷，嘴抿得緊緊的，下巴顯得更長更翹了，他回來便一直將頭埋在手裡坐著，一動也不動，像尊石像似的。中午，柳家、譚家都來勸他過去吃飯，他也只是搖頭，直到午後，派出所打了個電話來：說是今晨一個漁夫在淡水河救起一個投河的女人，經他施用人工呼吸救醒了，現在送在市立醫院醫治——謝先生不等電話說完，就馬上跳上車子趕去了。

醫院裡的女人果然便是謝太太，雖然已脫離險境，人還是十分衰弱，仍需留院治療。

謝先生從醫院裡回來的第二天，整整把自己關在屋裡一天，也不生火，也不起炊，小蘭鬧著要看媽媽，給送到醫院裡去了，一幢屋裡只剩他一人，顯得十分淒清。譚先生幾次進去看他，見他總是保持著同一個姿勢，穿著外衣，連著皮鞋，仰臥在牀上，牀畔是一瓶酒，一個空瓶子，頭髮蓬亂著，兩腮瘦削，下巴上翹，唇上鬍鬚毿毿，嘴抿得緊緊的，深陷的眼睛白眼珠全布滿了紅絲——顯然他從隔夜起，就一直這樣乾瞪著眼躺著。

「人已經救活了，你還煩什麼？快起來吃點東西。」譚先生不只一次地勸謝先生。

「是的，她是救活了，但這裡面必須還有一個要犧牲，這是無法避免的，犧牲什麼；犧牲家的溫暖和心的慰藉。誰是該犧牲的？是我？是他？——」謝先生也不看譚先生一眼，只是直視天花板，嘴裡喃喃的，像是自言自語，說完又舉起酒杯來仰著脖子大大地吞了一口酒，重又浸入可怕的沉默中，不再理會譚先生。

第二天上午，才見禁閉了一天的謝先生打開門出來，神情委頓憔悴，雙眼紅赤，但臉上卻有一種堅決的表情，就像每當一個人下了決心去幹什麼大事似的。他出去了二三個鐘頭，回來時後面跟著一輛三輪車，他進去匆匆地收拾了一下，搬出了一只箱子，一只旅行袋，放在三輪車上，便鎖上門，拿著一封信走到譚家去。

「譚太太，拜託妳回頭把這封信，交給我……」謝先生痛苦地把太太兩個字嚥了下去，「交給蕙蘭，告訴她我……我——唉，不說算了。」

「謝先生，你這是上哪兒去呀？就回來嗎？」譚太太接過信疑惑地望望鎖著的門，又望望三輪車上的行李。

「譚太太，你聽過有的野獸受了傷，總是找一處僻靜的洞穴躲起來慢慢地醫治自己的傷口麼；我也是去找這麼一個冷僻的地方，療養創傷。」

「養傷？你受了傷！在哪裡？」譚太太驚訝的視線在他身上搜索著，謝先生不禁苦笑著說：

「看得見的傷是容易治療的，看不見的創傷卻無法治療。好，我要走了，回頭譚先生回家說一聲，說我謝謝他——還有蕙蘭恐怕還得歇兩天回來，房子空著也請代照看一下。……」

謝先生深深地向鎖著的房子諦視了最後一眼，跨上三輪車便走了。

午後，譚太太邀我同柳太太一起去醫院探視謝太太，病房的門虛掩著。我們推開進去，只見那天那個陌生人正坐在牀沿上，小蘭偎在他膝畔出神地傾聽他講著什麼。謝太太擁著白被單仰臥著，清癯的臉龐雖然顯得更蒼白憔悴，神情卻很平靜，瞇細著眼睛望著牀前的兩人，嘴角還隱約浮著一絲笑意，看見我們進去，顯然使她感到意外和十分羞赧。

寒暄了幾句，譚太太便將謝先生那封信交給她，看著看著，她的眼睛忽然潮潤了，失色的嘴唇顫抖著：

「他什麼時候給你這封信？」

「今天上午。」

「那他？……」

「他把信交給我就坐著三輪車走了。」

「他真好……他一個人揹上了情感的十字架。」——謝太太哽咽著說。兩串熱淚沿著雙頰滾滾墜下來，悲傷了一會，她緩緩地抬起頭來望著窗外；在淚水流過的臉上，彷彿有一種雨過天青的明朗，一種以最大的勇氣割除了腹瘤而獲得解脫的神情。

兩天之後，那陌生人從醫院裡護送了謝太太回來，謝太太——改為原來的稱呼王太太。好像不好意思與鄰居們見面，回來後便一直躲在自家屋裡。又是兩天之後，小蘭忽然揀了一個舊的布娃娃，送給柳家的小妹，說是留作紀念。

了。」

「我們今天要搬家了。」她帶著點驕矜得意地告訴小朋友，「搬去同爸爸一起住新房子

在大雜院中這是第一次也是最後一次，聽見小蘭喚爸爸。就在這天下午，一輛大卡車載走了小蘭和她媽媽，來接的自然也是那陌生人——小蘭親生的爸爸。

十七

十六號的房子沒有空上三天，譚先生馬上又介紹了一對姓谷的新婚夫婦搬進來。新郎谷偉彝是山東人，個子很棒，斜斜的劍眉，挺直的鼻子，眼睛炯炯有神，很透著英俊，看樣子是個誠懇而堅定的好青年，新娘湯鍾英，個子不高，渾身卻發散著健康的氣息，像有些植物發散著陽光的氣息一樣，圓圓的臉上有一對靈活的眼睛，同別人講話時總是坦白而率直地望著對方，在那樣的眼光下，會使人覺得虛偽是可恥的。她說得一口流利清脆的京片子，十分悅耳，短短的頭髮，經常穿著大翻領襯衣，裙子，平底皮鞋，熱情豪爽，純粹是北國女郎的風采。

新婚燕爾，處處都呈現著一種和諧的喜氣，兩人都年輕，更顯示著一種欣欣向榮的朝

編註：第十六節原刊於《中華婦女》第四卷第十二期，一九五四年八月，頁二十七～三十。

氣，但是，使他們美滿的婚姻顯得更加輝煌無比的，卻是他們兩人以堅定的意志、冒險的精神和堅貞不渝的信念所編造成的故事，這故事裡有對魔鬼的搏鬥，有對自由的嚮往，有對正義的追求，而愛情，那真摯不移的愛情，卻使這一切添上一層綺麗的光彩。

在這對小夫婦搬進來的那天晚上，大雜院裡的居民們史無前例地為他倆開了一個簡單的歡迎茶會。原來當譚先生在事前告訴鄰居們，十六號裡將搬來怎樣一對夫婦時，大家都感到新鮮，雖然好些人都已在報上讀到他們的故事，但大家還願意聽聽他們親自口述的，還有也想聽聽大陸真實的情況，譚先生立刻靈機一動，說為什麼不來個茶話會呢？他說：「現在天熱，大家本來要在門口乘涼，到那天也不過加添兩把椅子，再每家湊上兩三塊錢買點糖果，茶由我負責，不就得了。」他的建議立刻獲得了大家的同意。到他們搬進來的那天晚上，大家果然早就端出竹的、木的、藤的椅子來，拼湊成面對兩列，中間打橫兩個位子便留給新夫婦，院裡四盞平常總是閉兩隻眼、開兩隻眼的路燈，這天也齊放光明，大人小孩全吃過晚飯，洗過了澡，一面揮著扇子納涼，一面用等待講故事的心情坐著守候。當這一對年輕的夫婦含著感激、謙恭的微笑被譚先生介紹給大家時，立刻獲得一片歡迎的掌聲，他們忙了一天布置新的家，這時都換上了整潔的衣衫，男的穿著灰色西褲，白色香港衫；女的是墨綠裙子，白泡泡紗上衣，胸前佩一朵粉紅的康乃馨，臉上浮著淡淡的紅暈，明亮的眼睛裡有什麼在熠熾著。

他們先向大家致了謝意，接著便開始講他們的故事：先講他們在鐵幕裡怎樣地受壓迫，沒有自由，匪幹怎樣地沒有人性，再說到他們由相識而熱戀，預備結婚，但請求結婚的公事報上去不但沒有批准，反指定要湯鍾英配給匪公安局長，並加上種種壓力、威脅，不許不答應，他倆原來就受不了匪區沒有天日的生活，加上這新的壓力，再也不能忍受，便在一個風雨淒迷的晚上，冒著生命的危險，偷了一隻歇在海邊的小艇，悄悄地駛出海港，他們在海上足足飄流了一個多星期，吃盡千辛萬苦，才到達台灣的前線，終於獲得了自由——他們兩人輪番補充地講著：谷先生用他直率的語調，講得簡潔而激昂，谷太太卻說來委婉曲折，情節緊湊，直扣人心弦。

「最後我要說的，我們這次能夠九死一生逃出鐵幕，獲得了自由，大半要歸功鍾英，如果沒有她的鼓勵和堅定的意志，我也許拿不出這份勇氣。」谷先生笑著向旁邊的太太望了一眼，太太笑著接過去說：

「我們這次能夠獲得自由，還應該歸功偉彝，若不是他能拿出勇氣，克服困難和危險，今天怕也不能在這兒與大家歡聚了。」

大家立刻報以熱烈的鼓掌。

「只有失去過自由的人，才曉得自由的可貴，也只有經過磨折的愛情，才顯得堅韌。」谷先生等掌聲停了，以莊嚴沉著的口吻結束了他們的故事，谷太太在一旁用那種充滿了鼓勵和熱情的眼色默默諦視著他。

就這樣，這對烽火鴛鴦，加入了我們大雜院的陣營。

在大雜院裡，他們是生活得最緊張嚴肅，也最充滿了生氣和活力的一對夫婦。谷先生參加了戰鬥的部隊，筆挺的軍裝肩上閃爍著一朵銀色的梅花。谷太太——不，應該說湯鍾英，她總是笑著向喚她谷太太的人聲明：說是叫她太太聽來怪刺耳的，還是乾脆喚她名字好了。湯鍾英卻加入了女青年大隊，穿一身剪裁合適的卡其布衣裙，戴一頂俏皮的船形帽，更顯得精神活潑。一早，兩人便迎著朝陽，步伐一致地並肩走出院門，要到傍晚吃過晚飯才回家。逢上休假日，兩人像去哪裡旅行似的，換上便裝，輕鬆而愉快地一路上菜場。回來時一個提一籃菜，一個捧一束鮮花。顯然湯鍾英對烹飪術並不熟悉，谷先生自然也是外行，兩人偏爭著你煮我燒。如果星期日在院子裡嗅到了焦臭味，那準是谷家兩小口煮焦了飯。一會兒煎煎魚，把魚皮全黏脫了，魚卻還是半生不熟的；一會兒炒炒黃豆芽，兩人又糊裡糊塗下了雙份鹽。但儘管是焦飯，半生不熟的魚，鹹得發苦的豆芽，兩人還是嘻嘻哈哈全吞下肚去，還說焦飯有烤麵包的香味，而半生不熟的魚更富營養價值。

按理說，年輕人多半總是愛玩愛活動的。但谷家兩小口除了星期日難得去看場電影，晚上就很少看到他們出去，也少有到院子裡乘涼。走過他家門口，總見白色的窗簾沉沉下垂，透出一抹柔和的燈光，屋子裡靜悄悄的，不聞人聲。

「究竟是新婚夫婦，要顯得神祕一點！」經過他們門口的人，常常會好奇而讚美地瞥一眼那沉沉的窗簾，在心裡這麼悄悄自語。但是，有一天，那神祕的簾幕終於被柳太太揭開了。那天，也不知她是故意，還是無意特地向他們去借盒火柴，一邊問一邊就順手撩開窗簾來，這一下屋裡的情形便暴露無遺，原來兩人正聚精會神地面對面坐在圓桌前啃書本子，每人面前還攤著筆記簿、紅筆等等，這情形大出柳太太意料之外，她又是失望，又是驚訝，忍不住喚了聲：

「啊！你們兩個真是書獃子！」

自然，第二天全院子馬上就都曉得了這對年輕的書獃子，柳太太還好心地規勸他們：

「花趕著春天開，人嘛趁著年少時玩，你們小兩口子可別太用功了，辜負了青春，划不來！」

「這也算不得用功。」谷先生謙虛地回答：「不過趁這麼一段空暇充實充實自己。」

「這叫亡羊補牢不為遲，我只恨留在鐵幕中時沒有機會好好看點有用的書，那時真把時間浪費了。」湯鍾英說。

「何止時間，簡直是生命的浪費嘛。」谷先生一提起那時便有點激動，「所以我們現在只有把握時間，不但要從書本中獲得智識，還要在戰鬥中教育自己。」

「也從生活中教育自己。」湯鍾英接著說：「要看的書太多了，要學習的東西也太多了，我總覺得一個腦子，一雙手實在不夠應付哩！」

「如果能夠借用就好了。」谷先生的話裡似乎帶了點善意的諷刺。

「謝謝妳的好意，關照我們不要辜負青春。但我認為青春不應該是趁著熱鬧開得鮮妍的花，一剎那便憔悴凋落，青春應該是一種持久而永恆地充實自己的力量。」湯鍾英說得很委婉動聽，但柳太太卻皺起眉頭笑著：

「啊呀，妳對我唸起文章來了，書上的道理我可不管，我只要過得快活！」

柳太太幾乎是帶著點憐憫，在院子裡大事渲染著他們是對不懂得享受的傻子。但由於她這一宣傳，我——也可以說大雜院多數居民，對他們的好學不倦卻更增添了一份敬佩。

其實，住久了才曉得，靜讀只是大雜院裡的人看見他們生活的另一面，他們自己規定了每晚要自修兩小時，彼此督促，不許怠懈；實際上，他們——尤其是湯鍾英，她的興趣是多方面的，她學射擊、學騎術、學舞蹈、學開車、學音樂。她閱讀有關文學的書、哲學書、社會科學，還補習英文……據她自己告訴別人說：她是個身心一閒散就不曉得怎樣安排自己的人。

「我就是有這麼一種性格，喜歡點新奇，喜歡嘗試。」她談到自己，十分坦白率直，一點不扭捏作態，「我覺得一個人生活裡如果沒有了什麼新的學習，沒有了什麼新的興趣發掘，就像一隻停了擺的鐘，等於縮短了自己的生命，放棄了對人生的戰鬥和領略——尤其是現在，我像剛從籠裡逃出來的小鳥，在廣闊的天空，在自由的土地，什麼都想看看，想嚐嚐。」

「是嘛，年輕時都有那種豪興雄心。」別人聽著有點感慨，「可是年齡跟著生活走，像我們現在就算有時對什麼發生點興趣吧，可也鼓不起嘗試的勇氣了。」

「話可不能這麼說。」她馬上用鼓勵的聲音糾正別人家：「人家美國的雷諾祖母，六十四歲才進大學，如今九十多歲還學彈琴，學游泳哩。」

「這真合了我們一句俗話，六十歲還學打拳！」

「我記得在一本什麼書上看過這樣一句話：『只有使自己的靈魂永不鬆弛，永不祈求安息，人才能永遠年輕』，其實一個人要真正學習著什麼，就會感到自己年輕了。」

這時別人一定會被她的話引起感觸，沉吟著，若有所思，就連矜持的人也會覺得心中躍躍欲試。她又閃著那雙明慧的眸子，笑盈盈地說：

「世界上最快樂的人，應該是能夠在生活各方面都去嘗試的人。」

「那妳應該是世界上最快樂的人了！」

湯鍾英不加否定，只是笑著說：

「要學習的東西真太多了，恨不得多生兩副手腦，或一天有三十六小時才好！」

可是，這世界上最快樂的人有一天卻也會不快樂起來，錢太太告訴我那天谷先生忽然愁眉苦臉而又十分窘迫地跑到她們家去，請她去勸勸湯鍾英，她馬上允諾著去了，只見從來不皺眉的湯鍾英，緊鎖著眉毛，噘著嘴，一個人躺在牀上使悶氣，錢太太一問原委，原來她懷孕了，但她不肯接受孩子，堅持要墮胎。

「我不是說我永遠不要孩子，我只是現在還不要孩子，我現在還年輕，我正想趁著年輕時多學習一點，多懂得一點，還想轟轟烈烈做一番事業，我怎麼能讓孩子牽制我的行動，成為我的絆腳石！」湯鍾英衝著勸她的錢太太，激動地說出一大堆理由。但錢太太只是鎮靜地笑笑，卻悠悠地問她：「妳還記得從前念書時參加考試的情形麼？」

「怎麼？當然記得。」湯鍾英愕然了。

「從前我們玩得起勁時，總是怕考試，但怕管怕，考仍舊要考，第一通過考試卻又沒事了，而最難捱的是要考未考之間的等待，乾脆早考了心裡也就早一點舒坦——生孩子也跟這情形差不多的。」

「可是我現在不要嘛！」

「考試難道也由著妳挑選時候不成！造物就好比是我們從前的老師，一樣的不許通融。」錢太太詼諧的譬喻，把愁苦的湯鍾英也引笑了。「其實一個孩子也不至於怎樣影響妳，等他稍微大一點可以進托兒所了，妳還不是可以去做妳轟轟烈烈的大事！妳不曉得墮胎比生產還傷身體，要是蹧蹋了身體那影響可就大了。」

「等他大一點那還不是要一段時間，我實在不甘心待在家裡帶孩子，而且，挺了個大肚子晃來晃去，那樣子真醜死了！」湯鍾英恨恨地蹬著腳。

「妳不是什麼都喜歡嘗試麼，這下正好讓妳嘗試一下做母親的滋味。」錢太太半諧半莊地勸解了半天。湯鍾英不響了，谷先生深知不響就是默允了一半，他簡直如同對待大恩人似地送走了錢太太。

似乎故意要掩護似的，不管錢太太的勸告，這以後湯鍾英故意把腰裡的皮帶束得特別緊，胸挺得特別高，昂首闊步地走路。但是這只是時間問題，夏去秋來，南台灣的氣候仍是那麼熱，那一套薄薄的窄狹的衣裙，越來越不能遮掩逐漸粗壯的腰圍、隆起的腹部。而步伐也再不能那樣輕快，越來越蹣跚了。湯鍾英醜於捧著西瓜到處展覽，便只得暫時告假躲在家裡。

就在湯鍾英開始請假不久的一天，谷先生喜孜孜地下班回來，一進門口就用四鄰都聽得見的大聲，高興地嚷著：「鍾英，鍾英，告訴妳一個好消息，我們馬上要開拔到金門去了。」

「真的？」鍾英連忙從屋裡迎將出來。

「可不是，憋了這幾年，總算讓我有機會面對敵人，給他們一個迎頭痛擊！」谷先生亢奮地說。

「那太好了！正好讓我們一起去，一起在前線並肩作戰！」湯鍾英也高興得孩子似的歡躍著，不禁伸手去擁抱谷偉彝！但是有什麼橫隔在中間，兩人不約而同低下頭去，視線一齊落在那高高隆起、圓滾滾的大西瓜上。

「去前線還作興帶這原子大炸彈！」

「哎，真討厭，真討厭！」湯鍾英不等谷偉彝說完把他一推，便一路恨恨地蹬著腳衝回內屋去。

谷偉彝去金門了，湯鍾英自己又不上班，想著這身心一閒散就不曉得怎樣安排自己的人，不知怎樣在安排自己。那天，我信步走到十六號去，屋裡靜悄悄的，只見湯鍾英倚在牀頭一手托了個講義夾，正專心一注地在寫什麼，枕畔案頭堆滿了書。

「是在寫情書麼？」我笑著問她。

「是倒是情書，只是些公開的情書。」湯鍾英說，帶著謙虛的笑容，讓我坐下。「我正試著學習寫作哩，我想隨地取材，先寫一套信，就叫戰地書簡。」

「妳真是了不起！」我不由得由衷地讚佩，「放下槍桿又想做起作家來了。」

「別先恭維我，我倒不是存心想做作家，我一直就喜歡文藝，只是過去總不能好好地靜下心來寫，現在被困在家裡，真是機會難得。說真的，這些日子裡我發現了一條真理：覺得女人都應該學習寫作，至少應該培養這方面的興趣。」

「這怎麼說呢？」

「不是嗎？一個女人不管學問多好，志氣多高，結了婚，生下一大堆孩子，總不免被一些家庭的瑣事所囚繫，而限制了發展，而被埋沒，只有寫作，才是不受時間限制，不受環境影響，隨時隨地可以自修的一項學識，在家事之暇，乘興寫上一篇兩篇，既可以發洩感情，又可以慰藉寂寞。所以我說一個女人能對寫作發生興趣，是最好的一種消遣，也是替自己的精神和智力安排一條最好的出路。妳認為我這話有沒有道理？」她滔滔地說著，但似乎又覺得自己說得太多了，臉上浮著一種興奮的紅暈，眼波盈盈的望著我，我自然稱讚她說得有道理，一面便去看她那未完成的「戰地書簡」的第一封：那信寫得流利深刻，在熱情洋溢中寓有無限關切勉勵。因為有真摯的感情，讀來更親切動人，是一封情文並茂的書簡，也是一篇優美有力的散文。

「倒是谷先生去了前線給了妳寫作的題材。」

「也可以說是他去了前線，才帶給我寫作的靈感。」說著，湯鍾英自己先笑了，那爽朗的笑聲就像一注溪水的奔流，坦率、自信而充滿了青春活力。

編註：第十七節原刊於《中華婦女》第四卷第十二期，一九五四年八月，頁三十～三十一。

十八

在大雜院住了兩年，我終於離開了，離開了那十幾對夫婦，離開P市。

離開的前夕，我獨自在夜色昏暗的院子中徘徊流連，夜將深沉，這是大雜院顯得最清靜的時刻，也是唯一充滿了安謐和平的氣氛的時刻，除了有幾幢屋子已浸入夜的黑暗中，那些閉著的，半啟的窗戶裡都揚射出或明或淡的燈光。我熟悉那些窗戶，也熟悉那些燈光：這邊這窗子洞開、燈光明亮的一家是錢文清家，裡面傳出軋軋的聲音，大概是那位勤儉的錢太太還在踏縫紉機，錢先生也許正陪著在設計一件什麼小工藝，三個兒女便圍著桌子在溫習功課。過去那一抹緋色的燈光透自關著的窗子的，是那「生活在藝術氛圍裡的一對」，美術家莫白秋和他的太太音樂家施倩，笑聲吃吃，也許兩人正用吻做賭注，在玩著「蜜月橋牌」。這邊這黑沉沉的屋子是嚴家，這對寂寞而孤僻的夫婦想來已早把自己關進夢裡去了。過去，綠紗窗裡輕輕地播送出幽雅的音樂，綠色的窗簾在晚風裡飄拂，那是文彧家，在柔和的燈光下，文太太也許正編織著一件嬰孩的絨衣，文先生或正聚精會神浸沉在他的書本裡。這邊是趙家，只亮著一盞門燈，不知夫婦倆是不是又去做「政治性」的拜訪未返。隔壁燈光半明不滅的那家是梁家，「川辣子」梁太太不知是打牌未返還是夢周公去了，白天一天響著破鑼聲音，此刻顯得特別安靜。這邊這門窗緊閉，簾幕沉沉，隱約漏出一絲神祕的光線的是張卓夫家，說不定夫婦倆正對坐著還在盤算他們小小的財富。隔壁傅澤恩家傅太太纖細的影子剛從窗前晃過，也許她正在籌備明朝的早餐哩；自然，那位「有福氣」的傅先生一定早便去夢中尋他的「顏如玉」和「黃金屋」了。這裡靜悄悄的是倪家，他們隔壁的林家卻亮著燈，算盤聲的嗒，那位「力求上進」的林先生大概又把公司裡未了的工作帶回家來加班了。這邊呂家「半截鐵塔」呂先生粗壯的身影正映現在窗簾上，在做就睡前的健身運動；呂太太大概在洗澡，而用鼻音懶洋洋地哼著一支英文歌。那一燈如水，明窗上映著一株蘭草剪影猶如一幅淡墨畫的，是雅人潘逸塵家。與潘家的淡雅對照顯得更醒目的是柳家那一抹絳紅色的燈光，柳太太的聲音呢呢喃喃，不知是不是又在盤問柳先生。這邊一片柔和的乳白色燈光是譚家，譚太太正哼著催眠曲，哄孩子安睡。隔壁谷家那淺藍色的燈光像一個迷濛的夢境，室內，湊在那夢一般的燈光下，湯鍾英大概正倚在枕上，給前線的愛人寫熱情洋溢的「戰地書簡」……

如今我離開大雜院，離開那十幾對夫婦已快兩年了，但我的回憶依然新鮮，我的懷念無時或釋。不知院門口那一排挺秀的椰樹是否依舊蒼翠如昔，不知那一對對恩愛夫婦，歡喜冤家，是否別來無恙。人生最大的悲劇，莫過於牀笫間的悲劇，人生最大的幸福，也莫過於夫婦間那心靈的偎依，那深深的諒解與默契。我虔誠地為他們祝福！願他們的信心不渝，願他們的愛情彌篤。

民國四十三年七月脫稿

民國四十六年二月修正

編註：第十八節原刊於《中華婦女》第四卷第十二期，一九五四年八月，頁三十一。

艾雯全集7

小說卷二

霧之谷

霧之谷：台北市，正中書局，一九五八年三月台初版。十四・七×十八・五公分，二六一頁。

◎正中書局版原目：

東吉嶼海峽、神童、考驗、遙遠的祝福、人生的另一課、不是故事的故事、死水微瀾、雙翼、戒指、奔向自由、痞戀、無言的責備、扇子、狂歡之夜、孿生兄弟、異國溫情、路是怎樣走出來的、霧之谷。

◎說明：

本集據正中書局台初版編入。

東吉嶼海峽

一

在風浪險急的台灣海峽，這也許是兩個最小最小的島嶼，如果說台灣海峽形勢恰似一隻漏斗，那這遙遙相對的兩個小島便形成了一截狹窄的斗頸，海流一經來到狹窄的頸口，便顯得不安和暴躁，開始傲岸地撞擊攔阻它的岩石：揚起一排海浪俯衝過去，立即水沫噴濺，而岩石卻屹立不動。這更激怒了大海，它像一頭陷入陷阱中的猛獸，憤怒地要掙脫束縛，咆哮著，叫嘯著，掀起成排成排的巨浪，猛烈地撲激著岩岬，馬上又倒流回來，打著旋旋，大海氣得翻騰喘哮，狂暴地掀起巨大的排浪，像千萬匹白馬奔騰著向小島衝去——海與岩石的戰鬥繼續不斷，從黎明到黃昏。當最後一抹陽光落下了海平線，黑夜將臨之際，大海便更加兇暴了，彷彿黑暗中有惡魔為它助勢，衝入峽中的海風也為它助威，排浪更高，更密。波濤更急，更洶湧。似要把小島掀翻沉沒，把小島撞碎沖散。它感到島嶼已在它震撼下微微顫慄，抑制不住勝利的歡呼長嘯……就在這時，驀地一片柔和璀輝的光亮，彷彿從天而降，灑落海面，照出小島參差銳利的巨齒——那些嶙峋的岩石。狂暴的大海似乎感到惶恐和迷亂，掀起的浪柱未敢正視炫耀的亮光便瀉落了。浪花與浪花彼此碰撞著，擠攘著，一路低吼著奔流出峽口。

但大海與礁石的戰鬥，仍將無盡止的繼續下去。

這是台灣海峽中一段最驚險的航程——從澎湖到台灣的捷徑。兩個小島，南邊那個大的是東吉嶼，北邊的是厝頭嶼。那巍然屹立於風浪中的巨人——燈塔，便建立在東吉嶼島上。

沿東吉嶼五十公里內，周圍幾乎遍布陡峭的岩石，險惡的暗礁。以及海浪打在岩岬上激盪成湍急的漩渦，任何航行的船隻只要一挨上這些，沒有不撞成碎片，捲沉海底的。然而，就在過去日人統治時的黑暗時代，多少不甘被奴役的忠義之士，多少在苛捐雜稅下不能生活的漁民，在月黑風急的夜，在浪濤兇險的夜，駕著小木船，偷偷地越過這段驚險的航程，投向自由或是冒險走私的營生。船，在黑暗中閃避過暗礁、漩渦，就像一片飄墜在急流中的樹葉，顛覆沉沒或安全渡過，全賴那一點僥倖，自然，僥倖是不能常常贏取的。那些被迫著把生命作孤注一擲而賭輸了的，便億千萬年，沉冤海底——

那時，那時還不曾建立燈塔。黑暗永遠與罪惡同在。

二

載負著歷史的憂鬱，台灣海峽悲憤不安地咆哮著、激盪著，奔越過那小小的島嶼。是台灣被日本占據後不久，一個深沉的黑夜。

海風粗獷地掠過望安——屬於澎湖的一個小鎮，雖然不是風季，卻也有著凜冽不可禦的寒意。在這一無遮擋的小島上，風原是放肆慣了的。朦朧的星光下，那一簇簇用硓砧石砌成的房子，就像一隻隻僵斃了的大爬蟲，偃伏在貧脊的沙地上，少數能抵擋風的凌虐而僥倖生長的樹木，也只敢畏縮在低矮的屋簷下，不敢稍微伸出枝枒來探望。

小鎮早便沉沉寂寂，一片黝黑。不是震懾於海風——在島上生長的人根本沒把那夜來的風擱在眼裡。而是震懾於統治者的暴力。睡覺也許是最安全的途徑，可是誰知道，黑暗中也許有人是睜開眼睛，有人的心靈是醒著。

這時，就在東邊第三幢屋子裡，一個黑影坐立不安地在黑地裡徘徊，一會傾耳諦聽，一會又屏息凝神，顯然有所等待。

「金旺，不去算了吧！」一個抑低著的，怯怯的女人聲音懇求著，黑影立停了。

「為什麼？」

「我……我怕……」

「阿蘭，別孩子氣，妳不是不知道現在魚就不好捕，再加上這個那個他媽的捐稅，大人吃苦還不管，順子奶水不夠，妳連發奶的米飯都沒得吃。這叫過的什麼日子嘛！眼看下個月又是風季了，日子更難捱，好歹去碰碰運氣。」

「人家東西沉在海底，又不是魚會來上鉤。」

「田興壽知道船沉沒的地方，沒有錯。聽說那些金呀銀的財寶，可真不少哩，還不全是從我們這裡搜括了往他們國裡送，我們要撈到了，正好夠本。」

「可是鬼子的巡查艇很厲害……」

「妳真是，阿蘭，難道妳覺得這種吃不飽穿不好的生活過得光彩？與其活著等死，不如拚個死裡求生！」金旺恚然岔開阿蘭的話，沉痛地說。阿蘭不再言語。小屋落入沉默中，只聽得屋外風的呦哨夾著海的呼嘯，金旺也許感到自己沉重的語氣損傷了阿蘭的心，便伸出手來尋著阿蘭冰冷的手，握在自己粗糙的掌心裡，安慰她說：

「妳不用煩心，我所以這樣做，只是想叫大家活得好一點。」阿蘭沒有說什麼，只緊緊握一握他的手表示自己理會他的意思。黑暗中彼此都感覺到心跳和脈息的躍動一致，一瞬間兩人只覺得無形中有根命運的索鏈，把他們緊緊地捆綁在一起，不能分離——

「嗒，嗒，嗒，」門上輕輕地敲了一聲又是三聲，金旺恍然驚覺，忙撇下阿蘭，躡手躡腳走到門口先貼上耳朵聽聽，才悄悄地把門打開一條縫，探出頭去。

「準備妥貼了！」

「妥貼啦。」門外兩個黑影中的一個也低聲回答，金旺便毫不遲疑地跨出門去，驀地他的胳膊卻被一隻冰冷抖顫的手一把拉住。

「金旺，你，你要小心……」阿蘭的聲音梗塞了。

「放心，天亮以前我就回來。」金旺捏捏她扣在臂上的手，然後灑開步子跟著夥伴一起走了。

望著丈夫消失在黑暗中，彷彿也把她心裡那點力量全帶走了。掩上門，阿蘭只覺得四肢麻痺，她一手扶著牆挪到那個角落，便軟癱似地跌跪在供奉著媽祖的神龕前。

黑夜一寸一寸在祈禱中消逝。

「天亮以前我就回來。」截鐵似的聲音彷彿還迴盪在耳畔，但是，天亮以後仍沒有回來，永遠不會回來了，這句話便成了最後的遺囑。

那晚，三個人駕著沒領出海證的小船，偷偷地划向田興壽認為日本運輸艦順風丸沉沒的海上。第一次蔡老福下水去沒有結果，第二次又輪著金旺穿上潛水衣下去，留在船上的人正小心照料著輸送氧氣，忽然一支耀眼的白光劃破黑暗，在海面探索著朝小船的方向駛近來，兩人陡然一驚，心幾乎跳出了胸腔，誰也知道只要被巡弋艦上的探照燈捕到，就逃不了一死。再沒有時間考慮，慌亂中田興壽說了聲「快逃！」便不顧輸送氧氣的工作，撥轉船頭迅速地划開去。

船離開的海面冒起了一串水泡，僥倖，兩條性命逃掉了噩運，但另一個鮮跳活蹦的生命，卻似水泡般幻滅了。

從此，年輕的阿蘭生命裡失去了春天，生活中失去了陽光、愛情、溫暖和希望的熱力，在她半生黯淡貧困的日子中，就像燃上了一根火柴，一點光亮，一點灼熱，又馬上熄滅了。僅僅留給她一個不到半歲的嬰孩。

三

生命中的火花亮一亮又熄滅了，緊接著便是一串更慘澹淒涼的歲月。阿蘭失去了依傍，只靠著十隻手指，含辛茹苦地撫育丈夫遺下的孩子。一天一天把日子打發。彷彿一隻負重的駱駝，獨自蹀躞在荒涼無際的沙漠中。唯一肯照拂他們母子倆，給他們一臂援助的是蔡老福！那與金旺一路出海撈金活著回來的一個。一半由於同情，一半由於內心的負疚，他每次捕魚回來，總給她送去幾條魚，或是接濟他們一點食物。那沒有父親的孤兒已一天比一天懂事，一見蔡老福便叔叔、叔叔地叫著要他抱。

母親把心全放在孩子身上過日子。

但是，孤兒寡婦要生存下去除了生活的艱辛，還得處處防衛壞人的欺侮，尤其是在暴力統治下的黑暗的時代，個人的安全和自由全失去了保障。當地的日本浪人眈眈地覬覦著阿蘭，就像豺狼窺視著羔羊。

一天蔡老福出海回來提了一串魚送去阿蘭家，推進門，只見一個浪人正涎著臉向阿蘭動手動腳，阿蘭嘴裡叱責著一步一步已退到了神龕前。蔡老福不由得憤恨填膺，熱血湧上胸頭，他大步跨進門將魚用力往地上一擲，便握緊了拳頭，但那浪人看見他結壯的身軀塔一般堵在門口，早便識相地收起涎臉，搭訕著趁一個虛隙溜走了。

嚇得縮在牆角的孩子像獲得救星般，衝出來緊摟住蔡老福的雙腿大哭，阿蘭羞恨地漲紅著臉，低著頭整理衣襟。牙齒在唇上咬出一縷血痕。

「阿蘭，」蔡老福哄住了孩子，強自抑制著憤恨低沉地喚：「我們都知道妳的心意，要替金旺守節。可是，妳就不替自己打算打算嗎！這以後的日子可長著哩。」

阿蘭只是低頭絞著衣角沒有作聲。

「妳曉得這是什麼世界，」蔡老福頓一頓又說，「只有千年做賊，沒有千年防賊。如果再逢到剛才那樣的事，妳會吃虧的。再說，不為自己也該為孩子……」

「我知道，我也想過……」阿蘭抽咽著，索性伏在桌上傷心地痛哭起來。「我，我就怕孩子將來，將來會吃苦。」

看到母親哭，剛才止哭的孩子也哭起來了，見自己闖了事，蔡老福手足無措，不知該上前勸慰還是怎樣，他怔了一會，撿起地下的魚掛在釘上，便惶恐地向門口走去。

「老福，」阿蘭顫聲喚他，「老福。」

蔡老福疾地轉過身來，視線正碰著阿蘭噙著淚水，那樣地顯得無援無助，而欲言又止的眼光，他不禁渾身通過一陣顫慄，一股難以遏止的渴慕和愛憐湧上心頭，阿蘭卻又羞赧地垂下了眼簾，但就在這眼花交輝的瞬間，已使蔡老福產生了很大的勇氣。

「阿蘭，我不曉得應不應該告訴妳，」蔡老福眼望著地下，笨拙地說：「妳知道我一直喜歡清波，我想娶妳。」

阿蘭終於又嫁給了蔡老福，做為一個漁民的妻子，她又朝朝夕夕為出海的人擔驚擔憂。在菩薩面前燃香祈福，生活在憂懼和辛勞中。

一年後，她也給蔡老福生了個兒子，取名順波。

四

清波跟順波，這一對相差不到三歲的兄弟，在海島獷厲的海風中，強烈的陽光下，和愛的撫沐中，一天天長得茁壯結實。哥哥比較深沉些，弟弟坦率些。他們那種密切偎依的親愛，簡直使人妒嫉。生活在貧困中的漁家孩子談不上什麼教育，海洋便是他們的學校和社會。他們的知識得諸大海，他們的生活技能也得諸大海，海教育他們，養活他們，將來也許就埋葬他們。清波跟順波自然也不會例外，當兄弟倆在海灘上時，弟弟總是朝海裡丟石子，追撥著浪花潮水，而哥哥卻常常半天不響地坐在凸出的岩石上，凝望著遠遠的海天。

「哥哥，你老望著那裡有什麼好看的？」有一次弟弟忍不住懷疑地問。

「唔，好看的多著哩，人家都說在海的那邊，有自由的國土，不像這裡一樣受人剝削欺侮，有豐腴的土地，不像這裡一樣貧瘠荒涼，那裡的人都穿的好，吃的好，還有……噢，如果我是那隻海鷗……」哥哥帶著那種少年的熱狂，用夢囈般的聲音低訴著，弟弟也跟著他的視線眺望了一會，只見浩淼的海天深處是一片茫茫，便又不感興趣地去追撲浪潮了。可是等他玩厭了海水回到沙灘時，只見哥哥還是支著雙頤，在那裡呆坐凝眺。

「哥哥，你已經看見了什麼嗎？」

清波搖搖頭，霎下眼皮，向他弟弟友善的一笑，然後又再度凝望著夕陽將墜，海面塗抹著絢麗的光輝。「你不曉得你這樣一動不動地坐著，可真像長在海邊的一塊岩石，好像你的心已經不在你身上了。」

「心能夠飛去的地方，身子總有一天也能夠去的。」

「是嗎？」弟弟疑惑地望著他所敬崇的哥哥，「要是這樣你會去？你能撇下媽，一個人去得遠遠的？」

「我說說罷了。」清波笑著拍拍弟弟的肩膀，向海瞥了最後一眼，便同著順波收拾曬在沙灘上的魚網。

那時清波已經是十五歲的結壯少年了，順波十三歲不到。在漁家，十五歲原已是船上很得力的助手，但蔡老福儘管他自己在海上縱橫一二十年，慣於侮浪弄潮，他也知道最安全的還是陸上，金旺的不幸沉海，在他內心始終負疚，因此，他處處顧慮到清波的安全，而還不曾讓他出過一次海。

五

但年輕的清波身體內有著漁人的血液，他渴慕著海上驚險的生涯，他對海有著不可抑制的野心。他認為像他這樣的少年只工作在屋簷下和沙灘上，簡直是奇恥大辱。而由於繼父蔡老福的不給他機會。他不禁暗地怨恨，一天，他終於忍不住向蔡老福提出了最後要求，他說：

「帶我出海去。不然，我就去別人船上。」那低沉而有力的聲音，使正在修理漁具的蔡老福和烤魚的阿蘭同時一震。阿蘭停下手裡的工作，望著兒子眼中那執拗而陌生的眼光，她的心不禁緊縮了一下，她有一點喜，喜的是兒子已長大成人，但卻有著更多的憂懼，她知道他已確定了那世襲的命運，必須從風浪中去討生活。她無可奈何地回答蔡老福詢問的眼光默默一瞥。

上。

「好吧，明天你可以到船上去。」說著，蔡老福暗自沉重地歎了口氣，又俯首在漁具

清波沒料到他允諾的這樣乾脆，感激地望了他一眼，他彷彿第一次才注意到他黝黑的臉上堆疊著那許多深刻的皺紋，而兩鬢間已摻雜著不少灰白的頭髮——生活和海上的風浪，一樣的擅於催人老去。

第二天阿蘭在神龕前又加添了一柱香，順波用羨慕的眼光看著哥哥上了船。船在曙光微晞中駛出了海灣。清波蹲在船梢幫著划槳，海，那波浪浩渺的海，就環繞在他周圍，起伏在他胸下。他驕傲地感到自己片刻間長大了，長成一個男子漢，一個勇敢堅強的海上獵人。

第一天逐獵歸來，他分享了漁人的喜悅，因為收穫也有他的一份。

這以後，清波便每天跟船出海，幫著搖櫓划槳，幫著撒網收網。有一天，收穫豐盈，但就在滿載返航時，忽然風勢急轉，掀起洶湧的浪濤，把漁船拋上去又擲下來。清波手忙腳亂地幫著下帆，不防船一側，一股鬆弛了的帆索猛然抽了他一下，便把他刮落在海裡。

清波努力與波濤掙扎著，想游回船邊。但中間總隔著山一般的浪，眼看船被浪推著離他越來越遠，他與風浪的搏鬥已逐漸使他精疲力竭，又是一個浪花猛撲在他身上，他只感到一剎那的昏黑，四肢僵硬如石塊般下沉——迷糊間卻覺得腰裡被托了一下，重新呼吸空氣使他清醒過來，便靠著那新的力量，再經過一番掙扎，終於半泳半拉地游到船邊爬了上去。清波

才看清救他的不是別人，正是繼父蔡老福。

在年輕力壯的清波，這一番與風波的搏鬥不過是經歷了一次海的洗禮，不久就恢復了旺盛的精力，但蔡老福剩餘的體力卻似乎全在那一次搏鬥中消損了，久久不能復元。就像一艘久被風浪剝蝕朽舊的船，在最猛烈的一次風浪沖擊中脫榫了、折裂了，再不能修復。

雖然休養了一陣，蔡老福還勉強支撐著出了幾次海，顯然地，身卻一直衰弱下去，自然，這一來也就影響到魚的撈獲，但規定的稅捐卻並不能因此減少，那天為了向收稅員要求拖延些納稅的時日，稍微辯護了兩句，蔡老福當時挨了重重的一記巴掌，半邊瘦削的老臉頓時紅腫起來。本來虛弱的身子，加上這一氣一急，從此睡在牀上便再不曾起來。

眼淚流在臉上，熱血只能流在心裡。從此，生活的重擔落在清波年輕的肩上，飽經風浪的魚船又載負著年輕一代的期待和忍耐，憤恨與憂患，而海，便一代一代，永遠載負著這一切。

六

歲月在逐浪隨波中，在撒網收網間，流水一般逝去。清波已慣熟了捕魚生涯，而真正長成一個黧黑、粗壯的漁人了。弟弟順波也逃不了漁家兒郎的命運，跟著哥哥學會了駕船操網。兄弟兩朝朝暮暮逐獵海上，胼手胝足，辛勤地一網復一網，但是，生活還是不讓他們鬆口氣，一年除了半年風季，在可以下海的日子，一半碰運氣，一半還得靠船好，漁具完備，人手得力。收穫少，果然吃不飽，就是收穫豐盈，既不能運銷別處，島上也沒有加工設備，只能用土法鹽鹽烤烤，或是三文不抵兩文的賣給日人設的漁業合作社，由他們剝削。而那些重重的稅，就像一把枷鎖，套在每一個漁民的頸脖子上。

「難道我們就永遠這樣捱下去，等著接受跟上一代一樣的命運？」清波不止一次，這樣悒恨不平地問弟弟也問自己。

「注定是打魚的命嘛，不這樣捱下去還能怎樣？」順波歎口氣，顯得聽天由命的。

「命，嘿！我就不認命，難道命裡又注定打魚人該受鬼子欺侮？該啃一輩子地瓜？告訴你命運是個賤胚，你讓它，它就盡著壓你；你要扼住它脖子打敗它，它反順你了。我們都還年輕，有足夠的力量去跟命運搏鬥——」

「我懂得你的意思，哥哥，可是媽不年輕了，她只盼望我們大家在一起安分過活。」

「安分！我們現在夠安分的了吧，安分的就像擱在砧板上的魚，專等著給人宰割！想想媽她這大半輩子又過的什麼生活……」

清波越說越激憤，順波默默地低下頭去拉網，網裡有三五條大小不一的魚，鱗片映著陽光閃著銀輝，他撿出來丟在艙中，又放下網去。

「也是為了媽，不然兩個人一條船，我不相信闖不出天下；不過，如果有那麼一天……

總會有那麼一天，你得多承擔一下……你懂得我的意思，總有那麼一天！」

順波抬起眼睛望著他哥哥激動的臉色，捏緊的拳頭，和飛揚的眼神。他想他懂得他的意思，但他懷疑的瞅著他肩胛下可會長出能飛越大海的翅膀！

一網兩網……光陰從漁網孔裡漏去——

有一天，清波在這小島上失蹤了。

阿蘭急得不住求籤拜菩薩，日本人三番四次來盤詰搜查，都沒有下落。

只有順波依稀記得那晚返航時，瞥見港外曾停泊了一艘外洋的商船。但沒有人知道船是從哪裡來的，後來又開到哪裡去了。

七

一月、兩月、一年、兩年……三年過去了。阿蘭為兒子夜夜祈禱，日日盼望，終日不乾的淚水浸爛了眼眶，但清波的消息依舊如石沉大海。

四年、五年……又是幾年過去。年老的一代更衰弱老邁，而年輕的一代也似枝葉茂盛的樹木，需要開花結實了。縱使活著不容易，人們也還惦記著子嗣的繁衍，香煙的延續。慢慢地，阿蘭把想念清波的心意，分注在另一個打算上，感到家裡人口的單零，她渴望著抱抱孫子。

「順波，你也該成家了。」

「成家！用什麼來娶，用什麼來養活？船都快壞了。還置不起一條新的。」順波無限煩惱地回答他母親，朝朝暮暮與冷酷無情的風浪搏鬥，年輕的心靈又何嘗不渴慕溫情的撫慰？一艘經得住風浪載得穩的船，一個溫柔的女人，一串結壯的孩子，一份足敷溫飽的生活，這便是每個漁民的願望和憧憬。順波自然也不例外，可是，這小小的願望又多麼渺茫！

生活是一種壓力，欲望是一種原動力。這兩種力量，往往促使人們產生冒險的勇氣。順波選拔了漁民唯一能解除窮困的路——走私。

他不敢告訴母親真相，只對她說要幫助朋友去台灣運貨，同時在那裡更容易打聽清波的消息。阿蘭疑懼參半極力阻止，但拗不過他的堅持。

「我一到高雄就會叫火生帶口訊回來。」順波故意提出火生寬慰他母親，火生的一條船來去澎湖高雄間，是專門運貨的貨船。

順波一走，阿蘭便感到坐立不安，晚上，她驟然從夢中驚醒，彷彿預感到什麼不幸，一種莫名的恐懼緊攫住了她，她下了牀，從黑暗中摸索到窗前，側耳傾聽著，窗外喧騰著海風的呼嘯，海浪的喘哮。二十多年前賴金旺出海的情形彷彿重又來到眼前——阿蘭唯一能做的只有跪在神龕前喃喃祈禱：「大慈大悲的媽祖娘娘，請保佑順波平安歸來，可憐我只剩下這一條命根……」

黑夜過去了。白天裡阿蘭一直感到心驚肉跳，沒心做事。去了火生家幾回，火生未返。她心不在焉拿起件順波的短褂縫補，門口人影一晃，火生幽靈般悄悄地進來，一看見他的神情，她的心怦然一跳停止了躍動。

「你看見了順波沒有？」

火生欲語又止，低下頭不敢望她。阿蘭顫巍巍地站起來，一把抓住他的手臂搖撼著。

「是不是出了事！快，快告訴我。」

「昨晚上……在東吉嶼……」火生吞吞吐吐地說。

「晚上？東吉嶼？那他不是——他是去——」阿蘭瞪著火生，火生點點頭。

「妳實在不該放他去幹那冒險營生——」

但阿蘭已聽不見火生的責備，只覺得耳畔轟然一聲，一顆原是吊著的心猛然沉落下去，眼前是一陣昏黑，整個世界在她面前崩潰了、陷落了，她瞪著眼搖搖欲墜——火生忙趨前扶住。但她卻捽開他的手，踉蹌地撲到神龕前，雙手捶著胸口，拉著自己灰白的頭髮，像一隻受傷的野獸般絕望地嘶喊著哀號著：

「菩薩，菩薩，你太不公平了！你不睜開眼睛看看，你讓海吞噬了我的親人們，連我最後一個親人都不放鬆，只留下我一個孤老太婆，又怎樣活下去，你也把我帶去罷……」菩薩永遠不會回答她，遠遠回答她的是海潮音，這吞噬了她親人們的海猶自在低聲咆哮。

八

馬達發動了，船正待解纜起碇。火生在船頭上指揮著，絞起錨索。

「等一等，等一等！」

迫切的喊聲從岸上擲來。火生一抬頭，只見阿蘭頭上包著布帕，提著個小包狀，顫頓著匆匆走下沙灘，畢直地走到他面前。

「火生，讓我搭你的船。」一蒼沉的聲音裡有著不能拒絕的請求和命令。火生停下工作，困惑地望著她：只一晚之隔，她已顯得完全衰老了。兩眼深陷，雙頰萎癟，滿臉縱橫的皺紋彷彿是用力深深刻劃出來的。鬢邊兩綹灰白的短髮被海風吹得凌亂蓬鬆，但在那樣慘白的臉上和堅冷的眼光中有種與她那衰憊老態完全不調和的，凜然而凝固的神情，有如一個決定全力去赴難的勇士。

「妳要去台灣？」火生驚訝而不信地望著她，在這漁島上女人出海還是件稀罕少見的事。

「不，我只要到東吉嶼，我要看看順波他……」

「可是在那裡妳什麼也看不到，只能看到兇險的波浪。」

「波浪，我就要看那波浪，看它怎樣吞噬了我的親人。火生，讓我上船吧，我一點不麻煩你，我只要看看，給我可憐的順波祈求靈魂的安息，還有給他這些。」阿蘭拍拍手裡的小包袱，懇求地望著火生，火生給她說得心軟了，終於勉強地答應了。上了船，阿蘭一如她自己說的不增加他的麻煩，開船後便一直端坐在艙口，默默地凝視著海。

船航行過一段漫長的海程後，平靜的海開始顛簸起來，海面波浪起伏，小島迎面駛近，船上的水手立刻緊張起來，一直端坐著的阿蘭這時也陡然起立，瞪視著洶湧的浪濤，激動地說：

「到了？」

「到了，快進艙去，扶穩！」火生迫促地叮囑，雙手使勁地抓住了舵。船已駛進了狹隘的峽口，海水沖激著礁石，迸射噴濺，又被風掀起，浪花瘋狂般向四面八方奔竄。船就像一片萍草，從一浪拋到一浪，一波逐著一波。火生集中全副精神盯視著前面，用力扳著舵。小心地繞過漩渦，避過浪頭，額上頸上青筋暴起，顯得十分費力。他偶爾掃過甲板的眼光，忽然瞥見阿蘭已離開艙口，正扶住艙壁，佝僂著艱辛地走向船舷。

「危險哪！快，快進去！」火生驚惶地喝阻著，但阿蘭卻充耳不聞，逕自朝舷邊挪移。眼睛直視著波濤，嘴裡喃喃地訴說著什麼。這時一個排浪正打得船猛然一側，阿蘭便趁這股勢放開手蹤身一跳——船上同時發出一聲驚喚。一瞬間那瘦弱伶仃，被愁苦和憂急折磨了一輩子的身軀早便捲入浪花中，只翻騰了兩下，便再沒有影蹤了。

海呼嘯著猛然掀起一股峭立的水柱，又瀉落下去。船上的人忙又屏息斂神地穩了槳和舵，不敢稍懈。一路與風浪搏鬥著駛出峽口。

人類微弱的生命在那裡只似飛濺起來的一朵泡沫，一擊便幻滅了，不留痕跡。

九

又是若干年過去，一天，一艘嶄新的漁船駛進了台灣海峽。甲板上一個中年漢子頻頻地向澎湖方面眺望著。露出一臉迫切盼待而不勝喜悅的神情。他那結實粗壯的身體，黧黑而皺紋錯綜的臉，處處都顯出他曾飽經風浪，與生活搏鬥過來——他便是十餘年前在小島失蹤的清波。

那失蹤的一晚，他確是偷渡出海，攀上那隻外洋商船，以服役作代價，央求他們載他去他們要去的地方。結果總算把他載到了澳門。在那人地生疏的地方，又兼身無分文，開頭那幾年潦倒窮途，捱餓受冷，簡直過著非人的生活。他流浪行乞，做過最卑微的苦工、小販、侍役、水手，就在做水手時結識了兩個當地人，便開始合夥做起走私的營生來。往來於澳門與琉球之間，雖然歷盡驚險，憑著他的機警和運氣，卻著實賺了些錢。足夠供他優裕的生活。但他卻一直自奉甚儉，他無意在異鄉成家立業，而對家園的懷念日益加深，儘管他曾經那樣憎厭他生長的地方，他想起那窮困的日子，想起在壓迫下喘息的母弟，更渴望著回家，他為操勞了一輩子的母親在暮年安排一段安逸的日子，他要送他弟弟一艘最結實的機帆船，他自己便在鎮上挑選一個樸實美麗的姑娘，為他生一堆牛牯似的孩子……但他知道日本人一時不會輕易放過他，他必須等，等事情的嚴重性慢慢淡去，等積聚更多的錢向當地統治當局行賂——十幾年過去，他終於等到了這麼一天，又回到久暌了的故鄉。

懷著難以抑制的那種亢奮而激動的心情，一腳踏上那熟悉的、紅褐的土地，立刻一種親切的感覺像一縷溫和的陽光，輕柔地包圍了他。一切都沒有什麼太大的改變，那些狹隘的街道似乎更污穢，那些矮小的屋子似乎更朽舊。處處顯出漁村的貧困和荒涼。當他三腳兩步走到自家門口時，驀地吃了一驚，那因回家而急速跳躍的心彷彿被一隻突然伸來的手緊緊捏住，停止了跳躍。呈現在他眼前的家只是半堵傾圮的牆，一扇歪斜的門框。頹牆畔棄置著破灶和殘鍋，積滿蛛網塵灰，一副淒涼荒頹的情景，顯出這裡已許久無人居住了。

從鄰人嘴裡獲知了母弟悲慘的遭遇，清波悲慟欲絕，頹然俯伏在瓦礫堆上，把臉深深埋入掌中，無聲的悲泣著。方才還感到陽光的溫暖，頃刻間便似墜入陰暗的冰窖，那奔流的血液凝結了，灼熱的心冰凍折裂，清波覺得自己亦似屋子般傾圮了，驟然失去了憑恃，失去了一直藉以支持自己冒險奮鬥的力量，他癱瘓在瓦礫堆裡。

半晌，他緩緩地站起來，悽愴地環視了一眼斷垣殘壁，又踏著沉重的步子，踅回灘岸。船上的人正預備上岸，他攔著他們跨上甲板，便凜然吩咐：

「馬上起錨，」船員們不禁一怔，彼此面面相覷。卻見清波已自己動手解纜，而臉色陰沉異常，便不敢動問，起上錨來。

「掉頭，駛東吉嶼。」清波雙手扶住舵，直視著前面誰也不看地說。於是，船紓緩地掉轉頭向前駛去。

進入風浪險急的東吉嶼海峽，船便只在激盪不安的海面上逡巡，清波把持著舵，兩眼直直地盯視著洶湧沸騰的怒濤。彷彿想望透那層層疊疊的海浪，尋見那冤沉海底的親人，他默默地哀悼著，內心悲痛的浪潮有如海浪淹覆了他，撞擊著他，他耳畔充滿了風聲浪嘯，恍惚母親在呼喚「阿清，阿清」，弟弟在喊著「哥哥，哥哥」。

看波浪這樣翻騰不停，那亡靈又怎能獲得安息，怎能超生？他不由地想起了傳聞中那些為生活所驅迫，為生活的自由，在黑暗中冒險渡峽而冤沉海底的靈魂——夕陽西墜，黃昏迫臣，浪濤更猖獗，海嘯中似乎摻雜著冤靈悽厲的呻吟呼號，船員惶恐地催他返航。

忽然，一個主意閃電般來到清波腦中。

「這裡應該有一座燈塔，是的，需要一座燈塔。」那傷逝的悲痛升化成對幽靈的崇敬和超度。疲憊的臉上現出一種異常堅韌的神情。「我要在這裡造座燈塔，讓死去的獲得安寧超生，也為活著的指引航程。」

清波打定了主意，就像在木樁上敲進一枚鐵釘。他把自己回到家鄉所有的計畫都擱置在腦後，首先為籌備這事忙碌起來，一經呈報當局核准了，便擇定東吉嶼離海面最高的岩岸做為興建燈塔的地點。

那天，燈塔開工奠基，清波親自在岸上鏟了一鏟土，簸揚入海中，虔誠地祝禱著。

「燈塔，燈塔，你是海上永生的巨人，拯救我們，拯救那些求生的人，指引我們，指引那些迷途的人。你是長夜不滅的明燈，超度那些不幸的亡魂，使他們的靈魂獲得安寧！」

建造一座燈塔的工程不算小，清波毫不吝嗇地把歷年來自己刻苦節省，冒險掙來預備成家立業的積蓄，全花在燈塔的建築上，塔一天一天完成，他的荷包也越來越乾癟。最後他賣去了唯一留下的那艘堅實美麗的漁船，買回一艘跟祖傳的那艘一樣的小木船，依舊獨自隨波逐浪，巡獵海上，恢復了貧困的捕魚生活。

偉大的燈塔終於完成了，清波檢視著一磚一木，撫摸著那堅實的牆壁，鄭重而謹慎地踏上燈塔最高層，懷著無限莊嚴虔敬的心情，巍巍巔巔地親自燃上了第一度燈光，立刻，黝黑可怖的海面抹飾上一層柔和的光輝，四周爆發出一陣喧譁，掩蓋了海的狂嘯——是參與這隆重落成典禮的漁民們發出的歡呼。清波走到窗前，俯視著燈光映照下的大海，又想起了雙親和弟弟，默默地為他們祝福著，卻抑制不住迸出了兩顆激動的熱淚——

如今，那種驚險可怖的逃亡已過去成一場惡夢，漁民們也生活得自由安定，船隻頻繁。往來於澎湖高雄間——其中有兩艘益光航運公司的客船便是屬於清波的，現在由他的孫子管理著。船隻航行過風浪險急的東吉嶼，人們總不禁肅敬地仰望一眼巋然白塔。大海與礁石的戰鬥仍將永無盡止的繼續下去，而燈塔，這永恆的巨人，也將永遠屹立於風浪中，普渡眾生。

民國四十四年八月二十二日

編註：本文原刊於《暢流》第十二卷第九期，一九五五年十二月十六日，頁二十六～二十八；第十二卷第十期，一九五六年一月一日，頁五十九～六十一，原題〈東吉嶼海峽的憂鬱〉。

神童

一

丁幼華攢著五隻短短的小手指，在所有的弦線上用力一撥，錚然一聲，琴聲戛然終止。他從那比他大了一倍的古琴面前站起來，覺得頭頸有點痠，腳也有點麻，他往後扭伸一下脖子，蹣跚著走到窗口，便靠著窗台怔怔的站著。

陽光透過窗前那株老榕樹，在小園裡灑下一片斑駁的陰影，濃鬱的枝葉在風裡搖晃，滿地斑爛的花紋也跟著忽明忽滅，儘管島上春早，小園裡還殘留著冬的沉寂，只牆畔那枝矮矮的樹上，也許是得天獨厚，開著一朵小小的紅花。僅僅那麼一朵獨占枝頭，孤零零地開得十分寂寞。樹下便冷落地擱置著丁幼華那輛三輪腳踏車，車後還繫著一輛玩具卡車，車廂裡滿滿地裝載著野果子，原是丁幼華摘來同小朋友們遊戲時當子彈互相擲著玩的，只是如今大概摘下來日子多了，已顯得有些乾癟。

丁幼華呆望著那些野果子，忽然感到小園裡那片濃鬱的陰影悄悄地爬上他的心頭。那是寂寞的陰影，帶著威脅性，無聲地啃蝕著他小小的心靈，就在這時，牆外傳來孩子們嬉笑歡呼的聲音，那聲音是那樣富於誘惑。丁幼華猶疑地瞥一眼靜臥著的古琴，終於忍不住拔起腳來走出屋子，在玄關裡套上小木屐，一路辟拍辟拍穿過園裡的陰影，跑到門口去。

門外，五六個跟丁幼華差不多年齡的小朋友，正在巷子裡彼此追逐，一個執著木刀的孩子看見丁幼華出來便喚他：

「丁幼華，加入我們這一隊。我們是國軍，要反攻！」

丁幼華笑著看他們，還未採取行動，另一個插嘴譏笑他說：

「丁幼華一天到晚只曉得彈那個難聽死了的琴，連仗都不會打了。」

丁幼華聽了很生氣，但那個執刀的孩子又在催。

「快點，快點，先運送子彈要緊！」

丁幼華答應著便待回去搬三輪車，剛轉身跨進一腳。

「幼華，怎麼不在屋裡多練練琴，又出來耍了！」

聽見父親的聲音，丁幼華低下頭站住了。那群孩子便嬉笑著，一陣旋風般從他面前奔跑過去。

「你不曉得你跟他們不同麼！爹爹對你期望高得很哩。怎能跟他們這些低能兒童一起頑皮。」父親也許看出丁幼華的不高興，過來摸著他的頭髮放溫和了聲音說：「過幾天爸爸還要帶你去環島旅行呢，要去高雄、台中、台北，……」

「台北！哦，爸爸，台北是不是有個動物園？」丁幼華搶著問，抬起眼睛來迫切盯住父親的嘴唇。

「嗯。」

「動物園裡有很多很多野獸，還有猴子專門表演給人看是嗎，哦，那多好！爸爸，幾時去，明天？後天？」喜悅燃亮了那雙晶瑩明澈的眸子，丁幼華拉著父親的手興高采烈地跳躍起來。

「快了，大概過一個星期。這次去特地還為你組織了一個『神童巡迴演奏團』讓大家都瞻仰瞻仰你這位小神童。嘿！多光彩！自然，這一路去你有很多表演的機會，所以這幾天更要加緊練習。曉得嗎？」父親勾起他的下巴來，諄諄囑咐著，自己是一臉抑制不住的得意神氣。

丁幼華答應著，卻不再那樣興高采烈了。他默默地讓父親牽著進去，走進玄關時，茫然回過頭來瞥了一眼那朵孤傲而寂寞的紅花，和花樹下被冷落的三輪腳踏車。

二

就像大自然中有那得天獨厚早春的蓓蕾，人類中一樣的也會發現那些早熟的智慧；如未經琢磨的晶石，便已毫光透射，如黃昏最早的星子，偏是晶光熒熒。丁幼華便是那晶石、那星子，人們把這個喚作「天才」。

丁幼華今年還不到六歲，在那渾渾噩噩過去的幾年中，他並不比一般年齡跟他相仿的孩子更特出，也並不被大人另眼相看。可是，就在幾個月以前，無意中一串音符，一組旋律，似一支鑰匙啟開了他那玲瓏剔透的心竅，似一注潤滑油，一點潤澤，智慧立刻光芒閃熠。當他第一次傾聽那些悅耳的音符，在自己的手指撥動下，從古琴的弦線上跳躍出來時，小心靈滿溢著歡喜，而馬上熱中於音樂。再略加指點，便抑揚疾徐，彈得成曲成調了。他開始以童年任性的狂熱愛上那支古琴，興來時，便讓自己浸沉在樂韻中，小手指忙碌地在二十五根弦線上挑、撥、按、撫，明澈的眼睛發著美麗的光彩。孩子的生活原本是遊戲，在丁幼華赤忱的心裡，彈琴也只是他最喜愛的遊戲，而那支古老的琴，也便成了他親密的伴侶。

但是，在世俗人們的眼光中，一個「天才」是值得炫耀的，就像庭園裡生長了一枝靈芝草被看作祥瑞，家裡有個天才是人瑞，是父母親的光榮，是光祖耀宗的，是……於是做父親的到處誇耀，到處獻寶，動輒便把丁幼華喚來，當眾表現一番。起初丁幼華也總是興致勃勃地應承著，聽父親的吩咐，彈了一支曲子又是一支曲子，表演完竣，照例博得一疊聲的稱讚、驚歎。

「真是曠世的天才！」

「真是出眾的神童！」

丁幼華並不確實了解所謂「天才」和「神童」是什麼，但他看出父親聽後那種高興得意的神情，聽出說的人那種激賞的口氣，他知道那是讚他聰明過人的意思。他那單純潔淨的心地，開始感受被阿諛的快慰，一種朦朧地、對虛榮心渴望滿足的要求。除了天賦對音樂的酷愛，他也喜歡聽大人的讚美，喜歡獲得大人的重視，喜歡那個別致的綽號「神童」。他更用心的彈奏著，練習的次數越多，越顯得嫻熟和精純。自然，他勤奮練習主要的原因還是娛悅自己，但是，為了要顯耀他的天才，為了要滿足別人的好奇，表演似乎是永無停止的繼續下去，逐漸超越了他的興趣，更剝奪了他從事其他遊戲的時間。

「幼華，快來彈幾支曲子給這幾位伯伯聽。」於是，正在遊戲的丁幼華，只得丟下玩具來彈琴。

「幼華，這幾位客人要聽你彈幾支曲子。」於是，正玩得起勁的丁幼華只得撇下小朋友來彈琴。

儘管他對音樂的興趣濃厚，但興趣究竟不是自來水，開著便源源不絕，而隨時又可以開關。有時他實在不大想彈琴的時候，也還是要他當眾表演，逢上這樣的時候，他心裡十分不願意，但又不能違拗父親的吩咐，彈奏已不是純粹出自興趣，而多少摻著些勉強。

彷彿是晴空一片淡淡的雲翳，遮住驕陽萬丈光芒，小小的心底那一絲勉為其難的厭倦，慢慢地沖淡了童年任性的熱狂。大人們一聲聲「神童」、「神童」的讚譽圍繞在他左右前後，但是，丁幼華對這個名字已失去了當初那種被阿諛的快慰，甚至有點嫌厭了。

如今，父親又說要帶他去環島演奏。

三

丁幼華落寞地坐在一群陌生的人群中，茫然直視著地下，好像一頭稚弱無助的羔羊。幾天來，他一直是在坐火車、參加演奏、開招待會，困頓顯然已在這小身軀上刻下了痕跡，那雙晶瑩的黑眼睛顯得黯淡無神，神情落落寡合，再加上那一身古板的打扮，更像個小傀儡。他坐在那裡，耳畔只聽見父親講話的聲音，他的耳朵在這時並不管事，但他已習慣地知道父親又是在向大家報告他學琴的經過，他不耐煩地抬起眼睛望一眼長窗外湛藍的晴空，心裡模糊地浮起一個欲念，他想飛出那個窗子，飛到高高的天空去躺在白雲堆上，就像當火車經過田野，他只想去綠油油的稻田裡打滾一樣。他很喜歡聽小鳥快樂的歌唱，溪水活潑的低吟，那些都是最優美的音樂，他要把它們譜入心弦中，但是父親彷彿從無閒暇留意到這些，也不曾關心兒子的興致，只是關心他的演奏、演奏……

父親還在滔滔不絕地提到他，他感到心裡煩躁，身上發熱，頭在隱隱作痛。那一身不習慣的長袍馬褂真是累贅，他不懂父親為什麼特意要母親替他縫這一套拖拖曳曳的衣服，他就從來沒見別的小朋友穿過。還記得剛才父親牽著他走來時，街上不少大人小孩都停下來看他，那種特別的眼光好像釘子一樣釘人。有一個孩子還指著他嚷起來：「嘻，看這個小老頭子！」另外一個卻說：「是耍把戲的嗎？」他那時只是低著頭放開腳步快快走，心裡卻恨自己為什麼連瞪他們一眼的勇氣都沒有。什麼叫耍把戲的，他又不是猴子！真是土包子，誰不曉得他是神童？神童就是，就是……

「小朋友，請你告訴我除了古琴，你還喜歡別的樂器嗎？」

「小朋友，請你……」

聽見有人問他，丁幼華才曉得父親已經講完了，照例，又輪到那些陌生人包圍著他問長問短，父親在一旁提示，他窘迫地回答著一個個問題。老是那一套，實在煩得很。最後，表演又開始了，他習慣地站在那支大琴後面，立刻那些人又把照相機對準了他，只聽得克喳克喳地響。他最怕照相時那倏的一亮，射得他眼睛半天看不見東西。他趕緊低下頭去，小手先熟練地撥一撥琴弦，錚然一聲，古琴欣然回答他的按撫。在這時，丁幼華顯得孤立無助，往往就只它還是他最親切的慰安。當他那小心靈充溢著無限柔情，浸沉在音樂的節奏中時，他便漸漸地忘記了周圍的一切——可是，這一天音樂的雨卻不能滋潤他寂寞的心靈，他彈著，彈著，只覺得頭很沉重，眼睛滯澀，手指痠硬。那一根根的弦線，似乎越來越粗笨難撥了……

「〈夜深沉〉……〈梅花三弄〉……」父親一曲又一曲地預報著曲名，「〈平湖秋月〉……〈寒江釣雪〉……。嗨，這裡錯了，用心一點。」父親小聲地提醒他，他猛然驚覺，發覺已漏了一大截，錯了好幾個音階。強自振作著小心地彈下去，但一會兒精神又渙散了，手指的運用越來越不靈活，眼皮重甸甸的只想蓋下來。心裡頭似有什麼堵得慌，他恍惚想努力抓住點什麼，也許想抓住那悠悠忽忽的音樂，但那縹緲的旋律卻益加微弱輕忽，如斷如續，似游絲、似輕煙，他耳畔彷彿還聽見父親的聲音在喚他。那聲音終於連同悠忽的音樂戛然終止。一切趨歸沉寂，死一般的沉寂……

四

虛飄飄地，丁幼華彷彿覺得自己正獨自一個人走到一個陌生的地方，頭上是一片明朗的晴空，腳下是一片茸茸的青草。柔和的春風像一隻溫軟的手掌，輕輕撫摸著他的臉頰。在燦爛的陽光下，溪水從看不見的源頭滔滔地湧上來，歡暢地奔流著。花朵默默地含苞，又盈盈地吐蕊。新葉在枝梢徐徐舒展，嫩芽由地面悄悄萌發，這一切都在生長，這一切都生氣蓬勃，生趣盎然。還有小鳥在天空自由地飛翔，縱情地歌唱。各種活潑的小動物自在地在草隙林中奔逐、跳躍。丁幼華滿懷欣喜一路走去，一會掬一手溪水，一會嗅一下花朵，又在軟軟的草地上打幾個滾。只覺得心裡洋溢著新鮮的空氣，身體內充滿了新的力量，好像每走一步骨骼便在成長、茁壯。他想飛，想大聲呼喊，想縱情歌唱。這時，路畔一件更美麗神奇的東西吸住了他，那似用月亮的銀輝鑄成的架子，那一根根以陽光織成的金線，閃熠著眩目的光彩，他帶著好奇和無限虔敬崇仰的心情，怯怯地、輕輕地，伸出手指去按一下金線，立刻，一個快樂的回音響在他的耳畔。接著一串悅耳的音樂，奏出他心靈所感受的歡快、興致，以及那種朦朧向上的意識。頃刻間似乎溪流、花草、蟲鳴，都伴著那旋律唱和、舞蹈。他狂喜地將自己整個小心靈投進音樂中，一路彈奏著走向無限廣闊的境界。可是，就在轉瞬間他再舉起前進的腳步時，卻發覺那金色的弦線已橫在前面攔住了他的去路——一隻黑色的巨手拉住那些弦線圍繞著他，像一幅金色的網，自己便無援無助地被困在網裡。眼看那廣闊美麗的天地被遮斷在網外與自己隔絕了，他不由得又急又忿，用他那小小的身軀掙扎著、踢打著、撕毀著，他已掙得精疲力盡，但網依舊握在那巨掌中，一絲不動。他絕望而沮喪地倒在網裡傷心地啜泣……

「幼華！幼華！」

一個熟悉的聲音彷彿從遙遠的地方飄來落在他耳中，他迷惘地睜開眼睛，只見父親的臉從一層濃霧裡顯現出來，正俯視著他。

「幼華，是做了什麼惡夢麼？」父親見他醒來，欣慰地望著他微笑說。「你在夢裡還嚷著琴呀琴的，你的琴不是好好地擱在那裡麼，沒有人搶你的。只是醫生說你太疲累了，要多休息哩。」

丁幼華茫然順著父親的手，從枕頭上轉過臉來，只見那支笨重的古琴正對著他靠牆直立著。他猛然又記起剛才夢中被弦網困住的一幕，心裡尚有餘悸。同時感到頭裡一陣劇痛，他重又閉上眼睛，小小的心靈充滿了無言的痛苦和悲哀。迷糊中他忽然又想起披滿陰影的小園裡那朵孤傲寂寞的紅花，和花下那被冷落的三輪腳踏車……

民國四十四年六月八日

編註：本文原刊於《祖國》第十一卷第二期，一九五五年七月十八日，頁二十五～二十七。

考驗

一

「老師再見！」

「小朋友再見！」喧譁的語聲消散了，活潑的身影走遠了，老師們也一個接著一個騎上自行車，或是徒步走出校門。剛才還是洋溢著歡笑和歌聲，充滿了生氣和活力的操場上，一瞬間便剩下偌大一座清冷寥寂的空坪，浸浴在淡淡的夕陽裡。林若蘭立在升旗台前，望著那光禿禿孤立在廣場中間的旗桿，心裡忽然有一種悵然若失的感覺，她覺得自己恰如那旗桿，一切有活力有生氣的都撇下她去了，她又意識到自己孤獨的存在——

「媽，快回家去！我餓了哩。」背後輕輕地呼喚她，那是她的女兒黎慧。

「噢，我就走！」若蘭從停車處推出自行車來，先把黎慧扶上車子，然後自己再騎上去。校門外是一條寬坦的公路，公路盡頭似融入夕陽中，撲朔迷離，看來彷彿漫無止境。林若蘭走不多遠，又彎路去叔叔家接了老二黎穎，姊弟兩個分坐在車前車後，她便擔負了兩個孩子，朝朝暮暮，奔馳在這條似無止境的路上。這是回家去的路，「家」本該是象徵著幸福、安全、溫暖。但它卻並不曾為她帶來那種親切的感覺。家裡等著她的不是安慰，不是鼓勵，也不是歡洽的談笑，心靈的偎依，而是繁瑣的家事，責任和義務，還有無盡的寂寞！

若蘭草草把一頓晚餐料理過了，又替兩個孩子擦洗了身子，洗清了一盆衣服，覺得十分疲累。回到起居室裡，便像擲下一袋沙一樣，將自己擲在藤椅中，兩手支著頭閉上眼睛，靠在桌上。她感到空虛、沉重，鈍澀的思想如同一塊濕海棉，「這便是生活，全部生活！」她從內心發出幽怨地嗟歎。

黎慧正伏在她對面桌上抄書，鉛筆劃著紙張沙沙地響，她忽然記起又有一個多星期不曾給肇新寫信了。她並沒有什麼話要說，這已成了履行一樁義務。她拿出信紙和筆去，只機械地寫了肇新兩個字，便又頓住了，說些什麼呢？問他好點沒有？安慰他，鼓勵他，但這類話講多了，失去了親切誠懇的意味，就像反覆開一張唱片，反成了不著邊際的虛套。那麼告訴他自己的生活狀態嗎？那煩膩的瑣事，那無盡的苦悶，她慚愧自己沒有一支巧妙的筆，可以調整自己煩躁的情緒，而繪出值得告慰的事。強調自己怎樣在午夜夢迴，月下黃昏想念他嗎？這在敏感的病人也許是刺激，那麼，那麼，那麼……她蹙眉苦思，一手支著下顎抬起眼睛來，眼光正落在對面牆上，那張兩人合攝的放大照上，他是神采奕奕，含笑凝視，她呢，也笑得那麼甜蜜，還帶著幾分稚氣，兩人全浸沉在一種幸福的氛氛中，那是他們結婚那年照的相，她剛從學校出來，一身洋溢著青春活力，年輕而有點不識世故的懵懂，他比她大九歲，熱情、誠懇，在社會上已建立了事業的基礎。結婚第二年便生了黎慧。他們的生活是美滿的、和諧的。肇新從來不曾疏忽過時代所賦予的使命，更不會忘記怎樣去增進家庭的幸福，他孜孜不倦在事業的階梯上努力邁進，但一個意外的不幸卻重重的打擊了他——他患了第二期肺病，不得不躺進了療養院。

如今，已經是兩年多了。

兩年多了，好長的日子！這兩年來，她把家裡所有值錢的東西全典賣了，還借債籌款，作他的治療費。她肩負起一家的生活重擔，忍受著物質上的匱乏，精神上的苦悶。她覺得自己就像一隻揹著殼的蝸牛，沉重地、遲緩地爬著一幢矗立的高牆，幾時能爬到盡頭，爬到了盡頭又怎樣？連她自己也不清楚，但她必須爬，日以繼夜，無休無止地爬；起初，她一直以他們的愛情做為這艱辛歷程的柱杖，她抱著一種勇於犧牲的精神，承受起重擔，可是慢慢地，她卻覺得這柱杖在重壓下變得軟弱而不濟事了，她從來不曾訴說，也不曾有過這個念頭，然而她清楚的知道，自己正一天比一天感到厭倦。

窗外掠過一陣男女紛沓的談笑聲，由近而遠，打斷了若蘭的思路，她驀然記起，這又是一個週末。

「媽！明天是星期日不？」黎慧忽然也像記起了什麼似的，把鉛筆咬在嘴裡，睜大了眼睛望著母親。

「唔。」

「羅叔叔他會不會來？」

「誰？不知道。」若蘭彷彿不提防被針刺了一下似的，瞪了黎慧一眼，沒來由的心跳臉熱。

「羅叔叔上星期帶給我們的巧格力，真好吃，我還要吃！」黎慧貪饞的說著，嚥了口唾涎。

「別饞嘴了，寫完字收拾去睡吧！」若蘭不耐煩地說，她恨自己為什麼要心跳臉熱，真是沒來由的事，她還是一個月前在一個同事的婚宴中認識的羅健，在那天的舞會中，她卻不過他的誠意邀請，與他跳了一次舞，回家是他用吉普車送的，接著他來拜會過她兩次，給她的印象是，儀表不俗，談吐富幽默感，這個人還不討厭，僅僅如此而已，但是今天快放學時，他又打電話來約她晚上去看電影，她卻婉辭了。

已經是有夫之婦，已經是兩個孩子的媽媽，對一個普通朋友的邀請，林若蘭是用不著那樣作防禦性的拒絕的，但她這樣做了。也許那是出於一種女性本能的敏感，如今給黎慧一提，卻又重兜上心來，她有點後悔自己為什麼要拒絕羅健的邀請，她是那樣的寂寞和苦悶，成天工作，難道不該有娛樂來調劑調劑嗎？雖然她自從結婚以後，便不曾單獨與異性交遊過，但她還年輕，她不甘寂寞，這長期的精神上的囚禁和壓迫，使人欲狂——「我為什麼，為什麼不？」……若蘭忽然把自來水筆往紙上一摔，推椅起立。一抬頭卻又正正遇著他從相片上投射過來的眼光，含笑的凝視，似變作溫和的譴責，緊緊攝住她的視線，她不由得握住椅背，垂下了眼皮，心裡湧上一陣愧疚，彷佛已做了什麼負心事似的，一個與自己共同生活了七八年的親人，正無援無助的被病魔制壓在病牀上，自己卻會想著怎樣去尋歡作樂，不也太卑鄙了麼？若蘭像要把那些遐思沖洗掉似的，便連忙走過去喝了杯開水，讓心神澄清一下，於是重新坐下來，撕掉那張被墨水沾污的信紙，想了一想，重又開了個頭，很快的寫下去：

肇新：寶島春早，這兩天暖暖洋洋的，已大有春的氣息了，春將為一切帶來新生和希望，我彷佛已看到健康的氣息，像春陽般從你身上發散出來，新！告訴你，這幾天我正每天都在扳指頭算日子哩，再有一個多星期便放春假了，一放假，我就會帶小穎來看你……

二

南下的平等號快車，飛快地在浴著陽光的田野裡奔馳著，一片連一片綠油油的稻田，翠竹掩映中的村舍，塘裡的鴨群，還有開準在田岸和荊籬上那些紅的、黃的、紫的花朵，全迎著列車展露開來，又迅疾的滑過去，接著又是無垠無盡的展延，就像巨幅立體的絢麗畫面，由一個軸心不停的轉動——但這一切對車廂裡的林若蘭，似乎是視若無睹，她的神情顯得疲倦而沮喪，一手支著下顎，眼光空漠的凝視著窗外，一面心神不屬地應付著小穎的問東問西，慢慢地，小穎似乎也看出了母親的懶於回答，便獨自默默的跪在椅子上，扶著車窗向外看，列車不停地進行著，小穎看著看著眼睛倦澀了，坐下來擦擦眼睛，沒精打采地說：「媽，我睏了。」說完，頭便枕著林若蘭的腿閉上了眼睛。

若蘭把自己的外套替他蓋上，幫他睡舒服了，重新又抬起空漠的眼光凝視窗外，這時驕陽已漸漸偏西了，樹木的蔭影遮掩到路上，田野間迷濛的，飄忽的，浮著一種淡淡的，如煙如霧的輕靄，那迷濛的霧靄，恰如籠罩在林若蘭心頭悵然若失的感覺——三天前，她帶著那種久別重逢的亢奮心情，也是坐的這班車去K城，三天後的今天，又坐了這班車回P城。但是，心情卻已迥然不同，她像失去了什麼，又像在心理上一下子委頓了好幾年。她不愉快的想起，她在療養院中與肇新周旋的情形。

肇新的健康比她寒假去探望時，不但不見進步，精神上反而更委靡了，性情也越加躁急，他一見到她，就好像要把積壓了很久的鬱悶，一股腦兒向她傾倒出來似的，除了剛見面那一份喜悅，便只是喋喋不停地訴說著，自己怎樣受寂寞與苦悶的煎熬，怎樣的無告無訴，怎樣的對人生失去信心，他又抱怨醫院的飲食太差，抱怨醫生不負責，抱怨護士侍候不周到，抱怨牀鋪不舒服，天花板又看得不順眼……說來說去，總是說孤零鬼似的一個人關在醫院裡，精神上的威脅太大。他只顧誇張自己的痛苦，完全忽略了若蘭，林若蘭肉體上雖然沒有病，但她精神上何嘗又不感到寂寞苦悶？她獨力肩負的生活重擔，又這般的令人心神憔悴，人原是生活在互相鼓勵與安慰中的。然而，沒有安慰也沒有鼓勵，她不僅獨自默默的承受一切困苦，還得盡量的給他鼓勵與安慰，就因為他是病人，而她是健康的人，她了解一個病人的心理多半是自私的，他們完全與人世隔絕了，思想的中心是自己，自己也便是整個世界。因此，她原諒他，但他的抱怨和挑剔畢竟太多了，以致她常覺得自己的健康在他面前，也成了一種罪惡。

若蘭也曾單獨與主治醫生談到肇新的病況，醫生告訴她說，犯這種病，精神治療往往勝於針藥，有的病人看來病似乎已很嚴重了，但病人本人卻是個達觀的人，他根本不去想自己的病症，經過治療，往往好得很快。有的病人，只是初起的一點徵象，但他一曉得自己患了肺病，便心驚膽戰，胡思亂想，日夜憂慮不安，這樣他的病很快便會惡化下去。肇新的病原來還不算太嚴重，已經給他試服了兩種最新的特效藥，本來可能慢慢地痊癒了，但是，醫生說到這裡苦笑著對林若蘭搖搖頭說，他似乎想得太多了。現在病熱雖已好轉，卻也沒有顯著的進步，針藥可以說已經發揮了最大的效力，主要的還要靠他自己心理上的振作。

但是，病人自己由於病魔長年的折磨，卻正陷入那種極端的心志沮喪中，他越是怕死，而死的恐懼越是時時刻刻在心理上脅迫他，就像在敵人虛張聲勢的進攻下癱瘓了的城市，戰鬥的意志已喪失了，卻又無時不懼怕著城的攻陷，這種絕望的等待，比較拚全力堅守或是突圍作決死一戰，要痛苦萬倍。何況，病都需要長期的耐心，他變得暴躁而不能忍受。若蘭不止一次的試著勸他寬心，但都失敗了，他反責怪若蘭不體諒他，也並不重視他的病。

「妳一點都不了解一個病人的心理和痛苦，」他有一次聽見若蘭勸他樂觀一點，不要過於自尋煩惱，便悻悻地反駁她：「就像從前有一個皇帝，看見他屬下的老百姓因為荒年沒有飯吃都快餓死了，而他卻問他們為什麼不吃肉糜一樣的隔膜？要是一個人能夠笑的時候，他又何必流眼淚？若蘭，我原來以為妳了解我要比這個多些。」

若蘭一時語塞，在以後的兩天中，便再不曾提過這些，但是，最使她難堪的還不是這個。

肇新自己雖然不時提起他的病況，卻似乎又怕別人避忌他，就在她要回家的上一天，她正在給他拉攏窗簾遮掩射在他臉上的陽光，卻聽見黎穎在向他父親討蛋糕吃，她警覺地回過頭去想喚住他，只見他已拿了一角蛋糕正待放進嘴裡去，她記得那是肇新吃過拿過的，心裡一急，不由得衝口喝阻黎穎：

「蛋糕放下來，不許吃！」

父子倆個被她這一喝，都愕然一怔，但肇新馬上領悟了話中的含意，臉色倏然變得蒼白了。

若蘭自己也馬上覺得喊得太突兀，使肇新難堪，又用溫和的口氣勸阻小穎道：「這是爸爸肚子餓吃的，小穎要吃，回頭媽給你上街買。」

黎穎猶是拿著蛋糕捨不得放棄，卻猛不防肇新鐵青著臉，一把從小穎手裡搶下蛋糕來，就向窗外一丟，尖刻地說：

「叫你不要吃就不要吃，爸爸吃過用過的東西，上面都黏有細菌，會毒死你，曉不曉得？」

小穎給唬得幾乎要哭了，望望父親又望望母親，呆呆地站在屋子中間，若蘭卻忍不住溫和地譴責他說：

「給孩子說這種話算什麼呢？他根本又不懂！」

肇新只冷冷地在鼻子裡哼了一聲，便一個翻身臉朝裡睡去，再不作聲，若蘭困惑地盯著他。她想：「他不是不曉得小孩子抵抗力薄弱，最容易傳染這種病，難道自己有了這種病還要傳染上給孩子麼，這也犯得著生她的氣？」她忽覺得鼻子裡一陣酸辣辣的，一肚子委屈全湧了上來，卻強自抑制著牽了小穎，默不作聲地走到廊上去。

這件不愉快的小事，雖然一會就過去了，沒有人再提起，可是，卻在若蘭心裡留下一片陰影！這片陰影不僅不曾隨時間褪蝕，倒反悄悄地展開，像烏雲遮掩了太陽，遮掩了愛情的光輝。

懷著黯淡的心情，若蘭結束了三天的探訪，回到P城，便先去肇新的叔叔家裡接黎慧，叔叔和嬸嬸見面第一句話就問她：「肇新好點沒有？」

「還是那樣。」若蘭淡淡的說。叔叔聽了她的語氣，又看了她的神情，兩人不由得對望一眼，不便再問什麼，只是默默地望著她，若蘭覺得那眼光中對她的憐憫多於對肇新的擔憂，就像她已成了那種被幸福遺棄的女人——她受不了這種眼光，連話也不願多說，便帶了兩個孩子回到自己冰窖似的家裡。

形容自己的家是冰窖，若蘭覺得一點也不過分，希望和愛情是一個家庭裡的陽光，原來她雖然生活很苦悶，但總還抱著個希望，希望肇新就會好起來，恢復他們從前安謐優舒的生活，可是當她到K城去了三天，卻悲哀的，感到了幻滅，她怕她將永遠負起那副重擔——感情的和生活的。是的，她感到肇新同她的的感情已不是一種心靈的契合，而成了一種束縛，一種負擔。她覺得自己一番艱苦奮鬥成了白費，沒有安慰，沒有鼓勵，甚至沒有諒解，但是重擔仍得獨力肩負下去。

若蘭一天比一天變得消沉而頹廢——

三

羅健在這時闖入若蘭的生活中，不是絕對偶然的。

就在若蘭從K城回來的第一個星期日，羅健又來拜候她，他驚奇於她的蒼白委頓，說她一定是工作太疲勞同時缺乏新鮮空氣所致，他誠懇的邀請她允許他用車子載她去郊外換換空氣。

若蘭原來沒有情緒出去，但換換空氣這提議卻使她為之動容，自K城回來，她便一直被一種悒鬱的氣氛包圍著，那沉重的空氣使她煩悶，使她窒息，而又像蛛絲似地黏著撩撥不開——是的，如果她不想窒息而死，最好是出去換換新鮮空氣。

就在這個原則下，若蘭接受了羅健的邀請，這一次單獨出遊，給若蘭有更多認識羅健的機會，她覺得他不像一般的男人那樣喜歡在女人面前表現殷勤，一舉一動都顯得隨便和豁達，而在隨便中又蘊蓄著細心和熨貼，同他在一起，可以不拘束而有一種安全感，彷彿他早已了解你，熟悉你就同一個締交很久的老朋友似的，慢慢地若蘭心裡那一道防避異性的藩籬也完全撤消了，她有時也同他去遠足一次，或是欣賞一場電影，她會把自己的煩憂苦悶毫不掩飾地向他傾訴，他總是同情的聆聽著，而從他那裡到幾句非常得體的慰勉時，她有一種發洩過後的平靜，暫時忘卻了自己的苦惱——他們那種真率而深切的友誼，幾乎是很自然的發展下去。

一個星期日，若蘭帶了孩子到叔叔家去，她本能的感到叔叔這天的態度近於嚴肅，嬸嬸的神情也有點神祕，果然，吃過午飯後，叔叔一面剔著牙齒，一面用帶著點矜持的口氣問她。

「若蘭，這一陣子妳生活還過得不錯吧？」

「叔叔曉得，還不是老樣子，混過兩個半天算一天。」若蘭懶洋洋地翻看一本舊雜誌，眼皮也不抬地回答。

「不是說這個，我是指那個，精神方面。」叔叔頓了一頓，看見若蘭正驚疑地望著他，便乾咳了一聲接下去說：「有人告訴我，唉，有人看見妳在海灘，也有人看見妳在舞場裡——還有一個男人……」

「哦，那大概是羅健，」若蘭不在意地說，卻發覺叔叔和嬸嬸正目光炯炯地盯著自己，又加以解釋道：「他是一個同事的朋友。有時來邀我出去換換空氣。」

叔嬸交換了一個眼色。

「他是單身漢？」嬸嬸意味深長地問。

「嗯，」若蘭意識到話中尖銳的含意，狐疑而困惑。「怎麼啦？」

「也沒有怎麼，不過妳曉得：一個女人要是和一個男人來往得密切一點，背後總免不掉有人說長道短。」

「說我？我已做了兩個孩子的媽媽，說的人也未免太無聊了！再說男女間就不能有友誼嗎？」若蘭氣憤地說。

「不過，也許妳想得好，一個男人是不會為著友誼去向友人獻殷勤的。」嬸嬸悠悠地說。若蘭正想替羅健分辯，叔叔卻又攔著說：

「當然，我們是不會相信這些流言，也不願意相信，不過眾口鑠金，人言可畏，最好還是自己能稍微檢點一點——再說，謠言如果傳到病人耳朵裡，免不得又要使他受到刺激，影響病體。」

叔叔嬸嬸你一句我一句，說得若蘭一時氣憤填膺，半天沒作理會。她知道分辯也是徒然，就這麼悶著一肚子氣，悻悻地回到自己家裡。她很想把屋子裡的東西全摔了，她又想痛哭一場，她覺得這個社會待她太苛刻無情了，為了一個久病的丈夫，她忍受著種種困苦，忍耐著無邊寂寞，勉力肩負起家的重擔，不但沒有同情，鼓勵，而僅僅因為從一個了解她的朋友那裡獲得些許慰勉，反惹起物議，還說什麼她給他製造刺激——她恨，恨這社會，恨所有的人們，說禽獸殘酷，因為牠們彼此噬咬殘殺，但人不僅製造更厲害的槍械互相殺戮，還製造謠言、誣衊，暗中傷害彼此的感情、尊嚴，人除了有禽獸的殘忍狠毒，還有野獸所沒有的陰險——她等著羅健來，她要告訴他，相信他們的崇高的友誼，甚至可以帶進實驗室中任人解剖。

傍晚，羅健來了，她毫不隱瞞地把從叔叔家聽來的話全告訴了他。還加上了自己的憤慨，痛斥著人們的近視，和心地的齷齪卑污，可是，當她滔滔不絕地發洩了半天時，才發覺羅健沒有接她的下文。只是蒼白著臉，一語不發地垂著頭坐在那裡，不禁感到十分詫異。

「害妳招致了這些流言誹謗，而使妳生這樣大的氣，這，這都只怪我……」羅健一反往常的豁達，眼望著地下沉緩地說。

「這與你無關，我是說那些造謠生事的人。」

「我知道，可是事到如今，我實在也隱藏不住我對妳的感情，我要讓妳知道，我並不如妳想像中的那樣對妳只有那一份單純的友誼，在我心靈深處，還隱藏著另一份熾烈的感情——那是愛情，我深深地愛著妳——」

「你？」剛才那憤怒的暴風雨尚未過去，驟然間又像遭遇了劇烈的地震，若蘭一時驚愕失措，搖搖欲墜地盯著羅健。

「是的，早在第一眼看見妳，我就為妳嫻雅的風度所傾倒，後來聽說了妳的身世，我很為妳扼腕，同時也更欽佩妳的為人，那種由敬和愛揉合的情愫，促使我向妳接近，也想分擔妳一些煩憂和寂寞，而我卻越是接近妳越是深陷泥淖不可自拔，但我又怎能，也怎敢把這心底的祕密向妳剖示？」

羅健說著勇氣逐漸增長，抬起被愛情燃亮的眼睛，深深地注視著若蘭。她不禁顫慄了一下，垂下眼簾，默然無語。

「有一句話我似乎不應該說，可是我又忍不住不說。」頓了一頓，羅健又帶著些許矜持，接著說下去：「固然，妳那份忠貞不移的愛情是值得尊崇的，但妳卻忘記了妳還年輕，妳還應該享受人生，那在妳是一種犧牲，或許妳將長期的承受這煩憂和苦悶，而當妳意識到愛情只剩下義務和束縛時，妳會感到那犧牲片刻也不能忍受——妳應該接受眼前的幸福。」

「別說下去了，請你讓我清靜清靜。」若蘭痛苦地攔阻他。

羅健望著她再想說什麼又頓住了，站起來緩緩地走向門口，卻又躊躇著停下來憐愛地注視了她一眼說：

「記著妳還年輕，妳有妳錦繡的前程！」他出去悄悄把門帶上了。

留在屋裡的是一片令人窒息的沉靜。

若蘭心意紊亂的倒在牀上，她想清理一下自己的思潮，但是毫不可能，叔嬸的警告激怒了她，羅健突如其來的剖白更使她惶惑恐懼，她承認有點喜歡羅健，但喜歡並不就是愛，就像當自己感到對生活的厭倦時，感到寂寞時，喜歡跟他說說談談，向他傾訴自己的心事，卻從來不曾想到過可能同他生活在一個屋頂下，睡在一張牀上一樣。這簡直是有點不可思議！

她忽然記起了嬸嬸的話：「一個男人是不會僅為了友誼向女人獻殷勤的。」他究竟是男人，而她自己把全部熱情為肇新藏入了冰箱，卻又忽略了別人的感情，這該是她的疏忽——但是，不一會，叔嬸也好，羅健也好，都被起伏的思潮捲沉下去了，另一個思念巨浪般被突然拋上來，那聲音更清晰，那意義更明銳：

「我還年輕，我有我錦繡的前程！」那原是羅健說的，現在她卻已竊據為自己的意思了。

她想起自己這般一年兩年的與生活掙扎，忍受生活中那些做不完的煩膩的瑣事，忍受那無邊無盡的寂寞和苦悶，為的是什麼？為的是一個渺茫模糊的生活目標——等肇新痊癒，可是肇新的病不但一直沒有起色，反而連性格也變得越來越自私暴戾，使人不能容忍——就算他的病總有一天好了，出院了，而他幾年的離群獨居，與社會已脫了節，一時又怎能適應？幾年的疏離隔閡，夫婦間的感情是否又能融洽如舊？這悠久的等待又誰知哪一天才終止？而她還年輕，她還有很長的一段人生之路得慢慢地走。她很可以隨意挑選自己的路，而在一路安排下自己喜歡的節目，這條路將通達一個綺麗煇煌的遠景……可是，如今她卻被一塊絆腳石羈絆著，不得不在灰暗無光彩的泥徑上掙扎顛頓——她為什麼不能擺脫這絆腳石，走她自己想走的路？這一個念頭像閃電似的掠過她的腦際，而又堅崛的在心裡生了根——她為自己的決定感到像完成了一件大事的興奮和激動，彷彿已瞧見了未來的遠景，雖是隱約模糊，但卻燦爛而新鮮，罩著一種朦朧的幸福的異彩，使人眩暈。這期間她也曾受過良心的責備，自己感到像犯了罪似地羞慚惶恐，無地自容，但是，良心的聲音在那個思想的沖激下，顯得那樣的微弱，最後終於被淹沒了。

當若蘭這樣決定後，她覺得自己變得堅決、冷靜，而強大有力，她迫切地盼著暑假來臨，在這事沒有解決以前，她不願在感情上發生糾葛，而羅健在見到她已不再隱諱他的感情，雖然不用語言表達，但他那凝注著她的眼光，向她傾訴著太多言語不能表達的東西，她在他的凝視下顫慄著，很怕自己會敵不住那熾熱的、包圍住她的凝視而軟化了，她盡量避免與他會面。

四

若蘭曾想到把自己的決定寫信告訴肇新，但又覺得太直截了，就像對驟然射來的冷箭，一個人往往因不能招架而形成致命的創傷一樣，情感上的激變也會使人招架不住。因此她最後還是自己來一趟K城，想比較婉轉地暗示他自己的決定，一路上她都堅定果敢，像一個開赴戰場的勇士，可是一跨進療養院的大門，卻又不由的困惑起來，趑趄的走到七號病房門口，握著門環她還猶豫了一下，她知道只要推開這扇薄門，就可以看見他同平時一樣，衰弱而委頓地躺在白被單下，用那種憂傷和絕望的眼光，盯視著天花板——她緩緩地推開房門，但是，迎著她的卻是二道彷彿從睜開眼起，就盯視在門上的，充滿了迫切的熱望的眼光，如今看見若蘭推門進來，更因喜悅而燃亮了。

「噯，蘭，終於盼到妳來了，真像大旱之盼甘霖一樣哩！」肇新從牀上坐起來歡迎她，「孩子一個都沒有帶來？」

「天熱，我怕他們受暑。」若蘭迎著他閃熱的眼光，忽然記起當他們熱戀約會時，肇新也總用這般眼色盼望著她，不禁心裡微微一陣盪漾，進去先將帶來的提包擱在牆角裡，聽見肇新在說。

「我有半年沒有看見小慧了，我記得妳信上說她讀書有進步是嗎？」他的聲音裡帶著深切的關念與些微失望，若蘭感到有點內疚，是她的自私阻止了他們父女見面。

「她這次考了個第三名哩，」她過去把叔叔帶給他的一包東西給他，這才看清他不但氣色比春假裡好看得多，精神也很好，她驚喜的說：「你的身體好得多了！」

「嗯，醫生也這麼說；他說照這樣子下去，不到半年我就可以痊癒出院了——我所以沒在信上告訴妳，就是想見面讓妳驚喜一下。」肇新樂觀地望著她說，但喜悅的眼光卻忽然被一陣淡淡的憂愁所蒙住：「怎麼妳瘦多啦？是不是生過病？」

「大概是路上累了。」若蘭避開他的諦視，轉身待去整裝，但肇新卻伸出手來緊緊握住了她的手，強她在牀上坐下。

「若蘭，我知道妳沒有病，是我的病把妳拖累了。」他激動的說，若蘭低著頭笑了一笑，強自鎮定著說：

「說這些幹什麼呢？」

「不，我要說，我要說的太多了，若蘭，這兩年來多虧妳獨力支持，我知道生活上的困苦和精神上的威脅，把妳折磨夠了，但妳從來不曾在我面前抱怨過，訴過苦，倒是我自己，我變得自私而暴躁，我幾乎妒嫉妳的健康，當我用最大的耐心挨過了一天又一天，一月又一月，而病卻毫無起色時，我深深體會到絕望的悲哀，我本能地感到一切都將離我而去：社會、事業、生命，還有妳，妳是那樣健康和年輕，妳應該享受歡樂，享受人生，總有一天妳會棄我而去——」

「你怎麼這樣想？」若蘭臉上一陣熱，好像做賊的被人搜到了賊贜似的，心裡蹦跳著，使她變得堅定果敢的主意收斂了光彩，她感到羞慚。

「是的，我一直懼怕我會失去妳，」肇新興奮地接著說下去，臉上閃現著一種激動的光輝：「可是有一次我們的手無意接觸，我發現妳的手柔軟光澤而白潔，我的手卻像一枝枯藤，我記起小時候曾見，在成長中的樹給枯藤纏死，我又覺得我不能讓我纏住妳，妳年輕，妳應該有妳廣大歡樂的天地——我便在這樣的矛盾中，嘗盡痛苦。」

「肇新，我不知道你是在這樣的磨折自己，多不應該！」若蘭溫和地譴責著，她感到他熱切而坦率的眼光具有一種壓力，壓在她心上，彷彿有什麼小心防禦起來的東西要給壓碎了。

「但是，若蘭，妳崇高的行為，終究壓碎了我卑污的念頭，我這簡直是以小人之心度君子之腹，妳就同容忍我的病一樣，容忍了我的暴戾和自私，妳毫無怨言的支撐著生活，而終至重又支持了我活下去的信心，若蘭，妳太好了……」肇新緊緊握住她的手，眼睛裡閃爍著激動的淚光，那誠摯的神態，那蘊藏和著豐富的感情的語調，和他對她的崇高的想法湊在一起，像變成一支水流向若蘭沖激過來，她來時拿定的主意突然的一下就給沖散了，消失在激情的浪沫中，她不禁激動的按著他的手臂說：

「你把我說得太好了，你忘了我們是夫婦，夫婦原該患難與共，歡樂同享的。」她很想告訴他，她並不似他設想的那樣崇高而值得尊敬，她也曾怨艾，也曾悔恨，而就在來時還抱著叛棄他的念頭；但她沒有說，只拉起他的手來在自己臉上熨貼著，她覺得兩頰發熱。肇新接下去說：

「春假裡妳帶了穎兒來看我，我又沒來由的暴露了我的暴戾，妳默默地走了，我突然感到良心的譴責，由於妳的寬容，更顯出我的自私，我覺得壞到無可救藥的不是我的病，而是我的心理，我就像一個溺水的人，當別人竭盡全力冒死去救助他時，他自己卻毫不振作，儘管一直的往下沉——若蘭，那天妳走後，我痛思了一日一夜，終於徹悟了，我覺悟我過去生活方式的錯誤，蘭，不是嗎，如果一個人自己失去了生活的意志，神仙也難教他活下去的。」

「新，你說了這麼多，不太累麼？」若蘭溫和地阻止他，心裡卻想聽得更多點，已經有多少年未曾聽過這般懇切而感人的傾訴了，這有點使她沉醉。

「不，我一點都不累，這些話我已在心裡積存了不少日子了，就等妳來一訴衷曲。」肇新蒼白的臉上因興奮而浮起一層淡淡的紅暈，眼睛發著光亮：「從那時起，我不再念念不忘自己的孤獨、寂寞，社會的遺棄，親友的叛離，我也不再憂急不安，只顧憐著自己的病，去想那些細菌正在我肺上啃齧，病狀正在擴大，死神的黑翼慢慢地臨近我——這一切均足以使一個健全的人精神崩潰，意志消沉。我開始回憶一些我們過去的往事，讓自己浸沉在夢一般甜蜜的往事中。我又展望著未來，希望和理想重新鼓舞著我，我仔細考慮著我們從前那些美麗的計畫，活力重又慢慢回到我身上，來日方長，我們很可以為自己創造一番事業，是麼？若蘭。」

「是的，不僅僅為自己，也為我們苦難的國家，為我們的孩子。」若蘭微側著身軀，靠著他溫柔的說——忽然他像想到什麼似的，一時坐直來，帶著被一種新的生意燃亮的神情望入她眼中。「噢，我記起來，你不是和K城的教育科長熟識麼，託他把我調來這裡教書吧！」她說。有二道深情而灼熱的凝視掠過她腦際，她似乎依稀感到它的熾熱迫人。

「為什麼？離開了叔叔，沒有人照顧妳們了？」

「小穎已經大得可以進托兒所或幼稚園了，需要照顧的不是我們而是你，來了這裡至少一星期可以來探你兩次，免得你精神太受威脅。」若蘭半調侃地笑著說。

「精神的威脅容易解除，倒是在一起我們可以互相督促鼓勵，並肩作戰——我用我的意志戰勝病魔，妳用妳的意志戰勝生活，我們永遠是一對戰鬥中的好夥伴！」肇新無限情深的笑著把手輕輕一帶，若蘭趁勢半倚著偎在他臂彎裡，他用下頰在她頭髮上摩挲著，靜寂中可以聽見兩個人微急的呼吸，若蘭在感情上感覺到暴風雨後的澄新和平靜，這許久一直積壓在她心頭的陰霾消散了。那些她認為不潔的思想也像灰塵被一陣風吹散了，她像經過了一種嚴酷的考驗，現在展現在她面前的是一個新鮮、明淨的世界；陽光滑過半遮的窗簾進來正落在她臉上，強烈的光亮幾乎使她睜不開眼睛，但她不想閃避，她喜歡那種熱和力融貫於血液中。融貫了全身心，雖然她知道還有一大截艱辛的路要跋涉要掙扎，但是，她深切地感到在苦難中的諒解，使他們結合得更緊密，他們將是永不分離的一對！

民國四十三年十月二十二日

編註：本文原刊於《中國文藝》第四卷第四期，一九五五年七月，頁二十四～二十五；第四卷第五期，一九五五年八月，頁七～九。

遙遠的祝福

鄭煥章夾了筷酸鹹菜，低著頭匆匆地啜了兩口粥，又舉起筷子去叉乳腐，卻見坐在對面的太太凝視著空間停箸不動，臉色是蒼白的，眼睛裡水波盈盈像要氾濫的樣子，他不禁一怔，忙問：

「怎麼啦，芷英，是哪裡不舒服嗎？」

芷英收回凝視的眼光，好像是被鄭煥章的聲音從很遠的地方叫回來似地望著他緩緩的搖了搖頭。

「沒有哪裡不舒服，只是……」

「只是什麼？」

「我忘不掉昨晚上做的夢。」芷英黯然地說。

「昨晚做的夢！連個夢妳也計較起來，真是越過越糊塗了。」鄭煥章笑著向芷英調侃，但芷英沒有笑，臉色還是那樣悒鬱，莊重地說：

「我夢見了我母親——」

「這是日有所思，才夜有所夢！哦！我想起妳怎麼會夢見妳母親來了，明天是妳生日，在這樣的日子，總不由得會惦念了創造了自己的母親，是嗎？」

「生日我倒不曾想到，昨晚我夢著自己清清楚楚地回家去，那情形就像從前放了暑假回家去一樣，可是當我翻越村前的小山坡時，卻發覺展現在我面前的不是從前那恬靜幽美的村莊，而是白茫茫一片濁流，再也看不見哪裡是綠油油的稻田？哪裡是蒼翠茂盛的果園！到處都是灰暗混濁的水，有的房子被淹沒了大半幢，有的房子只露出了一個屋頂，幾株沒有了葉子，僅剩著光枝椏的樹，慘淒淒地戳出在水面，我認不出哪是我的家？我找不到一點我所熟悉的憑藉。就在這時，我看見一座屋頂上有人體在蠕動著，雖然憔悴瘦弱，形銷骨立，我馬上認出來那正是母親，我用力喚了幾聲，母親大概聽見了，顫巍巍地站起來，張著嘴卻沒有聲音，只是舉起兩手，向我作著無聲的呼籲，但濁流滔滔，木頭都沒有一塊，我急得要命，忽然想起懷著還揣著一包母親最喜歡吃的開花饅頭，立刻打開來拿了一個擲過去，但一個一個都擲進了水裡，而在饅頭落下去的地方，很快的便竄出無數手臂來搶奪著饅頭，一瞬間我便迷失了母親的所在，手臂卻越來越多，越伸過長，一齊伸向我腳畔抓呀抓的——我一急一怕，便醒過來了——想著母親在水深火熱中挨餓受驚，這白白香香的粥我又怎能下嚥！」芷英索性擱下筷子，推開粥碗，聲音早已梗塞了，她這一說，說的鄭煥章對著碗裡的半碗粥也覺得難以下嚥，便勸慰著芷英說：

「大概這些日子妳聽多了，也看多了收音機裡和報紙上有關大陸水災的宣傳，事實上也許不至於這樣嚴重吧。」

「你不知道我們那裡地勢本來就低，又靠著鄱陽河下游，記得我小時候有一次漲大水，水就有我人那麼高，如今據說水位比漲大水那年還高好幾尺，那災情慘重實在不堪想像——」

「最近自由中國不正為了響應總統救濟大陸災胞的號召，熱烈的展開了勸募運動，昨天我們局裡的全體同仁，就捐出了一日所得。」

「可是這也只能買了米用飛機空投下去。你想受災的區域那麼多，遍地汪洋，一下投不準就投到水裡去了，再說就是投在地上，那些刻毒的共產黨是不是又會讓老百姓去撿。」芷英疑惑地望著鄭煥章，他正慎重地把碗底的剩粥搜撿得一顆不留。這才伸出舌尖來舐了舐嘴唇緩緩地說：

「這雖然不敢說百分之百的收效，但老百姓多少總可以得到點援助。而這樣做已盡了我們最大的心意和力量了。妳不看見報上載著，我們要求通過世界紅十字會，向大陸災胞運去救濟食糧，共產黨都拒絕接受。」

「他們難道真連一點人性都沒有，眼看成千累萬的人民淹死、餓死？」

「嘿，說不定他們正高興哩，他們的減少人口政策，就是要消滅二億中國人民，這樣讓人民被淹死、餓死，不還替他們省了力氣！」

「真殘忍！」芷英恨恨地說，不提防手裡一用勁，把一只筷子折斷了。「共產黨徒生下來時閻王一定在他們身內少配了樣東西。」

「少配了什麼？」

「良心！」

「可是另外卻又多擱了一樣東西。」鄭煥章邊說邊站起來穿上了外衣。

「多擱了什麼？」

「狗肺！」

芷英不禁苦笑了一笑，鄭煥章在她肩上拍了一下說：「我上班去了，心放寬些，別一股勁兒老惦記著。」

但鄭煥章走了半晌，芷英仍一個人悶坐在原位子上，她無法拂除心頭那一片陰影，母親那憔悴衰老的臉容，那舉臂待援的神情，深深地盤踞在她腦中，不由得在眼角迸出兩串熱淚，一顆接一顆，無聲的掛下臉頰，滴在衣襟……直到隔壁的張太太來約她去買菜，這才抹去淚水，匆匆的將粥碗收拾開來，她端了自己吃剩的那半碗粥本待倒在淆缸裡，繼而一想又把它藏進了碗櫃。

在菜場裡芷英把簡單的幾樣菜買好了，兩人剛走到一家雜貨店門前，忽然聽見街上人聲喧喧，人群裡起了陣騷動，兩人不由得停下腳步來觀望。只聽見一個激昂、沉痛而有點瘖啞的聲音，高出一切嘈聲直扣著每一個人的心弦：

「……請大家想一想，他們的田地，房子，全被大水淹沒了，他們沒有了家，沒有了食物，在水深火熱中挨餓、受凍，沒有人拯救，也沒有人援助。眼看一個個即將餓死淹死，他們是誰？他們便是我們留在大陸上千千萬萬親愛的同胞，這裡面有我們的親戚朋友，也有我們的父老兄弟。沒有人性的共產黨是不管老百姓死活的，但是我們不會忘記我們的同胞，讓我們給苦難中的同胞送去食物，送去溫暖吧！請大家少抽一包香煙，少看一場電影，少喝一瓶汽水，少吃一碗飯，把錢捐出來……」

隨著聲音越來越近，一輛大卡車從路角上拐出來，車上有年輕的小姐，也有男士先生，一個個不知在太陽裡曬的，還是嘶喚多了，全汗淋浹背，面頭紅漲，路上的人都停止了買賣，佇立兩傍觀望著，車過處，很多人情不自禁地掏出錢來送給車上。一個老太婆老眼潤濕地打開小心包著的手巾包，摸出鈔票顫巍巍地交上去。一個三輪車夫翻轉口袋，把一早晨賺得的車資全交了上去。一個戰士一聲不響連餉袋捐出了他一個月的薪餉，一個穿著汗衫短褲的青年——芷英認出是她剛才向他買干絲的小販，捧了一疊零票子和輔幣也朝人縫裡擠，一個小男孩子手裡高揚著一張角票，仰著頭墊起腳跟，努力向車上攀緣，一個老闆模樣的胖子捐出了一疊毛巾代款——從五角一元，到十元，二、三十元，大家都紛紛解囊輸款，車上的人應接不暇的收款，點數，報告……

「……我們雖然聽不到大陸災胞的呻吟，呼籲，看不見災胞們受苦受難的悽慘情形，但我們的血脈是相連的，我們的心靈是相通的，我們要在每一顆投向災胞的米，帶去我們崇高的同胞愛，帶去我們的關切，帶去我們的熱情，帶去我們所有的殷勤慰問……」

勸募專車在人叢中一步一挪的駛迎芷英站著的地方，她被那沉痛的語句，感人的場面，感動得幾乎流下了眼淚。她恨不得馬上把自己像把一塊木炭投進熊熊的火裡一樣，投入那熱烈的場合中，但她身上全部財產只有買菜剩下來的一元多錢。她懊惱而迫切的站在那裡眼看張太太也過去捐了五元錢，空著的手不由得緊握起來；指甲陷入了掌心，手指與手指間有什麼梗痛——她忽然有所感觸，忙擠入人叢中，擠到車前，從左手中指上勒下那只綠玉戒指，交給車上一個小姐，一面吶吶地說：

「我身上沒有帶現款，請收下這只戒指吧！」說完，她也顧不得有人喚她拿收據，又匆匆地擠出人群，紅著臉，喘著氣，回到人行道上，張太太驚訝而欽佩地望著她說：

「哦，妳捐掉了妳那只綠玉戒指？」

芷英只是笑著點點頭，拾起手帕來拭著浸濕鬢角的汗水，一眼瞥見了指上留下的一圈白痕，她不禁深深地諦視了一會，是的，那枚戒指在這指上已戴了八年多了，它雖然算不上什麼名貴的奇珍異寶，但它卻是象徵著福祉，從祖上一代一代傳下來的，她結婚那年母親鄭重的替她套在指上。八年多來，她一直戴著它，代表著母親的祝福。如今她謹願將虔誠的祝福和一片心意，致送給母親，致送給大陸上無數苦難中的災胞——芷英抬起眼來，感動地望著勸募專車從人叢中緩緩地開過去，覺得一早晨堵在胸口的塊壘，忽然輕了許多。

鄭煥章不時從公文上抬起頭來，焦灼的望一眼壁上的鐘，六點差三十分，六點差二十分，差十分、五分、二分……終於下班鈴帶著無比悅耳的聲音響徹了整個大廈，鄭煥章第一個匆匆的離開了辦公室，走到大門口，右手便下意識的在褲袋裡摸索著，一種冷滑的觸覺從指尖直透到心裡——那是一疊鈔票，整整一百二十五元。自然，這並不是一筆大數目。但卻是家用以外屬於他可以自由支配的財產，一個字一個字累積起來的稿費。這些日子來他就像守財奴似地死守住這筆款子，動也不敢動。連香煙也捨不得買一包——他留著這款子是有一個計畫，給芷英買一件生日禮物。是的，自從他們結婚以來，他除了在她婚後第一個生日送給她一副耳環外，來台灣五年，一直生活得克勤克儉，就從來沒有送過她什麼東西。而今年是芷英三十整的大生日，他自己又在這兩個月裡開始賺到一點外快，他決定要在三十歲生日送她一件禮物，使她感到驚喜，也算是對她辛勤操作的慰勞。

而明天就是芷英的生日了。

鄭煥章到了街上，倒反踟躕起來，給芷英買些什麼呢？買件漂亮的衣料吧。但芷英穿漂亮衣服的機會就很少，而身上穿了漂亮衣服，腳上的皮鞋一定要相配，芷英那雙黃皮鞋早就可列為古董了。乾脆買雙皮鞋得了，可是買高跟的還是平跟的，白的還是黑的，這又是問題。買雙尼龍絲襪配半打手帕，不成，這是奢侈品，買幾本文學名著吧，又太不實惠了……鄭煥章躊躇不決的在一家百貨店裡看看，在書店裡望望，在皮鞋店門口停留片刻，不知不覺已走完了那一段鬧市，等他立停時，卻發覺自己正站在一幢大廈面前，裡面燈影紛沓，人聲嗡嗡，依稀辨得出一個聲音喚道「五十元我要了。」「我出五十五！」鄭煥章為好奇心所驅，不禁信步踱了進去，只見寬敞的禮堂上擺滿了什麼氈子、舊衣服、嬰兒車、相框、國畫西畫、女人的飾物……林林總總，就像大規模的荒貨攤……原來是救濟大陸災胞委員會正把捐獻來的物質代款舉行一次大義賣。鄭煥章看見一個人買了件西服上裝，一個女人買了嬰兒車，第三次那個經手人高高的舉起一只翠綠色的戒指，鄭煥章立刻覺得那只戒指十分熟悉惹眼。

「這是一只精緻古雅的翠玉戒指，起價六十元！」

一個戴著老花眼鏡的半老人，過去從經手人手裡接過戒指鑑賞古董似地端詳著，鄭煥章也上前去要過戒指來看了一會，不錯，正跟芷英老戴在手上那只一式一樣的，他記得她跟他講過她那戒指的傳奇故事，說是戴了不僅可以避兇造福，而據說還是用女媧補天時遺下的一塊玉雕成的一式兩只。只是早便散失了，如果誰能獲致兩只，便將獲得一切願望——

「這只戒指我要了。」那戴眼鏡的人說，便來拿鄭煥章手裡的戒指，鄭煥章立刻毫不思索的說：

「七十元我的。」那人在眼鏡後面瞪了他一眼，賭氣地說：

「我出八十元！」

「我出九十！」鄭煥章握著戒指不放，大有不到手不罷休的神氣。那人猶疑了一下，望望鄭煥章，又望望戒指，忽然用更大的聲音決然喚出。

「一百元！」

「一百二十！」鄭煥章以壓倒一切的聲勢大聲喚著，心裡卻惴惴地想，這是孤注一擲，如果那人再加上十元他就完了。但那人卻望望然帶著失望的神情，悄然放棄了。

鄭煥章數了十二張鈔票交出去，褲袋裡還剩下一張五元的，他想正好明天再給芷英買束鮮花。

「當她看到這一只戒指時，一定高興得要命！」鄭煥章懷著戒指一路走一路思忖著，「她祖父跟父親曾經找遍了古玩鋪都不曾找到哩。」

他原本計畫等她睡熟了，把戒指放在她枕頭旁邊，好讓她一早起來高興。但他是個心裡藏不住事情的人，路上想得好好的，到家便變了主意，一進門就嚷著：

「芷英，芷英，快來！」

芷英從廚房裡出來，埋怨著說：

「這麼晚才回來，飯菜都冷了。」

「先不管飯不飯，妳來坐在這裡，頭轉過去閉上眼睛把左手伸出來！」鄭煥章帶著抑制不住的亢奮支使著，但芷英卻反而把左手藏在身後，困惑地望著他。

「快點嘛！」

芷英還是猶疑著。

「看妳這羞答答的神氣，倒像那一年我要替妳戴上訂婚戒指的樣子。」鄭煥章笑著便一把捉住了芷英的手臂拉了過來……那只素淨的手上除了指上一圈白痕，再沒有一點飾物。

「咦！妳那只綠玉戒指呢？收起來了？」鄭煥章驚異的看著芷英。

芷英但笑著不語。

「是遺失了？」

「快說呀！別給人猜悶葫蘆好不。」

「我已將戒指換成千千萬萬顆米，而每顆米裡都將帶著我的祝福投給大陸上的災胞。」

芷英矜持著一句一句地說。

「啊，啊，那是巧極了！巧極了！」鄭煥章先是怔愕了一下，忽然間又像領悟了什麼般高興地跳起來。「妳還是照我剛才說的，閉上眼睛，轉過臉去，把左手伸出來！」

芷英照著做了，覺得有什麼輕輕的套在手指上，芷英一抬手，只見手指上又赫然戴著那只綠玉戒指！

「哦！這是……這怎麼！你哪裡弄來的？」芷英驚喜得嘴唇顫抖著把戒指勒下來翻翻覆覆看了半天，又小心地戴上去；戴上去，又勒下來，那喜歡的神情就像重逢了久別的親人似的。

「妳別問哪裡來的，這是我送妳的生日禮物，妳先說喜歡不喜歡？」

「喜歡，喜歡，怎能不喜歡！這跟母親給我的那只完全是一樣的。這一定是一對裡的那一只。」芷英的眼睛一直沒有離開那只戒指。

「妳這傻瓜！本來就是完全一樣的嘛。」鄭煥章看著她那喜不自勝的樣子，忍不住笑著把戒指的來歷說了一遍。

「哦！那真是太湊巧了！」芷英驚奇地聽他說完，更愛不忍釋的撫弄著戒指，忽然她抬起頭來望著鄭煥章，充滿喜悅的眼睛明亮得像迎著朝陽的露珠，但有著莊嚴的神情。

「煥章，我忽然在心靈上感到一種微妙的感覺，你想這戒指捐獻出去了又被你買回來，捐獻的心意果然達到了：而這一直代表著母親的祝福的戒指卻又回到我手上，似乎正象徵著母親的懷念，母親的召喚，母親是依然活著，只是等我們回去拯救！」

「不只是象徵著妳母親的召喚，億萬苦難中同胞的召喚，也象徵著我們投去的糧食，將如願帶去溫暖和祝福。」

「但願如此呢！」芷英肅然祈告，不禁低下頭去，虔敬地吻著手上的綠玉戒指。

民國四十三年十月十九日

人生的另一課

「查貴同學投考本校四十三度上學期新生入學考試，業已錄取，希於九月五日至七日來校辦理註冊手續」……楊慧明激動地看著那一紙師範學校新生錄取通知，只看到這裡，眼睛和通知書中間忽然湧起一片薄霧，視線被淚水模糊了，再看不清下面還寫些什麼。她只曉得從此刻起，她已是一個師範生了。當渴望了許久不能獲得而已不敢希冀了的事情，忽然成為事實時，往往反教人驚喜失措。

「姊姊，妳考取了不應該高興麼！」一隻手把著她的手臂輕輕震撼著，聲音裡帶著點惶恐。

「高興，我當然高興！我因為歡喜過度而流出了眼淚。」楊慧明透過淚光，感激地望了一眼面前比自己矮不了一寸的弟弟說——他為了使她早點高興，老早便持著通知在門口迎候她，她感動的挽住他的肩胛走進起居室，一抬頭，只見雙親正含笑站在室內，以無比和藹讚許的眼色，迎著她，小弟妹也天真的仰望著她——這情景忽然使她想起一年前的一幕，一年前那改變她命運的一天，雙親也是這樣對坐著諦視她進來。只是那時屋裡瀰漫著黃梅天的陰雲，黯慘淒涼，而如今卻係氾濫著四月的陽光，溫暖輝燦。

她永遠忘不了那一天，她記得那天她剛舉行過初中畢業典禮，興孜孜地捧著文憑回家去。快到家門口時正好逢到弟弟緯明也捧著小學畢業文憑回來，老遠便嚷著：

「姊姊，我考了第四名，妳呢？」

「我們不分名次，不過我是前十名成績優異的一個，下學期可以免考升入高中，嗳，弟弟，下學期我升入高中，你考上初中，我們就可以上一個學校了。」

「如果爸爸買了腳踏車，我還可以帶妳哩！」

說著，兩人已走進屋內，同時喚了聲：

「爸爸！媽媽！」但慧明立刻感到屋子裡的空氣顯得十分沉悶，父親跟母親都在屋子裡坐著。顯然正在討論一件不愉快的事，不然母親這時候是不會有功夫陪父親聊天的。雖然兩人都答應了，仍不難看出憂煩在臉上留下的痕跡。姊弟倆把文憑交送上去，又將畢業典禮及將來升學情形報告了幾句，父親先是瞪著兩張證書發呆，看著看著，忽然把證書向桌上一推，頭埋在手裡，從掌心裡發出被窒息的聲音沉痛地說：「我這個做父親的真慚愧，有這樣的好兒女是值得自負自慰的，可是，可是這一來我連培植的力量都沒有……」

「你先別盡惦掛這些事。還早哩——慧明，飯好了，就差一個菜沒有炒，妳準備碗筷去。」母親插進來打岔道，一面支配愕然站在一邊的慧明走開去做事，緯明也悄悄地跟到廚房裡來。慧明很想問母親是怎麼回事，但望望母親諱莫如深，不讓她有機會動問的神情，話到喉頭又嚥回去了。

暑假，這在慧明他們原是最快樂的一串日子，大家在一起說說笑笑，打打鬧鬧。興來時便同去游泳池裡浸上三四個鐘頭，慧明是大姊，緯明是二哥，老三德明念四年級，最小的安明下學期也要上學了。他們是不可分離的四姊弟。但這一年暑假卻多了另外一個閒人，那是父親。打從慧明領到畢業證書回來的那天起，他就沒有出去過，偶爾出去也不像平時上班那樣匆匆的趕上時間，他原是個詼諧的人，愛跟孩子們開開玩笑，可是這次待在家裡不僅沒有增加孩子們的歡樂，反使他們有所顧忌而不能盡興地玩，原因是父親陰沉的臉色，像隆冬下雪時陰霾的天空，低氣壓籠罩著整幢屋子，也蓋在屋裡的人心上。他常常一個人沉著臉待上兩三個鐘頭不言也不語，沉默得令人可怕，有時也會無由無故的發怒起來，激憤地咒罵著、咆哮著，逢上這時母親總是悄聲勸慰著，同時平靜的遣開孩子們，表示不曾發生什麼大不了的事，但儘管母親依舊跟平常一樣，神情安恬，若無其事的忙這樣、忙那樣。但當慧明留心觀察時，卻發覺她在無人時也深深鎖住眉峰，一臉沉重的心事，同時慧明覺得他們吃的飯菜一天比一天差，連四弟有時要兩毛錢買糖都被禁止了，顯然家裡發生了什麼重大的事情。慧明知道母親從來就不肯把生活中偶爾遭遇的困難讓孩子曉得，她總說孩子也只有那麼短促的一個無憂無愁的童年，別再讓生活中的問題煩攪他們純潔的心靈——但是慧明那時已經是十六歲了，早熟的十六歲女孩子對人生已有一種敏感的預測，在放暑假後的第四天，只剩她母女倆在廚房裡時，她終於忍不住問母親。

「媽，爸爸這幾天為什麼不去上班？」

「休假。」母親漫應著。

「公司也跟學校一樣放暑假麼？」

「嗯。」

「媽妳別騙我了，我看得出家裡一定發生了什麼嚴重的事情，是嗎？」慧明扳著母親的肩頭說，眼睛一瞬不瞬地望著她迫切地等候答覆。母親默然片刻，然而深意地瞥了一眼慧明，歎了口氣說：

「妳還小，但等妳大了必然也會面臨生活中一切困難，我原不想在妳這樣的年齡讓妳知道生活中的煩惱，好讓妳玩得痛快些，妳一定要知道，我就告訴妳，妳爸爸被公司裡遣散了，就是說失業了。」

「為什麼？爸不是在公司裡服務了十幾年了，一直都很順利嗎？」

「孩子，妳看到過那些製糖的甘蔗嗎？當甜汁被榨乾時，渣滓便毫不重視地被丟棄了，有時，在社會上做事，人也便同甘蔗的命運一樣。」

「這太不公平了！」慧明忍不住不平地嚷著。

「這世上沒有人會管公平多少錢一斤，但生活的擔子卻是沉重的，本來靠妳爸爸一個人賺來的錢養活一家已經很緊的了，如今這一來一時找不到工作，那一點遣散費是有限的，以後日子長著呢！還有你們四人的教育費——」母親的聲音低沉下去，說不下去了，只是低著頭縫補襪底。慧明望著母親額上蹙起的皺紋，心裡湧起一陣悲哀，她很想過去緊緊擁抱住她的肩頭，是的，為了撫育他們姊弟四個，父母是付出了太多的辛勤，如今又遭遇了生活上的困難，而他們卻無能為力。

慧明在一剎那忽然萌生了一個主意，她堅決地宣布：

「媽，我決定下學期不再升學了。」

母親抬起頭來，眼睛微微有點潤濕，無限溫和地望著慧明說：「好孩子，難得妳有這樣犧牲精神，但開學還早哩，快快活活過完這個暑假再說吧。」

但慧明的主意一拿定，卻比鐵還堅決，她更覺得停止升學只是消極的節流，必須積極的從事開源才能更有助於事實，是的，她得去找一份工作，當她這麼作決定時，她頓時覺得自己在一天內忽然長大了。長大得可以肩負起一家的苦樂。

她從第二天起便不參加弟妹們的游泳取樂，獨自到圖書館去，找遍所有報紙上的「人事」啟事，她瞞著家裡第一次悄悄去應徵的是縣府的臨時雇員，但終於因為應徵的人太多而落選了，接著她又去應徵過書店營業員等，亦被人捷足先登了。

最後她去應徵一家百貨店的店員，結果卻很順利地被錄取了。

慧明把自己的主意告訴了母親。

「妳到底還小哩，不到出去做工作的時候，再說店員這份職業似乎也不大高雅。」母親出於意料之外，極力勸阻著。

「在暑假裡反正閒著也是閒著，出去看看多少也增長點見識，我認為只要是自己的勞力換取報酬，沒有什麼高雅不高雅，媽，妳就讓我去試試好了。」慧明堅持著自己的主張，列舉出種種理由，再三說服母親。由於她的執意，母親拗不過她終於勉強答應了，而且也答應她過些時再婉轉地解釋給父親知道。

慧明去服務的是一家規模不算小的百貨店，她被派在化妝品部門，那裡原來有一個裝束入時的售貨小姐，慧明不免事事都得先向她請教，她對這新環境感到十分拘謹和不習慣，她靦腆而吶吶地應付顧客，與原來那位售貨小姐的舌底生花，笑顏奉承，相形之下，更是笨拙木訥，幸好這天生意不太好，沒事時她便伏在櫃台上像記英文生字似的，默誦著那些貨品的名稱和價格。同事們不時對她投射過來打量的一瞥，顧客們的眼光更像洞徹肺腑的X光，使得她局促不安，快打烊時，經理踱出來在店內巡視了一周，忽然他停立在化妝部前面，就同估量一隻才關進動物園來的小鹿，諦視著慧明，微微搖搖頭說：「妳的臉色多蒼白，就像一枝被大雨沖洗過的梨花。而妳這身裝束在這氣氛裡是十分不調和的，明天去把頭髮燙起來，換件漂亮點的衣服，妳要用什麼化妝品可以先賒去用，日後在薪俸內扣除好了。知道嗎？」

慧明羞愧地低下了頭，她何嘗不知道自己這身自以為整潔的白衫黑裙，雜在一群花枝招展的店員中，就同一隻醜小鴨摻入一群搔首弄姿、炫耀奪目的孔雀群中，特別顯得怵目和不調和，為了應付環境，回家時，她在櫥櫃裡揀了一支最便宜的日本口紅。

第三天慧明換穿了一件比較花一點的長裙，她不敢在母親面前搽口紅，覺得那樣做就像當著她的面犯了一種不可饒恕的錯失，她等到了店裡才悄悄地溜進盥洗間搽上口紅，這動作在她是陌生而笨拙的，搽好後她總意識到自己嘴唇被黏封著的不舒服，這天正好是星期日，主顧，不，應該說來參觀的人特別多，應付那些女客們最要耐心，她們常常問東問西，叫把貨品搬出來鑑賞一會，挑剔一陣，卻什麼也不買的走了，但比起那些只想吃吃豆腐，看人比看貨還看得厲害的男主顧來，女主顧的嚕嗦卻又比較容易忍受了。慧明打起精神應付，還因為手忙腳亂、動作遲滯，而不時引起那位小姐的白眼和顧客的催促。就這麼著應付了一天，只累得舌敝唇焦，頭痛欲裂，連聲音都瘖啞了。

星期一生意比較清閒，那天下午慧明正靠著櫃台溫習她的功課——默誦那些化妝品名稱，一個繫著大紅領帶的男顧客嘴裡嚼著口香糖，晃晃蕩蕩有要沒緊地踱了進來，向四面望了望，走過來一手便肘在慧明面前的櫃台上，盯著慧明嘻皮笑臉地說：「喂，幫我挑一支口紅行嗎？」

「要什麼牌子，什麼顏色的？」慧明低下頭，避開他的視線，一面拿出口紅來。

「這個我不清楚，妳給介紹介紹，第一要顏色鮮明，第二要不容易掉！」

慧明學著別的女店員一樣，把口紅打開，深深淺淺，一種一種輕抹在掌上，給顧客挑選，但那顧客卻不看掌上的口紅，只盯著她的嘴唇問：「妳唇上搽的是哪一種？我喜歡這顏色。」

慧明耐著氣，把掌上那種口紅指給他看，他又故意裝作要看得仔細些，一把握住慧明的手湊到眼前來鑑別著：「妳說的是這種麼，唔，這一種好像紅得更豔些，可是我怎麼曉得它不容易掉哩，要掉色的口紅總是男人的麻煩，是嗎？我看最好這樣，」那人瞇著眼湊過唇去，貪婪的盯住慧明的嘴唇。「先搽在妳唇上讓我試驗試驗……。」

慧明覺得一陣熱血直湧到臉上，她已忍無可忍了，猝然抽出手來，把口紅一股腦塞進櫥櫃裡去，生氣地說：

「你這是來買東西還是幹什麼的？真無聊！」

「什麼？我到你們店裡不是來買東西難道還是來玩嗎？叫妳們經理出來問問，有用這種態度對待顧客的麼？」那人惱羞成怒，倒拍著櫃台咆哮起來，另外那個店員連忙過來勸解說：

「你先生要什麼？她是新來的有時弄不清楚。」

「新來的，新來的就能隨便侮辱顧客嗎？非要找妳們經理問問。」那人見有人來勸，反越來越強硬了。慧明只氣得嘴唇顫抖著，熱淚盈眶，卻說不出一句話來。

那人好歹被勸走了，經理卻傳出話來叫慧明進去。

「妳知道我們服務的信條第一就是要和氣，要懂得怎樣招徠生意，有的顧客也許喜歡在嘴上討點便宜但這又不會損壞妳一根毫毛。」經理眼光灼灼的瞪著慧明，正言厲色的訓斥著，「像妳這樣不把主顧都給得罪光了！下次……」

「請你別說下次不下次了！」慧明氣憤地攔阻他說下去，「做店員是出賣勞力，可不是出賣人格。更不能隨時忍受別人的侮辱！我在這裡做了三天，賒了一支口紅，三天的工資就抵一支口紅好了。」慧明一口氣把話說完，便昂著頭走出經理室，走出百貨店，到了街上，才猛然記起了什麼似的，便摸出手帕在搽著口紅的唇上使勁地擦拭了一陣，這才悻悻的回家去。

母親在房間裡以關切和詢問的眼光迎著她，慧明感到一肚子委屈，很想投入母親懷裡大哭一陣，發洩剛才受來的氣惱和屈辱，但她只是臉上的肌肉動了一動，終於抑制著自己的激動，裝得平靜地說：

「媽，我不在百貨店幹了。」

「我早就說這工作對妳是不適合的。妳偏要去試。我看妳還是安心在家裡給待著吧，別再出去張羅什麼工作了。」母親似乎已從她掩飾不住的神色上看出了什麼，卻也不追究，只是柔聲勸慰著。

「成功是要經過許多嘗試的哩。」慧明不以為然地說，剛才的打擊不僅不曾使她屈服，反而更加強了嘗試的勇氣和決心，她很快就像撕掉一張沾污了的練習本一樣，把適才遭遇不愉快的那一頁，從記憶之冊撕去，翻開嶄新潔淨的另一頁。

第二天她又繼續在報紙上、廣告中尋求著機會，一個星期後，她考取了公路局的隨車售票員。

這工作在一開始是相當艱辛的，站在車上不停地收票賣票，要留心到站了吹哨子停車，還要受擠軋。第一天工作下來，慧明只覺得兩腿痠痛僵硬，彷彿不是她自己的，眼睛張不開來，恍恍忽忽好像總有一堆黑壓壓的人頭在晃動。回到家裡她睏得連飯都不想吃，只是渴望著上牀去將自己放平，闔上眼睛。

「慧明，看妳累成這個樣子，明天不去算了。」母親無限憐惜地說，慧明笑了笑，反用安慰的口吻對母親說：

「休息一下就好了，這全是因為不習慣的緣故，習慣了就不會這樣了。」

母親知道拗不過她的倔強，只能苦笑著無可奈何地望著她搖搖頭。轉過身去，暗暗地歎了口氣。

二天、三天過去了，慧明果然慢慢的習慣了售票員生涯。自然，這工作也不是完全沒有煩惱的，有時車廂早便擠滿了，但站上的乘客均不理她請乘下次車的勸阻，仍是拚命的往上擠，擠得幾乎連她也無立足之地，有時有些討厭的男客故意慢騰騰地把票捏在手裡露出一點角讓她撕，眼睛卻貪婪地盯住她的臉盡看，有時有的乘客毫不理會她的勸告，請他們不要在車裡抽煙，偏抽得起勁，有時乘客誤了站下車，又怪售票員不報告站名……像這些小小的糾紛和爭執每天總要發生一兩件。慧明總是以和藹的態度，莊嚴的神情，來處理這些事，她不住警告自己要容忍。她更不願把工作中遭遇的困難、煩惱帶回家去，讓母親看出來替她難受。

當她第一次領到工資，領到用三十天的勞力和時間換來的報酬時，她不由得感到一種淡淡的驕傲，是的，她在家裡坐享其成的生活了十六年如今也有一天由她對家裡有所奉獻，雖然這奉獻是微薄的。但這裡包括著的是她全部摯情和力量，她把整個薪俸袋原封不動地擺進母親的錢櫃裡。

眼看著暑假快完了，父親的工作依然沒有一點眉目。

開學那天，母親拿出一疊鈔票交給慧明說：

「去繳學費吧，這是妳自己掙來的錢，我留著還沒有動用，順便替妳弟弟一起繳了。」

慧明望望母親手裡的鈔票，心裡動了一動，但馬上咬著嘴唇轉過去，悄然說：

「我不去，妳去替弟弟繳吧。」

「為什麼？」

「我不早告訴妳下學期不升學了。」

「可是能夠多念一點總是多念一點的好，至少這個學期總還能對付過去。」

「媽，妳知道這不是一天兩天的事，以後日子長著哩，萬一爸爸許久都找不到工作，我多念個把學期的書又有什麼用。」

「妳說的倒是實情。」母親伸著的手無力的垂下去，聲音微弱得像蚊子在叫。頃刻她又感動的撫著慧明的肩頭，顫抖地望入她眼裡說：「可是這樣不太委屈妳了！」

「只要能夠幫助家庭，重新看到爸和媽快樂的笑臉，我無論做什麼都情願的。」慧明也用手臂勾住母親的頸子，半帶撒嬌地說，忽然一眼瞥見鐘上的時刻，連忙「哎呀」一響，一面說：「這下怕要遲到了！」一面急急地揹上背包就往外跑，跑到門口回過頭來，猶見母親兀自佇立著目送她出來。

一開學，就像春天從南方飛來的燕子一樣，滿街上陡然增添了不少白衣黑裙的女學生，汽車上也上上下下，三五成群的飄揚著黑色的裙角，洋溢著活潑的笑話，平添無限朝氣和活力。儘管慧明是那樣堅決地放棄學業，但看到她們時總感到是一種精神上的威脅，當她們三五成群嬉嬉笑笑，一同上車下車時，更襯出她的孤獨與渺小，她只是低下頭撕她們手裡的車票，不願意接觸她們的視線，她更怕遇著從前的同學，她並不曾把自己這份工作看成卑下，相反的她認為以勞力換取報酬，能夠自食其力是值得自負的，但是她卻不能忍受同學們陡然發現她站在車上售票收票時，眼光中流露出的那種摻雜著驚訝、憐憫、同情的神情。就像她是一個十分不幸的人似的，強迫她要產生一種自卑的心理，意識到自己真正是個不幸的人。

只是這種心理上的自卑感在她對本身工作認識清楚而發生興趣時，便慢慢地消失了。她歡喜車子風馳電掣地馳過平坦的馬路，在車窗裡望著成排的樹像等待檢閱的隊伍般滑馳過去，高低疏密的房子屏風似地向後撤移，一路趕上行人、腳踏車、三輪車，又把他們撇得遠遠的，汽車一直是領先走在前面，她也喜歡老遠就望著候車站上站著的許多乘客，以迫切而期待的神情盼望著汽車，像恭候著什麼達官顯要似的，她覺得懸在她胸前那一個小小的銀哨具有無上權威。不是嗎？只是她那麼輕輕一吹，汽車便在守候著的乘客面前停下來，只要她再一吹，它又載著人們和他們的願望，送他們到達目的地。她服務人們，卻也操縱人們。而她熟悉那些站名，就像熟悉她書架子上的書本一樣，《愛的教育》過來是《孤女歷險記》。《孤女歷險記》過來是《大衛．高柏菲爾》……火車站過來是民族路站，民族路過來是中山北路、中山南路……她閉上眼睛都可以吹哨子。

她對自己服務的那輛汽車也產生了一種密切的感情，她愛護它一如愛護她的書本，車子停下來小憩時，她便請它喝水，並仔細的拂去它在漫長的旅程中蒙受的灰塵，當這一切做完後，她便悄悄地鑽進車廂裡，靠在舒適的沙發椅上，享受她那片刻閒暇——靜靜地看一點帶來的書。

日子一天一天在車輪下輾轉過去，又快到寒假了，但父親除了偶然找到兩次短期工作外，事情依然渺無頭緒，家裡的經濟一天比一天拮据，慧明的薪水已成為家裡主要的收入了。

風雨無阻，寒暑無間，慧明一張一張地撕碎著車票，一秒一分地撕走了時間，一截斷了的車票象徵著一段旅程的完成，而一分一秒被撕走的時間，卻像白雲飄過天空，不曾留下一點痕跡。短短的寒假一瞬眼過去了，緊接著又是暑假，從寒假到暑假，慧明已整整做了一年的隨車售票員。

這一年的暑假開始了沒有多久的一天晚上，慧明照例下了班拖著疲倦的身子回到家裡。本能地感到家裡的空氣與平常有點不同，弟妹不像平時一樣，躡手躡腳，小聲小氣地瑟縮在一個角落裡輕輕說話、做功課，卻大聲喧譁著在嬉戲。父親一下子也好像變年輕了些，原來打了無數皺褶的愁臉，今天卻意外地被一種淡淡的喜悅熨平了，就似一件熨燙得筆挺的衣服比打皺的要新嶄漂亮得一樣。母親不讓她有驚訝地時間，已笑著迎上來接過她手裡的東西，欣忭地告訴她說：

「明天就辭掉這累壞人的事情吧，妳爸爸找到工作了。」

「真的？」慧明一高興，渾然忘記了疲倦，按著母親的肩膀跳起來，轉臉看父親時，只見他正含笑望著自己點頭，一面帶著那種莊矜的神情，過來拍著慧明的背激動地說：

「孩子，妳替爸爸挑了一年的重擔，明天可以交還給我了。」

「謝謝上帝，我們終於過完了窮困憂煩的日子！快樂終於又降臨到我們家裡！我真高興！可是，爸你別叫我辭掉那份工作，仍舊讓我替你分擔一些不行嗎？」慧明仰著臉懇求著。

「不，如果我們沒有太多的奢求，我一個人還能挑得起這副擔子，世上還有比豐富物質生活更重要的事，那就是豐富自己、充實自己。慧明，別忘了妳還有妳的學業前程哩。」父親慈祥地望入她眼中說。母親也接言道：

「正好學校又快招考新生了，準備準備還來得及去考。」

「我怕我的功課都丟生了。」慧明低下頭去吶吶地說。

父親跟母親聽她這麼說，不禁對望一眼，露出歉疚的神情，不料緯明卻在一旁插嘴進來說：

「姊姊是騙你們的，我晚上醒來常常看見她晚還在溫習學校裡的舊書，怕不熟得可以吃了！」

「不管功課有沒有丟生，考是一定要去考的，從現在起馬上就開始準備好了。」父親堅決地宣稱，慧明瞅了弟弟一眼，心裡感到有點矛盾，她何嘗不渴望重溫學校生活？可是間歇了一年的書本，多少總有點生疏了。時間又那樣局促，考不取學校多不好意思！而一年來她已習慣了那份工作，遽然辭掉也不無依戀之情。

「先不要替我辭掉工作。」慧明想了一想說：「說什麼我已做了一年了，一年來我與我那輛車一直朝夕相處，遽然間便這樣不辭而別，似乎太不禮貌了，再說我考學校並沒有絕對的把握，萬一也留個退步——」

「好，好，不想妳這孩子只做了一年事情，說出話來倒很像一個懂得瞻前顧後的大人了！」父親笑著在她頰上擰了一把，母親也笑了。

慧明終於依著自己從事教育的志願，去考了師範學校。從準備到考試她一共只請了一星期假，考完她等不到發榜，又去站在車上售票撕票，吹奏著她象徵著權威的銀哨——

如今，她一手握著師範學校的錄取通知，一手挽住弟弟的肩膀，走進屋子，不提防緯明把手一揚，屋子裡兩個小的弟妹立刻揚起手臂，同聲歡呼：

「歡迎我們勞苦功高的姊姊！姊姊萬歲！」

慧明吃了一驚，不禁立停腳步傻楞楞地望望這個，又看看那個，感到臉上心裡都熱辣辣的，並立著的父親母親這時把身子一挪，在他們背後原來還安排著一桌豐盛的餚菜。

慧明這下更傻住了，臉紅紅的，瞠目結舌，呆立在屋子中間，一時不知所措。

「這一個小小的，但以更多的摯情安排的宴會，是為我們的大女兒，和她的爸爸所設的。」母親笑著從一個臉上望到另一個臉上，聲音裡卻含蓄著無限莊嚴、深沉。「一是慶祝做爸爸的重新獲得了工作，一是慶祝慧明考取了師範，而最重大的意義，還是為慰勞慧明這一年來的辛勤。由於她那堅忍苦鬥的勇氣，和犧牲的精神，不僅在生活上幫助不少，而在精神上也給了大家莫大的鼓勵與振興，才使我們能夠安然度過幾乎瀕於絕境的難關。」

母親說完頷首向慧明高舉起酒杯，大家也跟著向她舉杯。

慧明手裡接過酒杯，眼睛裡滿盈著熱淚，用顫抖的聲音望著母親說：

「我只是為家裡盡了我一點極微弱的力量，這一點力量比起爸和媽給予那許多的愛和關切，那實在是太渺小了。媽，妳別再說什麼犧牲不犧牲，我雖然曠了一年學，但是我上了人生的另一課，我將永遠不會忘記這值得珍貴的一課！」

民國四十三年九月十四日

編註：本文原刊於《中華婦女》第五卷第五期，一九五五年一月，頁二十一～二十四。

不是故事的故事

一支香煙接著一支香煙，一個煙圈接著一個煙圈，小室裡像秋天多霧的山谷，瀰漫著灰色的煙霧。就在這煙霧氤氳中，作家慕容彤埋在他的大圈椅裡，尋求著靈感。

鈴鈴鈴……壁上的電話響了，震破了小室的靜寂。

慕容彤帶著些許不耐煩，漫不經心地接過電話：

「喂！這裡是慕容彤先生家嗎？」

從話機中傳來少女溫柔和悅的聲音，像一道新鮮的曙光，流過慕容彤沉鬱的心靈，他不禁為之精神一振，忙說：

「不錯，這裡正是。」

「那麼請問慕容彤先生在不在家？」

「我就是慕容彤。」

「噢，你就是大作家慕容彤先生，那真太好了！」怯怯的聲音裡有著難以抑制的喜悅，接著激動而急速的一口氣說下去：「我是你忠實的讀者，我最崇拜你的作品。你每一篇我都仔細地拜讀了。尤其是最近寫的那一篇〈少女的心〉，最使我感動。」

「謝謝妳的愛護，那在我真是太榮幸了。」縱使慕容彤早便習慣了這類讚美，但從一個少女柔悅的聲音說來，仍使他飄飄然。

「慕容彤先生，我要請你原諒我妨礙了你的寫作，打斷了你的文思。我知道我這樣做是太冒昧了，但我卻抑制不住自己迫切的願望。除了向你致崇高的敬意，我還想告訴你一個故事……」

「一個故事……那真是我竭誠歡迎的。」

「但這也說不上是故事，它沒有曲折的情節，缺少動人的場面，它是平凡而又平淡的。而唯一值得一提的是洋溢其中的一片真摯的情感。因為我知道只有一個作家才具有深厚的同情心，才了解人類的情感，哪怕是最細微的情感。因此，慕容彤先生，我請求你能用高度的耐心聽我敘述。」

「最真的也就是最美的，一個文藝作者所重視的原是人類這份真與美。我，等著妳說哩！」

「謝謝你的允諾。那麼從明天二點鐘起，每天請給我十分鐘。」

「為什麼要明天二點鐘起，而又只講十分鐘。」

「因為……因為那時間對我比較適合，但不知是否對你有所不便？」

「不！十分鐘，抽一支煙的工夫，在思想的海裡，也不過涓涓一滴。」

「那麼打擾了……」

「等一等，妳還沒有告訴我妳是誰？」

「我告訴過你，我是你一個忠實的讀者，只是千萬讀者中的一個，她的姓名對作家是無關緊要的。」

「總不成稱妳喂喂！」

「但不妨叫我幻幻。」

「幻幻小姐，嚇！這名字就像人一樣的空靈。」

「慕容彤先生，明天見！」

「明天見！幻幻小姐。」

「這倒像傳奇小說的開始。」慕容彤放下電話，嘴角浮著一抹輕鬆的笑意。「可惜電話還不能傳真……」

他燃上一支煙，重又把自己埋進大圈椅裡。

慕容彤埋在他的大圈椅裡，吐著煙圈，一個追逐一個，擴大又消散。他感到淡淡的煩惱，思想就像那些煙圈，無法凝集。他一點也不願像自己在等待什麼，但卻不止一次的瞥一眼手錶，二點差二十分，差十分，差五分……

電話響了，比鬧鐘還準。

「午安！慕容彤先生。」依然是溫柔和悅的聲音。

「午安！幻幻小姐。」慕容彤欣忭地回答。

「為了不誤你寶貴的時間，我這就開始好嗎？」

「請！」

片刻的沉默，就像一個提琴家在彈奏前調整他的琴弦。

「我記得告訴過你，別把它當作故事。那只是一個癡心的少女一片心聲，一個愚昧的少女喃喃的夢囈……」

瑟弦調整了，撥弄著的是那根最柔和的E弦，輕柔、沉緩、憧憬，摻著淡淡的抑鬱。那聲音有似浮盪著的蛛絲，一開始就黏住在慕容彤的心上。

「開始得很美！」他湊著發話機告訴她。

「她……故事中的少女，原是一個身世飄零，自幼就沒有人關心的女孩子。」她緩緩地接著說下去，「我記得你寫過一句：愛，是生命的陽光。她就似那生長在陰濕角落裡的一株小樹，缺乏陽光的照耀。長得瘦小而又怯弱。她平時言語拙訥，不會表達自己的情感，她的服飾簡陋隨便，不像別的女孩子一樣懂得炫耀自己。她的舉動笨拙而遲鈍，當別人都用工作來表揚自己時，她卻只會躲在人家後面做些粗笨、沉重而不為人所知的瑣事。慕容先生，你說她不像一隻醜小鴨嗎？」

「不，一個人的美並不是完全由外型來確定的，內在的美，才是真正的美。譬如善良的心，純潔的靈魂，崇高的思想……」

「善良的心，是的，但是一小粒鑽石被戴在指上炫耀時，它是光彩奪目的。而成塊的鑽石埋沒在荒僻的礦山中，又有誰識得它的價值？她是善良的、純潔的，那是她的天性，她並不知道它們的可貴。而正因為她自覺笨拙、醜陋，慣受了人們的漠視和冷淡，她有一種自卑的心理。她畏怯、怕羞、沉默、冷漠。她生活得沒有生氣、沒有希望、沒有夢想也沒有憧憬。她活著只是為活著，默默地做著她分內刻板的工作。別的像她這般年齡的少女，她們的心園中正是春光明媚、百花燦爛、而她的心園卻是一片荒涼，從沒有春風吹拂，陽光照耀，她一天比一天活得黯淡、消沉……慕容先生，若是在你的筆下有這麼一個對人生失卻了信心的女孩子，你又將怎麼處理？」

「同情與愛心的鼓舞，將使她重新振作。」

「同情與愛心，真的，慕容先生，那簡直是生命中的兩大奇蹟……它的被發掘，是她生活上的一大轉捩。

「不是嗎？慕容先生，有的時候一座冰雪固封的火山，只是由於一點火星的點燃，而突然引起爆發，噴射出熾熱的熔岩。她的感情便似那固封在冰雪岩石下的熔岩。只是偶然的一觸，便沸騰奔放……我還忘了告訴你，她原是一個護士，而啟發她愛心的是醫院中新來的一個醫生。他年輕瀟灑、和藹可親、正直熱心、好學不倦，她與其說是被他的風采所傾倒，不如說為他的品格所感化。他在她心目中是一隻高貴的天鵝，以一隻醜小鴨而愛上天鵝，這不是很可笑的嗎？慕容先生，這便是矛盾，這便是痛苦，這也是一個懵懂的少女初次供奉在心的聖壇上一份純潔祕密的祭品，她開始嘗試著智慧之果……噢，十分鐘過去了，我必須遵守我的約言，再見，慕容先生。」

慕容彤正凝視傾聽，但時間一到，她便毫不遲疑地向他告別了。

「講的很美也很動人，雖然內容不算太精采。」慕容擱下電話沉思著，帶著那種浸緬的神情：「這還是開始，很不錯的開始……」

●

「慕容先生，記得你曾在一本書裡說過，愛情來的時候是沒有預兆，不發警報的。它悄悄地卻又迅猛地一下就箍住了你。」寒暄過後，她又在電話裡接著昨天的講下去。

「多虧妳記得那麼清楚。」慕容彤高興地回答。

「但當她被緊緊箍住時，她還不知道那便是愛情哩！她的偶像，那年輕的醫生，就像一個諄諄善誘的老師不時啟發她開導她，他鼓勵她做工作上的嘗試，適當的給她獎勵，他又像一個長兄般給她友愛的溫暖與關切，雖然他不僅是對她，對所有他的病人和同事都一樣的關切和熱情。但因為她孤寂的心靈卻是初次感受到別人給她的溫暖與鼓舞，她是那樣深深感動。她崇拜他、敬重他、愛慕他，而在他的影響下她變了，變得不再畏怯、自卑，她長大了，充沛著活力。她對生活有了信心，她對工作有了興趣，她覺得人生是美麗的，充滿了希望與溫暖，她覺得生命是可愛的，蘊藏著幸福和活力。他成了她思想的主宰，她總是努力遵循他的意志去做這樣，做那樣。當她這樣做時，心裡總是默念著：『他會高興我這樣做的。』『他的意思一定也是這樣的。』她認為最幸福的時刻，便是輪到她與他一起當值。在那小小的門診室裡，她一面應付病人登記量體溫，一面聆聽著他用充滿同情的聲音，仔細的垂詢病人的病狀，溫和的安慰他們的驚恐。更不時諦視一眼他那全神貫注的神情，她覺得他不是人，而是上帝派來解除世人疾病痛苦的神。他看顧的地方陽光普照，他經過的地方生意盎然。她諦視著他感到無限欣慰和驕傲，因為她整個的心中擁有了他，可是當她離開他時，又覺得惶然無主，若有所失。慢慢地，她意識到那份情緒便是愛。她已深深的愛上了他。」

「每一份真摯的愛情都該受祝福，為那少女的初戀，為妳故事中的護士小姐和大醫師祝福！」當她終於停止用那充滿熱忱的口吻，述說無盡止的崇揚、讚美，而透口氣的時候，慕容彤插言說。他為冗長的描述感到些疲倦。

「謝謝你的祝福，慕容先生。但是，縱使那癡心的少女有一片真情，也只能暗暗地、默默地在心裡愛著。因為那位好醫生，彷彿除了愛他的病人，渾不知世上還有兩性間的愛情，他整天忙著看門診、巡視病房、研究病理、做實驗，他自己從來不知道休息，也不曉得疲倦，自然，也更會忽略了旁人對他的心意。」

「愛像咳嗽，是掩藏不住的。她不向他表示麼？」

「噢不，你知道一個少女的自尊心永遠阻止她這樣做。它鎖住她的感情比鎖住倉庫還嚴密。但她也並不過分奢求有所獲得，去愛要比被愛更幸福，是嗎？她覺得就是這樣默默地在心裡愛著他，她也感到無限甜蜜，無限幸福……可是，這份甜蜜的幸福卻不能長久，他要走了，他要去從事一種病菌的研究，這是一樁艱辛的工作，他不得不擺脫現任的職務。但這給了她一個多麼嚴重的打擊！她脆弱的心靈幾乎被擊成粉碎……呵！慕容先生，且待我明天把她粉碎的心湊合起來再跟你講吧，那還在滴著血哩！」她的聲音失去了平靜，例外的只九分鐘便終止了這天的講述。她那充滿感情的聲音，像磁石般富於吸力，慕容彤覺得他並不是被故事，而是被聲音本身所吸引著，深受感動。「如果那是她編排的故事，那她準是個最懂得愛的少女。」他想。

「幻幻小姐，那碎了的心還在滴血嗎？」電話一響，期待中的慕容彤便搶著先發問。

「血滴在心裡是看不見的，但是痛苦還能感覺。」她那低沉的聲音直叩人心扉，「告訴你，慕容先生，她簡直不敢想像沒有了他怎樣支配自己。眼看著他離開的日子一天一天迫近了，她一天一天的消瘦憔悴，那位醫生有一天關心地望著她說，妳這一陣很瘦，不是有什麼病吧，要不要我給妳檢查檢查？她只是苦笑著搖搖頭，她能回答什麼？他又能檢查出什麼？縱使X光能透視一切，也難透視心裡的矛盾。」

「傻孩子，她不會自己打開那把鎖嗎？」慕容彤建議道。

「可是，她沒有勇氣。不，應該說她還不曾找到鑰匙。但是，有一個被確定的消息說是院方同意讓醫生在院裡選一個護士去做他的助手。而人選卻要在他臨走的前一天決定。這消息在她就似濃霧中的一線陽光，絕望中的一線生機，她是那樣渴望著被選中，她滿心願望做一個居禮夫人那樣的妻子，在事業上是他有力的助手，幫助他獲致成功，在愛情上是他溫柔的伴侶，為他安排一個溫暖甜蜜的家。可是，這願望也只像天空的彩虹，僅僅是那樣片刻的光炫，她想起多少同事都希望做他的助手，她們的條件、機會又都比她優，而她自己，只是一隻畏怯的醜小鴨罷了。而最使她不能饒恕自己的，是在決定性的這天，她卻做了件蠢事，為這蠢事她恨不得手刃了自己。

「這一天她實在太緊張了，她原是端著配好的藥水、藥粉，送到病房裡給病人服食，可是當她經過院長室時她卻聽見醫生的聲音在裡面，她是那樣迫切地渴望知道他們是不是在討論那件她日夜關注的決定。她做了她生平從未做過的錯事，湊到門邊去竊聽，事情是太巧了，醫生正推門出來，嘩啦！一盤藥全撞翻在地上。

「當她聽見醫生嚴厲地囑咐她趕緊重新配藥，而接觸到他譴責的眼光時，她羞愧無地自容，只想化作空氣、化為塵土。她的錯誤，是她品性上的污點；她的闖禍，是她職務上的疏忽，而這兩樣卻全在她最敬愛的人面前表現出來，在這決定性的一天。

「就在藥盅摔破的剎那，她知道她僅有的希望也摔破了。她的命運被判決了，他將從此離開她，而她將永遠失去他，永遠，永遠。

「他曾經給她生活中帶來陽光，生命中帶來春天，他使她對人生感到溫暖，而充滿了信心、希望。如今他要走了，這一切也將隨風而逝。恢復她毫無希望、毫無生氣的慘澹生活，而她卻已再無勇氣接受這灰頹的生活，不是嗎？『有愛才有生命。』絕望中，她記起你在那篇〈少女的心〉裡為那個沒有生存勇氣的少女所安排的出路……」

「那怎麼成，那原是編排出來的故事呀！」慕容彤陡然一驚，忙急著辯解，但對方沒有聽他的，繼續用堅決而激動的聲音接著講下去。

「是的，這是唯一使她解脫痛苦的出路，幾滴芳醇的哥羅芳，一塊手帕，便將永遠長睡不醒，沒有什麼再能干擾她的靈魂了……唉！將最後的祝福給他……唯願他幸福……今晚……我已決定……」未完的話忽然被斷續的哽咽阻塞了。慕容彤連忙迫切地問。

「妳講的可是妳自己的故事？喂喂！妳在哪裡！妳在哪裡？」

但是傳過來的只是一陣細微的，被抑制著的嗚咽……電話掛斷了。慕容彤連搖了幾遍都寂無回音。

「又是一樁罪惡，又是一樁罪惡，我明知道有一個純潔的女孩子正要親手結束她年輕的生命，而無法阻止，無能拯救。該死的是她這樣做卻是受了我小說的影響。我不殺伯仁，伯仁由我而死，啊啊！我是兇手！我是劊子手！」慕容彤把桌上一疊原稿狠狠地摔在地上。盲目的在屋裡徘徊躑躅。他有一個衝動想出去訪問醫院。但馬上想到市內醫院多如過江之鯽，去探訪一個不知姓名，不識芳容的護士，又何啻海底撈針……他頹然跌坐進大圈椅中，把臉深深的埋在手裡。彷彿聽見自己的良心低沉的譴責：

「你平常大言不慚的說：文藝是教育大眾的，是培養國民道德，是心理作戰的武器，卻不知道是悄悄的散布毒粉？」

●

第二天一早起來，慕容彤便買齊了全市的報紙，他仔細地看過所有的地方新聞。還好，沒有一條自殺的消息。「也許發覺得快，在醫院裡是很容易救醒的。」他只能這樣寬慰自己，但快到下午二點鐘時，他又焦灼不安起來，他等待著，卻又不敢期望電話還會響，昨天那堅決的表示，那絕望的嗚咽，分明還縈迴在耳畔，如果……

「鈴鈴鈴……」電話響了，像一把尖錐直錐進慕容彤的神經，他猛然躍起，緊緊地攫住了電話，便急促的說：

「喂喂！是幻幻小姐麼！」

「我不是什麼幻幻小姐，你是慕容彤先生嗎？」電話裡傳來另一個陌生女人的聲音。

「如果你是的話，萬小姐留下一封短箋要我唸給你聽。」

「一封短箋？不是遺書？」慕容彤驟然心裡一陣冷，身子軟癱下來。電話裡一聲輕微的咳嗽，他集中了全部注意力在聽覺上。

「慕容先生，首先我得向你致謝和致歉的，是害你耽擱了不少寶貴的時間，每天來聽我這乏味的故事，但如果你知道當你這樣做時卻成全了一個女孩子的願望。也許你也不禁會付之粲然一笑，噢！我可敬的慕容先生，當拜讀你那些悲劇性的故事，曾賺去了我不知多少熱淚。可是，你總想不到卻借箸代籌，為你完成了一部喜劇，不是寫在紙上，而是寫在真實的人間。究竟是我應該謝你，還是你應該謝我，留待上帝裁決吧！祝福你，我最敬愛的作家先生！永遠是你最最忠實的一個讀者。」

「那麼，請問那位……萬小姐呢？」慕容彤聽完信，渾如墜入五里霧中，茫無所知。但有一點他可以放心的就是知道她還活在人間。

「今天上午同邵醫師一路走了。」陌生聲音告訴他。

「做他的助手？」

「也是他的未婚妻……他們是昨晚上閃電式訂婚的。慕容先生，你可以告訴我萬小姐每天給你講的是什麼故事嗎？她平常一直是那樣少言寡語，我跟她同事三年還不曉得她擅於講故事哩！」

「講的是一個護士怎樣暗暗地熱戀一個醫生，但這故事沒有結尾。」慕容彤沒精打采的說。

「她是每天什麼時候給你講？」

「下午二點鐘。」

「哦！」接著這一聲尾音拖得長長的哦，電話裡傳來一陣放肆的笑，笑得慕容彤心裡起毛。「我說那頂老實的小妮子，怎麼一下子就不聲不響的劫奪了女孩子心目中的模範醫師？慕容先生，原來她是利用了你呀！」

「我？」慕容彤覺得十分奇怪。

「嗯，她每天下午二點鐘給你打電話，而電話就裝在化驗室旁邊。」

「這與事情又有什麼關係？」慕容彤更覺得困惑不解。

「關係大著哩！下午一點到三點是醫院的休息時間，而我們的模範醫師每天那個時候便一個人在裡面做實驗。」

「哦！妳是說萬小姐雖然借我傾聽她的衷情，而實際上是要另外一個人聽？」慕容彤恍然領悟過來。

「對了，這便是她布置的那個故事的結尾，不想連你這聰明人也被小妮子蒙蔽了……」又是一陣爆發性的笑，電話在笑聲中掛斷了。

「這樣的結尾，唔！這樣的結尾！」慕容彤喃喃自語著，重又把自己擲回大圈椅中，茫然燃上了一支煙——不一會小室裡又瀰漫了灰色的氤氳，像秋天多霧的山谷……

編註：本文原刊於中國青年寫作協會主編《小說選集》，台北：復興書局，一九五四年九月初版，頁四十八～五十九。

死水微瀾

一

望著三個孩子風捲殘雲似的，把課本簿子收拾好，便跳躍著出去，江佩君伸伸懶腰，打了個哈欠，舉起的雙臂趁勢反過去勾在腦後，靠在椅背上。多冗長沉悶的一個上午！她略帶倦澀的眼光，茫然投向窗外澄藍的天，燦爛的陽光，更烘襯得小園裡一樹盛開的鳳凰木鮮明耀眼，記得前年自己到陳家來做家庭教師的時候，不也正值鳳凰木開得如火如錦，如今不覺已事隔二年了，依人籬下，但也許今年已等不到鳳凰木凋謝，便得離開這裡另覓生路，這裡的女主人不早跟她說了，只要等陳先生在台南把房子布置妥貼，他們就搬，只是那裡的房子比較狹小……她不用說明，江佩君也懂得她的意思，不預備再聘請她了，說乾脆一點，就是不想把這累贅再帶到台南去，依人籬下的生活是多麼沒有保障！這其間只有雇傭關係，毫無感情存在，不是嗎？這二年中她對陳家已可以說得是鞠躬盡瘁了，不僅負責三個孩子的教育，因為女主人應酬忙，無暇顧及孩子，她還兼帶著照料他們的起居作息，她曾把全副精神耗費在他們身上，可是如今——不過回過頭來一想，女主人對她總算不錯的了，她信任她尊重她的地位，不時還記得買件衣料、手帕什麼的送送她，說也是，這年頭誰還能在家裡長年養著個家庭教師！

儘管二年來的朝夕相處，她對三個孩子已產生了感情，儘管這一個家的家庭氣氛，已使她飄泊黯淡的心靈感到依戀，但不管哪一天只要男主人一回來，他們一搬，她就得離開這一家，孑然一身，無依無靠，像一個無主的遊魂。

她不由得又想起初來台灣時那一段落魄潦倒的情景，她原以為歷盡艱險，嘗盡苦辛，從大陸輾轉到了台灣總可以與達民破鏡重圓，鴛夢重溫，誰曉得他服務的那個工廠早已解散了，連信息都打聽不到一點，她在各大報刊載了許久的尋人啟事，所費的廣告費，就幾乎耗費了她僅有的存款三分之二。但依舊是石沉大海，她住在一家小旅店裡眼看著帶來的錢就快用光了，試著去找工作，她在台灣人地生疏，自然只得去應徵報上刊的徵求廣告，但不是受限制於年齡，便是考的人太多，沒有那份僥倖，有徵求家庭教師的，一聽見要供膳宿，馬上又婉謝了。她迫得走頭無路，求告無門，就差沒有自殺，因為她那時有一份信心，認為只要他在台灣，一個人，不是一枚針，總可以找得著的。可是那一種無告的苦悶，無邊的寂寞，那一種處處碰壁的絕望和沮喪，那一種對未卜命運的恐懼……江佩君皺得湊成個一字的眉毛已不能再皺了，她倏的兩手一撒，像撒掉什麼黏住在指上的口香糖渣似的，身子陡然坐直來，順手便拿起桌上擱著的報紙，視線很自然的，又落在那一小則她早就背熟了的分類啟事上：

某女士富教學經驗，願擔任小學至初中家庭補習教課，待遇不計，唯需供膳宿，請洽康定路九十二號陳宅轉。

這啟事已連載三天了，但還沒有一點反應。

她的眼光接著在有「徵」字的廣告裡瀏覽著有徵女性練習生，年齡得退回去七歲。有徵英文祕書的，自己的英文程度連看張報紙都還感到吃力，還有徵女傭、徵女洋裁工的，那就更不用提了，倒是接連三四則徵婚、徵女友的啟事，篇幅占得最大，她漫不經心地一則一則看下去，裡面有一則這樣寫著：

某君，年三十八歲，任某公司協理，收入豐，唯中饋尚虛，精神深感寂寞，誠徵三十二歲以內，南方籍，品貌端正、體格強健、中等程度女性為友，不論婚寡先友後婚，願者請函大同路五四號洪轉，合約面談，不合密退。

「這條件倒像為我而開的。」江佩君這樣想，忽然心裡怦然一動，她記起了陳太太有一天勸她的話：

「妳又在登尋人啟事了！江老師，不是我心直嘴快，我們相處這些日子，就像自己人一樣，妳這樣癡心等妳的先生自然是一片心意，可是妳也得退一步為自己打算喲，妳想想看，這幾年妳賺一點薪水捨不得吃，捨不得穿，差不多全花在登啟事上了，如果妳們先生在台灣，還有不看見的麼？妳們有幾年不見面了？五年多，嗯，不是我澆妳冷水，『穿破丈夫七條裙，不曉得丈夫的心』。男人的心本來是最靠不住的，加上太太不在身邊，這五年中妳曉得他會起多大的變化？說不定他在台灣，卻因為又跟什麼女人搭上了。就是看見了啟事，避免糾紛，也只得裝迷糊。自然，妳別多心，我也是猜測。不過妳盡一年一年乾等下去總不是長久之計，我們女人一上三十歲就是青春的峰頂了，下去就是下坡路，妳總不能當一輩子的家庭教師！再說妳在台灣既無親無戚，又無兒無女，倘有個三病兩痛連個侍候湯藥的人都沒有，這些年夠妳苦的了，我看妳還是趁早物色個合適的人，再建立個家吧，在此亂世，這原不算稀罕事，妳說我說的對不對？」

彷彿一根頭髮絲繫著一片葉子，原已岌岌垂危，忽然遇上一陣風，自然更禁不住吹得晃晃蕩蕩，飄搖欲墜。江佩君始終是信任達民的，他們是生死夫妻，感情甚篤，記得他離開上海時，她正大病初癒，不能勞頓，而他因公司裡的任務十分迫切，只得先來台灣，約好一月後來接她，誰知道一別便音訊渺茫，一個在幕裡一個在幕外，再難團聚，江佩君不相信時間和距離會影響到他們的愛情，她千辛萬苦逃出鐵幕，又千方百計進入台灣，只有一個目的，一個信念，與達民團聚，可是，日子一天一天過去，音訊一天一天渺茫，失望，痛苦一天一天的折磨，那份信心，終至被消蝕得只剩一根細細的髮絲繫住，險伶伶地空懸著，陳太太的話就似一陣風，吹得它有好一會飄搖不定——如今她看了這則徵婚啟事，竟又無風自盪起來，如果有一個誠懇可靠的男人來填補空虛，如果能享受那一份屬於自己的家的溫暖和安定生活，不比那種依人籬下，做家庭教師的出路強得多嗎？她記起前些日子看的一本《鄧肯自傳》上，鄧肯就把男人的愛情看作音樂，說是每一支樂曲有一支樂曲的情調、風格，不能因為聽了貝多芬的月光曲，便不能再欣賞孟檀爾仲的交響曲，那麼她那曾經用全副心靈和熱情領略過的那支樂曲，既然節奏已沉瘖，音符已消失，為什麼不能嘗試另外一曲呢？她還年輕需要愛情的溫存，而對一個顛沛流浪的單身女人，「家」的誘惑是太大了。家，溫暖的家，甜蜜的家……忽然，像被人窺破了心裡的祕密似的，她感到一陣熱血湧上雙頰，她在想些什麼呀！多荒謬，一份堅貞的愛情，哪怕只是意念上的一點邪思，也像犯了姦淫似的可恥，難道她當真想叛離她的達民，遺棄她的達民嗎？真該死！她把報紙往桌上一摔，一抬頭，卻見自己的影子正映在對面的大鏡子裡，頰上浮著兩團嬌豔的紅暈，可是，紅暈卻掩不住額上眼梢皺紋淺淺——憂患比歲月更催人老！

鏡子裡映著她酡紅的雙頰，玻璃窗上映著園裡嫣紅的花影，花開了、凋了，明年還是一樣的嬌豔，可是人的青春……突然，江佩君覺得從前所體驗的，那一種無告的苦悶無邊的寂寞，那一種處處碰壁的絕望和沮喪，那一種對未卜命運的恐懼……像一隻黑色的巨掌，正悄悄地可怖的從她身後頭上向她伸展過來，蓋壓下來……她窒息的呻吟了一聲，連忙跳起身來，跑出屋子，跑到園中的陽光下。

二

江佩君刊登的那則願就家教的啟事，一直沒有反應。

她為著躲避那黑色巨掌對她精神上的威脅，每天總是潦潦草草替孩子們溫習過功課，便一個人跑出去，按著報紙上那些徵求啟事，到處去東闖西撞，她把自己比作一個撞球，被那股求生的意志撞擊著，只是滾來滾去，還不知落入哪一個洞穴。她曾經去應徵過一個書記的職位，那在一家公司的樓上，接待她的人只淡淡地向她打量了兩眼，便告訴她，人已經僱定了。她曾經去應徵過一家報紙招考校對的職位，當她看見那一大串去應徵的人時，不由得倒抽了口冷氣，自然，那樣的希望是難有百分之點幾的，她又曾去應徵過一個會計的職位，去了才曉得原來是一家咖啡館管帳的，而已有好幾個穿得花枝招展、爭妍鬥豔的少女先等在那裡了。她沒有勇氣等待考問，便悄然引退——可是，儘管她在外面奔跑了一天，疲累不堪，當她回到她的那間小室裡待著時，那巨掌的陰影，又向著她悄悄地包圍攏來。

一天，她又是一無所獲，十分沮喪的回來，不敢遽然進房間，便軟癱似地坐在廊上的藤椅中發怔，一陣清脆的高跟鞋聲，女主人穿著新縫的蜜黃尼龍旗袍，娉娉婷婷走出來，看見她便大驚小怪地說：

「哎喲！江老師妳今天的臉色怎麼這樣難看，都好像瘦了不少哩，沒有哪裡不舒服吧？」

「沒有什麼，只是精神稍微有點疲倦，大概昨晚受了點涼。」江佩君不願讓人看出她的狼狽，強自振作著跟陳太太周旋：「這衣料穿在妳身上真好看，是上街去嗎？」

「我穿著還不難看吧，我就是喜歡蜜黃的顏色。」陳太太帶著被讚美的喜悅，俯下頭去得意的顧盼著，彷彿完全不知道自己抬起眼睛來時，額角上那厚粉掩不住的皺紋，江佩君忽然沒來由的對她感到一點妒嫉，憑她那樣俗不可耐卻有一個有地位的丈夫和三個孩子，有一份優裕的生活，一個美滿的家庭……

「噢，江老師我正要來告訴妳，剛才我們陳先生有信來，他說這個星期六便回家——妳那個廣告有消息沒有？」

「還沒有。」江佩君無力地回答。

「我看妳的事，就是膳宿問題不容易解決，在台灣有幾家又有多餘的房子！那天我還把妳推薦給張太太了，他四個孩子確實也要個老師管教管教。可是家裡就沒法挪出一個房間，唉！一個單身女人要在外面混飯吃也真難！」女主人做出一副悲天憫人、愛莫能助的神氣，江佩君覺得自己在她同情的眼光下，簡直像一個等人救濟援助的難民。

「如果在我們搬走之前，不看到妳有一個著實的去處我真為妳擔心呢！」陳太太接下去說，還是用那種憐憫的眼光凝集在她身上。

「謝謝妳的關心，陳太太，我想我會安排好自己的。」江佩君挺直腰肢，堅定而冷淡的望看她說。

「這樣就好。」陳太太覺得自己的同情，並未換來預料中的感激，帶著微微的失望走了。

江佩君望著她走出去，頓時感到支持自己的那點矜傲消失了，就像一座即將傾圮的屋子，原來用一根木頭掌持著，如今把木頭抽去，整座屋子便傾坍了下來似的，她整個身心都軟癱下來，一轉身跳回室內去躺在牀上，那陰影，那黑色的巨掌的陰影，又悄悄向她伸展過來，但她已無力掙扎，她的意志彷彿一隻漏底的船，由著它向黑暗深邃的水底慢慢下沉下沉……

忽然，像一個跑得精疲力竭的人迸出渾身僅剩的力氣，來一個最後衝刺一樣，江佩君倏地從牀上跳起來，跑到書架前找出前天那份刊有徵婚啟事的報紙，下了最大的決心寫成一封簡單的應徵信，「江佩君」，她寫著，但馬上覺得用真實姓名不大好，又換一張信紙改寫：

王珮琳，浙江人，今年三十二歲，高中畢業，隻身在台亟願得一合適男士為友為侶，日前偶閱足下徵求啟事，頗合心意而自問本身所具條件亦與足下所開列者大致相符，特函致意願約面談。

懷著賭徒那種孤注一擲的心理，江佩君把信封發了。

第二天陳家已開始先收拾一部分東西，孩子們跟著起勁，早已沒有心思溫課，江佩君心緒十分紊亂，她想得太多了，心裡反堵得慌，也不願去想那封信的事，好像那樣做只是為了安慰自己，至於後果她卻沒有想過，但是回信卻在第三天上午很快地來了。

珮琳女士：惠示敬悉，請在四日下午三時，駕臨維娜晤談，屆時各攜《今日世界》一冊，以為認識標記。

趙偉文謹上

信是用打字機打的，顯示著主人不平凡的氣派。

面對著覆信，江佩君倒反躊躇無主了，當真厚著面去與一個漠不相識的男人討論婚嫁問題？一個女人不是被男人包圍追逐，卻毛遂自薦趕去應徵不亦太悲哀！而萬一應徵上了，怎又對得起達民！達民在她心中永遠是她生命的一半，是她生命的重心，儘管睽違了這些年，他的一言一笑，他的一舉一動，甚至他極微小的生活習慣，在她心中所喚起的親切之感，猶如昨日，他在她生命中刻下的痕跡，比利刀刻在石頭上的，還要深、還要永恆——可是，除非這二十四小時內能有奇蹟出現，像童話中那願望之星忽然顯形一樣，忽然有了達民的消息，那將使整個生活改觀……但是，自然，那是不可能的。

江佩君苦苦的思索著這個問題，更牽扯到自己的身世和命運。這一晚她失眠了，睜著眼又想到第二天上午。

下午二點鐘的時候，她的尊嚴已決定要她取消那個約會，而二點半鐘的時候，她又覺得那巨掌的陰影正迅疾而無情的向她伸展大有一把把她握在掌中，壓成灰土、捏成齏粉的聲勢。「我只是個輸慘了無救的賭徒，且下這決定命運的孤注」。江佩君下了犧牲的決心向自己嘲諷著「愛情第二，尊嚴第三，生活才是第一」。

於是，江佩君半帶著自暴自棄的心理，振作起來開始打扮自己，她仔細地在臉部化好妝，在衣櫥裡挑選了一件陳太太因大女兒考取了初中送她的，淺黃底子起綠色大花的綢旗袍，換上白麂皮高跟鞋。這時鏡子裡映出來的已不是那個憔悴、嚴厲的家庭教師，而是一位風姿綽約、楚楚動人的華貴少婦。

「真下賤，我打扮得這樣漂亮去應徵，不就同商品把裝潢弄得好看一點，可以博取主顧一樣！」江佩君對鏡顧盼了一會，忽然又懊惱的譴責著自己，於是立刻又換上一件灰色素淨旗袍又把臉上的脂粉洗淡些，只留下淡淡的口紅，這時三點只差五分了，她出去喚了輛三輪車，半路上又在一家書店門口停下來買了本《今日世界》，這才僱車趕去維娜咖啡店。

三

午後的驕陽一無遮攔的傾瀉著，人們從烤熱的街上經過，就似經歷了一次蒸浴，自己在水汗和熱氣中蒸發，江佩君跳下三輪車，站在人行道上抽出手帕來輕輕抹拭齊額上鬢邊的那涔涔的汗珠，不為抹汗，只為鎮定一下情緒，她覺得有一點緊張，說是像與愛人約會，但沒有那份喜悅，說是像臨上考場，卻又摻著太多的窘澀。

咖啡店裡清清冷冷的，散座裡三五個主顧一目瞭然。當江佩君搜索的眼光投向那有著高背椅的雅座時，她的心不禁猛然往上一拎，接著迅速地跳起來，向外的一個雅座上，赫然像旗幟般高舉著一冊嶄新的《今日世界》，這下面是一件淺藍香港衫，淡灰色西裝褲，一九五四年新型的白皮鞋，一身都透著整潔、挺括，好像才濕熨了來的。江佩君遲疑了一下，緩緩地向著目標走過去，她覺得這短短一截路上地心吸力特別強似的，腳步顯得十分沉重艱澀，而越是走近雅座，心跳得越是急促，當她距離那雅座約莫兩三步時，那人好像也正在預備向外探望，那本《今日世界》往下移著，露出了一截額部和眼睛——突然，那本書隨著人的猝然起立被跌落在地上，就在這一照面的剎那，江佩君迸出一聲驚喚，只覺得地球彷彿在她面前顛覆了，她癱瘓似地不能移動，身子晃了幾晃，那人忙不迭趨前扶住她在雅座上坐下。

「佩君，佩君！」那人緊攬往江佩君的肩頭，在她耳畔顫聲喚著，江佩君從半昏眩中寧下神來，覺得四肢都冰冷無力，她無法平靜自己的激動，只顫抖著說了聲。

「達民，想不到是你——」淚珠便撲簌簌的奪眶而出。

「佩君，鎮靜一點，人家都在看我們，妳先喝我這杯咖啡。」達民離開她站起來喚了兩杯咖啡，又坐回對面自己的位子上去。

江佩君也覺得不少驚奇的眼光向這邊投射過來，她盡量低下頭去啜咖啡，在咖啡杯上努力使自己平靜下來。努力抑制著那想大哭一頓，一傾數年的委屈的衝動。

「佩君，妳是幾時來台灣的？怎麼不給我一點消息，」達民半個身子俯伏在桌上，望著她說。

「你倒來問我怎麼不給你一點消息，我正要問你為什麼我在報上登了那麼多啟事，不來找我甚至不給我一個音信？」江佩君恨恨地反詰著，那陣乍然相見的激情已被抑壓消退，繼之而起的是滿腹怨恨和委屈。

「啟事，妳是什麼時候登的啟事？」

「前年，我一來台灣的時候，這以後差不多每隔兩月就登一次。」

「這就難怪我看不見，自從上海廠結束了以後，我就到日本去了，前兩個月才回台灣來做現在這個紡織廠的協理。而現在我的名字也不叫趙達民，是叫趙偉文，這才叫眾裡尋他千百度，得來全不費功夫，好了，佩君，說說妳是怎樣來台灣的，來台灣後做些什麼，告訴我。」達民親暱的按住江佩君擱在桌上的手，佩君瞥一眼那白嫩潔淨的手，顯示著他生活的舒服和養尊處優，而手指上並沒有戴那只結婚戒指，不禁起了陣反感，更記起了此行的目的，驟然心裡一冷，似乎猝然遇上北極的冷氣，從髮梢一直冰凍到腳尖。

「這不是三言兩語可以說得完的，」她冷冷地說，自己也奇怪聲音一下子變得這樣淡漠。「先別提從匪區裡逃出來，冒著九死一生的險，歷盡了千辛萬苦，就是好不容易到了台灣，也嘗夠了人生的酸辛，那種無告無助的苦悶，那種無邊無限的寂寞，那種生活的威脅，那種對未卜命運的恐懼絕望，孑然一身，像個無主的遊魂——可是我所以能夠堅持著與命運搏鬥，沒有去自殺，就憑藉那份信念，我要活著看見你。」

「佩君，」達民感動地握緊她的手，「妳不曉得當我們之間的音訊被阻斷後，我是怎樣的痛苦，我常常為著想念妳。徹夜失眠……」

「我們過去那一段深摯的感情更加強了我的信念。」江佩君不理會他的傾訴，逕自嚴峻地說下去，「不是嗎？我們是生死與共，憂患相處的夫妻，你若活著，我們仍將如劫餘的生命結合在一起，你若死了，我也要尋到你的遺骸一同葬身海底。」

「謝天謝地，現在我們總算都活著團圓了。」達民似乎感到空氣太嚴肅了，笑著用輕鬆的口吻說，一面輕拍著江佩君的手背。

「團圓！難道你就忘記了此來的目的了。」江佩君冷峻的眼光凝視著達民，就像兩把銳利的刃首，他不由得覺得臉上訕訕地迴避開來，一時噤默無語，江佩君諷嘲的接下去說：

「你來是為徵求對象，我來是為應徵，我們誰也不知道會遇見誰是嗎？」

「也許這便是是造物弄人，陰錯陽差，故意給我們造成這樣的機會。」達民只得自我解嘲著。

「這樣的機會未免也太使人難堪了，我做夢也想不到我那魂牽夢縈的人，卻早已忘了我而安逸的在咖啡店裡等他徵求來的伴侶。」江佩君沉痛地說。彷彿自己一直在爬著危崖絕壁，山那邊一片春色綺麗的平原鼓舞著她，只指望爬過山頂可以在哪裡獲得安逸和幸福，誰知攀上山頂一望，展現在前面的卻是陡危的斷崖。絕望中她腳一軟便失足跌落到深谷——那一片癡情跌得粉碎。

「可是……來應徵的卻是妳。」達民吶吶地反駁她。

「自然，我並不想寬貸自己。一個是過著優裕的生活，精神上渴望安慰。一個是漂泊無依，冀圖找一張長期飯票，目的雖然不同，原則上卻是一樣，而且還一樣的不忠於情感，達民，就沒想到我們海誓山盟的愛情，原來都經不起考驗，這實在是可悲哀得很！」江佩君的聲音越說越低沉，最後只剩下一聲沉重的歎息。

「佩君，別盡嘀咕著這時代所造成的一點錯失，無論如何，我們總歸又碰在一起了，不應該為我們的重逢，為我們重新又生活在一起而慶祝一番嗎！來先乾一杯！」達民舉起咖啡杯來向江佩君邀著，佩君呷了半杯。

「為我們的重逢應該慶祝，為我們再生活在一起，卻要考慮。」江佩君淡笑著，冷靜地說。

「為什麼？」達民驚愕地望著她。

「就因為這次重逢，在將來的生活中，我們無法忘記對方曾企圖不忠於自己，夫妻相處最重要的是彼此信賴。但我們卻已喪失。」

「我們可以重新建立。」

「但這中間已有鴻溝。」

「那麼我們就乾脆埋掉過去，就像我們是現在剛剛認識戀愛一樣，開始一種新的生活。」達民又天真地提議。

江佩君望著達民，帶著那種對不懂事的孩子的寬容神情，微微搖搖頭：

「那是不可能的，你知道記憶裡埋不掉的，如果我們再生活在一起，生命對我們將成為一堆譏諷。」

「只要我們真誠相愛……」達民迫切地說。江佩君卻又堅決地截斷了他的懇求。

「過去我也曾希望破鏡重圓，現在才覺悟鏡子已經破了碎了，縱使勉強拼湊起來，那裂痕卻是永遠無法彌縫的。」

「妳難道就忍心抹煞我們從前的恩愛？」

「別提從前，如果從前的恩愛是一塊白玉，我們現在的行為便是替它沾上污垢。我寧可今天沒有見到你，在我憶念中永遠保留著白玉無瑕。」

「難道妳對我已再沒有一點感情？」

「我只要知道你活著，並且活得很好，我便卸除了這一份感情上的負擔。」佩君的聲音裡沒有一點柔情，她直覺的感到自己這時堅冷得像個鐵人，她的感情原像熔鐵一樣熱。如今冷卻了，便凝固得生鐵一樣堅冷。

「佩君，佩君請妳冷靜的想一想，妳難道還甘願去忍受那種無告無依的苦悶，無邊無限的寂寞，那生活的威脅，那對未卜命運的恐懼，還有我，我將為想念妳而痛苦，而失去生活的勇氣，而……」

「我已想過了，你可以登報再去徵求一個美麗溫柔的伴侶，我呢，也許有機會再去應徵。得了，達民，拿起你的杯子來，祝福我們好運氣！」江佩君放下杯子，便跨出雅座，用迅捷的腳步走出去。達民先是愕然怔住了，歇了一歇才領悟到事態的嚴重，惶急地喚著。

「佩君，等一等……」

江佩君緊咬著下唇，加快腳步連頭也不回。

「佩君，佩君！」達民在她後面趕來，這時她已走到街上，一輛公共汽車正要開走，她連忙跳了上去，腳還沒有站定，車便開了，他從車窗裡望見達民悵望著車後的塵灰兀自沮喪的站在人行道上，一拐彎便看不見了。

江佩君找了一個位子坐下來，她感到一種耕牛被解除了鼻環束縛的輕鬆，也感到一葉小舟在大海中飄航失去了指針的迷茫，而心裡彷彿湧升起一片黏濕的霧，這霧是虛渺的，但不斷在擴大、上升，帶著那種酸脹湧上眼眶，眼睛潤濕而至泫然欲化水，突然她驚覺地發覺車中的人都在注意她，她立刻抑制著自己，裝出一副自在的神情，一面伸手去皮包裡摸手帕，但手指的觸覺告訴她摸到的是一件薄薄硬硬的東西，她記起來那是一封信，她出來時陳家娘姨交給她的，因為沒有時間拆看便隨手塞在皮包裡了，如今她正好用這個來平靜自己。她拆開了信，但信裡的字句滑過她紊亂的腦子沒有留下一點意義，她努力看了兩遍才了解，信是約她明天上午去面洽一個家庭教師的職位。

她把信收好，抬起眼睛，堅定的眼光滑過窗外的行人、建築物、樹木，望著澄藍的天，沉緩的舒了口氣。她覺得自己一下子彷彿老了幾年，沉肅的心情，像永遠再掀不起微瀾的一泓死水。

雙翼

愛情與死亡是雙翼，帶著人類從地上到天上。

——米蓋朗其羅

這是一處幽靜的山坳，但並不是深僻而遠離人寰。就在叢樹後面，一帶陡削的斜坡頂上，便是公路，汽車經過，依稀傳來車輪在路面輾過的聲音。斜坡上打橫衝出去繁茂薈密一排參差的樹。在路上望下去只見鬱沉沉的一片，也不知有多深，有底沒底。走路的人是不會停下來在路邊仔細窺探的，這一處山坳也就被人忽略了。哪裡有一角如茵的草地，草地前面一支山澗蜿蜒流下，透過樹隙，可以望見澗水流向那綿亙無盡的稻田。

蕭筠靠著樹幹坐著，稿子攤開在膝上，手裡握一支筆，出神的望著天空。他的思想正像那一朵白雲，詭譎多變，飄浮動盪，卻無法把握，無法捉摸。原稿上始終是一張白紙。這時路上半天沒有車子經過，坳裡靜悄悄的，只有澗水低低吟唱，和著細碎的鳥語。——忽然，蕭筠彷彿聽見有撥開枝葉的微聲，眼角裡又似乎看見什麼在挪動著。他側過臉去，向聲音的出發處諦視著。這時他才發現雜草叢樹掩蓋下，有一條狹隘的石階，從陡坡上鋪砌下來。因久罕人跡，已漸湮沒了。階上的草叢晃了晃，一隻腳，一隻穿著白色軟鞋的腳，像一隻白色的兔子，從草叢裡輕輕竄出來。悄悄地歇在另一層石階上，接著又是一隻……這一對小白兔很慢地、優雅地向下竄著。蕭筠屏息凝視，只覺得胸脯為一種焦急而猛烈砰動著。慢慢地，他終於看見了一角淡黃的裙裾，一副纖細的腰肢——那腰肢細得似乎只要他雙手一握，就會像蘆草般折斷似的，傾削的雙肩，這一切使他想起一種鳥，一種纖小的黃胸脯的鳥。最後，那潔白、清癯似大理石雕塑的臉龐，才從綠叢中襯托出來；額前耳畔覆著鬆鬆的短髮，由於臉的清癯，顯得那高隆的鼻子更挺削，淡紅的嘴唇因幫助呼吸而半啟著，那雙眼睛在臉上似乎顯得太大也特別吸引著人，老是睜得圓圓的，好像對一切都感到好奇和新鮮，一對黑鑽石般漆黑的眸子裡，又蘊蓄著一種對不可知的事物的幻想和憧憬，像是在做夢，只要誰凝視一下她的眼睛，便不知不覺被牽入她的夢中。蕭筠怔怔地站立起來，仰望著她像林中的幽靈，雲中的仙女般冉冉下來，又是驚訝，又是讚美。她那夢似的眼光落在蕭筠身上，坦然地望了他一眼，彷彿他也只是哪裡的一棵樹、一莖草而已。

雖然她一步一步很慢地踏著石階走下來，走了幾級她還要停下來撫著旁邊的樹幹歇一下，胸脯急促的起伏，好像這幾十級石階在她是十分艱辛的跋涉。

「請問，需不需要我的幫助？」蕭筠迎上去，謙恭地招呼著，滿心洋溢著愛憐。她閃著修長的睫毛望著他微微一笑——喘息使她不能平順的講話，只是默默地伸出那隻纖小蒼白、猶如象牙雕刻的手，輕輕扣住他遞過來的手臂，緩緩地走下石階。蕭筠覺得她扣在臂上的手指冰涼柔滑，有如沾著露水的花瓣。

下了階級，她撫著最近的一棵樹便虛弱地坐了下去，頭靠在樹身上，微闔著眼，胸脯急促似波濤般起伏著。

「很累麼？」蕭筠俯下身子，溫柔地問。看那纖小的身體為那麼多的痛苦磨折，他恨不得自己能幫著她喘息。

她搖搖頭，睜開眼睛，喘息慢慢平息下來。她用調侃的口吻嘲弄著自己說：「不是累，只是我那可憐的心臟，不習慣這陡峭的階梯。」說著，猶有餘悸地瞥了一下石階，也看見了蕭筠散置在草地上的書、稿紙和筆。「噢！你是個畫家，在這兒寫生？」

「不是，我的筆沒有畫家的筆那樣多彩。」

「那麼你是個詩人，在這裡作詩？」她坦率地望著他，在那明澈的眼光裡，似乎映照出他靈魂深處任何一角。

「我只是枉然地在這裡捕捉靈感，像妄想網住那些詭譎的雲一樣。」蕭筠解喻的說。像反覆吟誦一首雋永的好詩，像深深欣賞一幅不朽的名畫。他不能把眼光從她臉上移開，她並不太美，像那種令人目眩神迷的美。但她另賦一種超潔的神韻，使人對她產生一種聖潔的依戀。他坐在她近旁，可以看見她隱伏在嬌嫩白皙的皮膚下那紅色的血脈。她很年輕，也很柔弱。

「這裡多美！」她睜大了夢似的眼睛，欣喜而迷惑地環顧四周：「這濃密的樹，奔流的澗水，蔥翠的稻田……這一切都蘊藏著無窮的生命，洋溢著活躍的生命！我不是畫家，不是詩人，但我要擁抱這一切，擁抱這世界——噢！能把人活上千百次，真是多美！」

「什麼？」蕭筠聽著她激動的囈語，卻被最後兩句所震驚；他記得那兩句是貝多芬為痼疾所纏，在臨終時吐出的哀訴。「妳剛才說的什麼？」

「我只是隨便扯扯，不知是誰的一句話。」她用眼睛裡的一個笑意輕巧的掩遮過去。

「告訴我，詩人，怎樣才能抓住這一切美好，這活躍的生命？只要那麼短短的一剎那，感到這一切是實在的，真正被抓住了的。」

「愛情。」蕭筠凝視著那雙大眼睛，柔聲說：「兩顆心一瞬間的交融，一切美好都溶入生命，而生命在一瞬間永生！」

「愛情！」她眼睛微睨著，喃喃低誦：「愛情隨時會來的嗎？」

「有時來得很快，快得來不及眨一眨眼睛。」

她狡黠地眨了眨眼，長長的睫毛朝著他羽扇般展開來：

「看著我！」

「我的眼睛早就膠住在妳身上。」

「我好看嗎？」

「好看！」

「那你為什麼不吻我？」

蕭筠被突然的幸福弄得愕然不知所措，但當他接觸到那兩道坦率、迷茫，有所期待的眼光，那半開的薔薇般微啟的雙唇，立刻俯下身去，輕輕的，像接觸一件名貴而易碎的瓷器，他覺得她花瓣般柔潤的嘴唇在他唇下微微顫慄著。她深長地歎了口氣，闔上了眼睛——這一吻沒有欲的衝動，只有靈的交融，他感到幸福像一道新的曙光，在他靈魂上流過。

「我是在人間還是在天上？」她從幸福的昏暈中睜開眼睛，像一個第一次嘗試醇酒微醉了的人。

「是人間，人間天上。」蕭筠吻著她的眼睛。

「可是，是誰說的，愛情與死亡是雙翼，帶著人類從地上到天上！」

「不許這麼說……」蕭筠用吻堵住她的話。

「過去我覺得短促的生命像煙，在一瞬間幻滅。如今我才體會到那將是一種超脫，一種昇華。」她那蒼白的臉上浮著一層淡淡的紅暈，大而清澈的眼睛裡跳躍著一種美麗的光彩，使人看來容光煥發。她推開蕭的手站起來，整理著衣裙，「謝謝你，我該走了。」

「只是這麼一剎那？」他為著這失去得太快的幸福沮喪。

「一剎那便是永生！」她不管他的挽留，緩緩地走向石階，但只跨了三級，便喘息著，彷彿面臨一座崎嶇陡削的山峰，無法攀越。蕭筠抱起她，覺得她輕得像一片落葉。她一隻手挽住他的頸項，一隻手撥開那些枝葉，到了上面。她拒絕他送她回去，也拒絕告訴她的地址。「我會到這裡來。」她說。

他只得悵然望著她輕盈的背影消失在左拐彎的樹叢後——他記得那裡除了一家療養院，沒有別的房子。忽然他想起連她的名字都不知道，他喚了綠聲，但回答他的只有風的吣哨。一天、兩天、三天，任憑蕭筠望眼欲穿，再不見她翩然蒞臨。第四天蕭筠忍耐不住，便捧了一束花，走到那座靜穆得有如修道院的療養院，鼓著勇氣向一個護士描述身材纖小，臉龐蒼白，大眼睛的年輕姑娘……

「哦！你說的是羅怡。」護士不等他說完便攔著回答。

「請帶我去看她。」蕭筠為自己的尋獲感到無限興奮。

「她已經不在院裡了。」護士搖搖頭，黯然地說：「也不在這人世間了。」

「什麼？」蕭筠猛然一震，手裡的花散了滿地。

「我記得那是前天晚上，我去巡視病房時，看見她瞪著兩眼沒有睡，臉上容光煥發，看來比平常更美。她輕輕對我說她要去天上，天上比人間美麗，我還責她不要胡思亂想。催她快睡覺。誰想第二天清晨，發覺她面帶笑容，卻已沒有呼吸了，可憐這妮子，短短的一生就被心臟病廝纏著……」

那護士的話，像一些沒有意義的音符，滑過蕭筠的耳畔，他像石膏像似的木立著，風過處捲起滿地花朵……

戒指

一

我從小便有收集和保藏小玩意、小物件的習慣，就在六七年的戎馬生活中，在我簡單的行囊裡依舊攜帶著一只小小的鐵盒子，就像女孩子收藏她們的珠寶飾物似的，我那些小小的紀念品便收藏在這盒子裡，我不記得怎麼會把這只戒指也弄進鐵盒子裡去，有一度我曾經想把它撿出來擲掉，但不知為什麼始終沒有這樣做。

算起來，這只戒指同母親那枚頂針一樣，跟隨我都有十四、五年了……

二

民國二十八年的冬天特別冷，縣城淪陷已有三四個月了，那時我正十三歲，長了個大個兒卻有點傻楞楞，除了使刀弄棍，什麼都不關心。只記得倭鬼進城後父親的眉頭就不曾舒展過，起初他把店收了，偏偏維持會長硬迫軟勸地叫開張。我只聽父親說那時老法幣一落千丈，倭鬼買東西又全用軍用券，他們說一元軍用券得兌多少法幣就得兌，買了東西還要賺。而軍用券拿去辦貨交易納稅，前者不收，後者照兌進的票價來個一折八扣，再加上種種苛稅酷捐，不到三個月父親的店就拖垮了。這一垮我們學也不上了，四合院的屋子抵債了，可當可賣的全當賣了，一家七口大眼瞪著小眼擠在一間暗沉沉的小屋裡，喝摻著砂子的雜糧煮成的米糊，還有煮白薯，肚子裡總不對個勁兒，別提大姊不再捏住嗓子唱她的女高音，我也不再舞著大刀害母親老擔心燈泡、花瓶、鏡子什麼的，連最搗蛋的三弟、最調皮的四妹，一個個也都萎癟癟，像沒有生氣的布娃娃。屋裡沒有生火，又怕吞下去那些食物一會兒便消化了，腸胃沒有什麼消磨的。因此，每天晚上一吃過簡單的晚餐，儘管不想睡覺，也得準備上牀了，至少，躲在被褥裡可以用自己的體溫取暖，那晚上眼看鍋刮空了，灶裡的餘火熄滅了，已沒有什麼可指望的，照例一個呵欠一個懶腰，又想到了牀。就在這時，門上「篤篤篤」響了三下，立刻所有的人都停下動作，像高矮不齊的一些木樁釘在地上——那一陣子的敲門聲再不會是友誼的訪問，帶來的多半是攤派捐稅，強徵糧食，以及種種料想不到的脅迫、恐嚇，我們都已成為驚弓之鳥。

門又響了，父親只得硬著頭皮過去拔掉門閂，進來是保長，還同著兩個倭鬼。

「王老闆，這位是松本太郎，他們那一連駐紮在這裡，我們將受他們的保護。」保長指著一個瘦瘦的濃眉毛、尖下頦的低級軍官向我們介紹。父親臉上的肌肉略動一動，依然木樁般毫無表情的站著。保長接下去說：

「他們因為帶來的被褥不夠，要向每家徵借一牀。」

「用完了就歸還。」松本太郎補充著，說的是很清楚的中國話。

我們惶恐地對望了一眼，母親吶吶地說：

「可是，我們一共只有三牀被……」

「那只有委屈你們共一共了，松本太郎他們都是我們的上賓，總不能讓上賓受冷嘛！」保長諂媚地笑著，望了一眼松本，但他沒理會，正瞅視著大姊發怔，另外那個便逕自動手來搬被子，搬的正是我的被子。

「不許搬！那是我的被子。」我急得直嚷著想追過去阻止，但母親卻在背後一把拉住我的衣服，眼看被子搬走了，我忍不住蹬著腳大哭大吵，比剜了我的肉還傷心，那牀被子還是母親陪嫁的百子被，自從三弟出世後，便由我同二弟蓋了，被面上印著百十個小孩子，有的在打鼓鑼，有的在放爆竹，有的在舞龍燈，有的在翻觔斗，一個個活潑有神、栩栩如生，我自小就把他們當作我最親密的朋友，誰又料得到斜刺裡忽然伸出一隻魔掌來，把我們生生拆散了，怎不教我傷心！

本來我們家裡一直是雙親同著三弟睡一牀，大姊同二妹睡一牀，我同二弟睡一牀，一共只三牀被，如今硬被抽去了一牀被，我們同大姊她們只得把牀拼起來睡，偏我們的牀又比她們的矮了一寸，還是母親想著把稻草墊高來，湊付著總算可以睡了。但是牀拼大了，被的面積可沒法擴大。二弟二妹小，理當睡中間，我同大姊便充外衛——她睡左邊，我睡右邊，那牀被子就像笠帽似的頂在身上，不管我怎麼側著，蜷縮著睡，總有一部分身子露在被外，我又生來愛仰臥，那晚上我做了一個夢，夢見自己正率領了一支人馬跟日本人展開了一場猛烈的戰爭，我是機關槍手，忽然，敵人朝我們這邊衝來，帶頭的正是那個松本太郎，我叫自己趕緊開槍，但右手彷彿就在這時中了彈，說什麼也舉不起來，眼看松本太郎越來越近！我急得一叫一蹬腳，醒了，是個夢，而天已大亮了。原來那隻中了彈的右手露在被外凍僵了，一時動彈不得。

三

有一天下午，連下了幾天的雪才停，父親出去張羅糧食了，母親湊著窗外映進來的雪光為我們補綴破襪子、破衫褲，大姊膝下放了冊書，眼光卻望著牆隅發呆，二弟和二妹弄了些殘瓦碎瓷，在一邊擺「姑姑筵」，假裝著一碗是回鍋肉，一碗是大頭魚，一碗是……他們說得津津有味，害我也聽得口腔裡直泛清涎，這時父親出去了，沒有門的門忽然咿呀一聲，我們都以為父親回來了，一起向門口看去，但進來的卻是兩個衣冠不整，腳步踉蹌的日本兵，看樣子就是喝醉了的，一進來賊眼睛就滿屋地溜，視線一落到大姊身上，立刻就像狼見了小雞似的，閃爍著貪婪的欲焰。

「你們要什麼？」母親連忙放下針線笸，攔住他們問。

走在前面那個絡腮鬍子卻看都不看母親，伸手猛力一推，把母親推倒在地上，逕大踏步向大姊走去，後面那個瘦皮猴也跨過母親跟在絡腮鬍子後面，二妹嚇得哭了起來，大姊這時已站起來，倏地從腰際摸出一把匕首——打從淪陷那天起，她便一直在身邊藏著提防萬一——刃尖對著兩人，一步一步退向牆壁。

「不許過來！」大姊厲聲喝著，聲音都變直了。

但兩人卻滿不在乎的彼此對望一眼，聳聳肩膀，仍舊一步一步迫進——忽然絡腮鬍子作勢向前一撲，大姊連忙舉刃刺去，冷不防瘦皮猴卻從斜刺裡衝過去扼住了大姊的右臂，絡腮鬍子趁勢抱住了她，大姊拚命掙扎著、抵抗著，母親從地上爬起來趕過去拉，馬上又挨了絡腮鬍子狠狠一腳，跌跌衝衝到牆腳邊才倒下來，我自量人小，鬥不過他們，急得把那些武器——木槍、鐵皮刀，全摔了過去，但毫無用處，我奔到桌子面前抓住了那只灌滿開水的熱水瓶——

「住手！」一個粗厲的聲音猛喝著，蓋過了哭聲和衝突，那兩隻野獸也果然住了手，我也頓了一頓，這才看見松本太郎怒眉瞪眼的當門站著，他在我們不注意時走了進來，接著他又用日本話向兩個兵斥責了幾句，那個瘦皮猴立刻垂手侍立，惶恐無言，那個絡腮鬍子卻顯得不服氣似的，狠狠地盯了大姊兩眼，又望望松本太郎，帶著那種猥狎嘲笑的神情低低咕噥了兩句，松本太郎立刻漲紅了臉，過去就重重地給了他兩巴掌，這兩巴掌倒似乎把他的酒意打消了。默默地拾起被震落的帽子戴上，同瘦皮猴一起退了出去。

「對不起，方才冒犯了。」松本太郎望著大姊，向她表示歉疚，但大姊連看都不曾看他一眼，依然貼壁挺立著，被扯破的棉襖大襟垂在胸前，頭髮蓬亂，向前直視的眼睛燃燒著憤恨和恥辱，唇畔有一滴鮮血，那是從她咬破的嘴唇流出來的，她的手指緊緊抓住牆，牆上的石灰便在她深陷的指甲下剝落下來——我永遠忘不了大姊那時的神情，像一個復仇的女神。

「這都是喝醉了酒滋事，我保證以後再不會發生這種事情。」松本太郎又討好地說，大姊仍憤不作聲，屋裡空氣有點尷尬，母親扶著牆想站起來，又不禁按著腰呻吟了一聲，我撒下熱水瓶趕緊過去扶住，就在這時，父親提著淺淺半麵袋東西進來，一眼瞥見屋裡的情景，立刻意識到發生了什麼事情，我看見他全身猛然震顫了一下，懼恨交雜的視線像兩支釘子般釘在松本太郎身上——

「宏成！」母親急促地喚著父親，接著她把剛才有兩個吃醉酒的日本兵闖進來胡鬧，幸為松本太郎及時趕來阻止的事說了一遍。

大姊原是怒眉豎目，一副咬牙切齒的狠相，及至看到了父親，忽然從瞪著的眼睛裡撲簌簌掛下兩行眼淚，她猝然一個轉身，便伏在牆角裡的柴堆上抽咽起來。

父親扶著母親去牀上歇下，那個松本太郎猶自在室內逡巡，沒有走的意思，母親悄悄扯了一下父親的衣袖，要他好好應付，父親只得請他坐了，他在口袋裡摸出包香煙來，自己抽了一支，便遞給父親，父親猶豫著，故意別過臉不看那包香煙，吶吶地說：「不！不抽。」

「抽一支沒有關係，我們交個朋友。」松本太郎又把煙盒遞近一點，我看見父親的喉結上下滑動著，好像敵不住這誘惑，終於伸手抽了一支，在指間撫弄良久，才擱在唇間燃上——當時我恨不得從他嘴裡拔下那支香煙摔在地上給踩了，但我不敢。

松本太郎探知父親是作生意的，便同他大談起生意經來，他說他父親從先一直在上海虹口開料理店。他從小在上海受的小學教育，到十五歲那年才同母親回日本去念書，他說他很喜歡中國，尤其是江南——父親只是唯唯諾諾地聽他說，我覺得他身上似乎比一般日本軍閥少些什麼，那是那股洋溢於外的驕橫和殘酷——但並不因為如此，我便對他減少些仇視和憎恨。

那晚檢視母親的傷，腿上腫起飯碗大一塊，又青又柴，再上一寸便是腹部，腰也扭了筋，足足在牀上休養了一星期。大姊晚餐連一口棒棒麵都沒吃也不開口，就躺在牀上，但我睡得迷濛間，卻被她不停地翻身驚擾。

「大姊，」我悄悄地喚她，「妳一直沒有睡！」

「我恨，」她從牙縫裡迸出聲音來，恨恨地說，縱使在黑暗中也可以想像到她咬牙切齒的神情，「我不能再在這禽獸統治下的地獄裡待下去，我要走！」

「走去哪裡？」

「大後方，自由區。」

「好呀！」我一亢奮連瞌睡都消了，「走時千萬得攜帶我。」

「嗯。」大姊頓了一頓，「可不許你到處亂說。」

這時，我聽見了雞啼，已看見了窗外的曙光，這才曉得天已快亮了。

四

那天以後，松本太郎便常常到我們家來，自然，我們在那時是不敢拒絕這樣一位不速之客的，他找父親談天，談上海，父親也只能唯唯地聽著，有時他的神情顯得十分寂寞和孤獨，黑黑的濃眉微蹙著，似乎鎖著些憂愁，默默地來坐了一會兒，又默默地走了，使人想像在那套狼皮的包裹中也許不是愚駿橫蠻的所謂「武士道」精神，而是一顆寂寞無告的靈魂，渴望著人情的溫暖。有時他又像一張過時的錄音片，機械而誇張的背誦什麼中日攜手、中日親善、共存共榮等等，宣傳他們的侵略政策，當他在前一種情形中，顯得有點可憐，而在後一種情形中，那簡直可憎可殺，我只想揀一個煤球投進他口裡，堵住他的狂言。

松本太郎來了，總喜歡有意無意的望幾眼大姊，很想跟她搭訕，但大姊在他來時，總預備好一本雜誌，掩著臉看，不但不理會他，連我們跟她說話都不接碴兒。有一天，正當我們快吃午餐時，松本太郎又在哪裡大放厥詞，說日本絕對不是侵略，而是想同中國攜手合作，使積弱的中國富強——大姊這時忽然丟下雜誌，去鍋裡盛了一碗剛滾的雜糧稀糊，端到松本太郎面前，平靜地說：

「請你嚐嚐！」

松本太郎簡直受寵若驚，慌慌張張站立起來，接了碗不知怎樣做，大姊卻接著下去道：

「這便是多承你們貴國關照，與我們攜手合作，使中國富強的恩典——你們把我們的糧食都搶去了，害我們吃比豬還不如的食物。」大姊的聲音逐漸控制不住，越說越激憤，高亢。

「大妞，妳瘋了！」母親忙喝阻她。

「人不會餓瘋，只會餓死！」

母親趕緊去拉大姊，但大姊不等她拉，早一個轉身回到自己那個角落裡去，再不作聲。

松本太郎端著那碗雜糊，喝又不是，放下又不是，只是吶吶地說：「這是過渡時期的現象，以後便會好起來的。」

第二天，松本太郎來時後面跟著一個兵，揹著袋子。

「這是我弄來的一點米，送給你們。」他叫兵放下袋子，帶著那種希望能幫助別人的神情笑著說。

「快給我拿走！」大姊像一陣旋風般從她的角落裡衝出來，「我們不需要你們的布施。」

「大妞！」父親和母親同時喝住她。

「人家也是一番好意。」母親說。望著膝下那一群瘦得皮包骨的孩子，做母親的是絕不放鬆一點可以填飽肚子的糧食的。

「吃完了我可以再弄點來。」松本太郎望望我們，像一個初入學的新生，渴望用他的一點禮物討好舊生，以博得他們的友情！弟妹們都怯怯地圍到那袋米旁邊去，大姊一個人縮在角落裡用背對著我們，一直等松本太郎離開。

那天晚上，母親還捨不得用米煮乾飯，只煮了鍋稠稀飯，很久沒有聞到米飯的香味，弟妹們瞪著眼，等不到盛出鍋來就直嚥口涎，我本想彆氣不吃，但那誘惑太大了，喉嚨頭骨蠕蠕的，好像肚裡的蛔蟲也被那香味引了出來，我吃了一口，覺得軟滑香甜，就是不擱鹽都能喝上四碗五碗。

大家都吃得滋滋喳喳，只有大姊一個人依舊吃她的雜糊。

「幾個月沒有好好吃，妳也喝一點嘛。」母親把一碗稀飯推到大姊面前，大姊連眼皮都沒有動一下，冷冷地說：

「那上面都長著恥辱的刺，我可吞不下去。」

「妳忘了這本來就是我們的糧食，被他們搶去的。」

「被他們搶去了，再接受他們的施捨，未免太沒有骨氣了。」大姊說的時候臉都漲紅了。

母親倒抽口冷氣，瞪大姊一眼，再不作聲。父親那饕餮的神情，本來似乎一口氣還可以喝他三碗，這時低下頭去，很勉強的把碗底的剩飯吃完了，便擱下筷子，默默地站起來走開。

那晚我雖然飽餐了一頓，但並沒有得到那份吃飽的輕鬆和滿足，反覺得心裡堵得慌。

五

松本太郎到我們家裡來越來越勤密了，有時帶點米麵或是送父親一包煙，或是送弟妹們一些糖果，他來的目的好像只是想坐一會，找一個可以聽他說話的對象，喝兩杯茶，分享一點家的氣氛，雖然，有時他會不自覺的，對大姊凝視得太久，但大姊一直把臉繃得像鼓皮似的，他也沒有什麼超出禮貌的行動。

父親對他似乎稍微隨和了一點，沒有從前那樣冷峻，母親甚至說他是：「壞人中的好人。」弟妹們受了他糖果的賄賂，也不大怕他了，自然，大姊是永不妥協的，我也仍舊恨他——因為他拿去我的棉被，俘虜了我的朋友。

松本太郎常來慣了，來時我們不表示歡迎，也不敢表示討厭，他一進屋子總是先用視線在屋子裡找到大姊所在的方向逗留一下，然後再跟父親或弟妹兜搭兜搭，找個椅子默默地坐下來，那天他來時步態似乎有點顛頓，父親不在，他便自己挪了把椅子在大姊對面坐下，一語不發，只是直直的凝視著大姊，那熾熱的視線彷彿兩支小劍，想穿透那冊遮掩著大姊的雜誌——忽然他倏地站起來，走到大姊面前，一把便抽掉那雜誌，往地下一丟，面對面的凝視著她，那激動而燃燒著的眼光是可怕的，似乎要把他凝注的事物熔化了炙成燼灰。

「你幹什麼？」大姊又驚又惱，驀地站起來怒視著他。

松本太郎不作聲，仍是癡癡地盯著大姊，盯得大姊惱極了，把椅子往他身上一推便轉過身去，但他卻更快的一側身讓過椅子，一伸手便按住大姊的肩頭，用力把她扳轉身來——出於一種防衛的本能，大姊猝不防揮出手去他頰上重重地擊了一掌，他鬆開手。

「你們這些禽獸！」大姊憤怒地渾身顫動著。

「松本先生，我們一直以為你是一個正直的君子。」母親按住自己的驚惶過去攔在他們中間，嚴峻的望著他說。

好像一個夢遊者猛不防在牆上撞了一下，撞醒了，在他眼睛裡那種燃燒著的激情消失了，他木訥的站在屋子中間，半晌才吶吶地說：

「我是……我只是想看……」邊說他邊伸手去懷裡摸索著，摸出來一個皮筴，他從裡面抽出一張仔細收藏的相片，遞給母親，「是不是像，很像，很像？」

我也冷冷地走了過去，只見相片上是一個穿和服的日本少婦，乍看果然很像大姊，那渾圓勻稱的臉，那輪廓鮮明的嘴，只是相片上的眼睛含著脈脈的微笑，溫柔嫵媚，不像大姊的眼睛清澈明亮像一注清溪似的，但生氣時閃射著點懾人的寒光，又像兩顆寒星。

「她叫美子，是我的妻子，我們結婚三個月就分開了。」松本太郎頹然坐了下來，捧著相片那樣一往情深的諦視著，彷彿要把自己的靈魂注入裡面，聲音充滿了柔情和懷念，「我出征時她已懷了孕——唉！」忽然，他的眼睛上罩上一層薄霧，聲音梗塞著，他一伸手從大衣裡摸出一瓶酒來，仰著脖子喝了兩口，這才又緩緩地接著說下去：「我愛美子，美子也很愛我，我們沒有奢望，只希望彼此相愛，有一群可愛的孩子，生活得安樂，恬靜，滿足……然而，有人發動了戰爭，我不得不參加作戰，我們被拆散了。

「從一個戰場轉到另一個戰場，我不喜歡流血，我不認識對面戰壕裡所謂我的敵人，與他們更沒有什麼仇隙怨恨，然而我們必須開槍射擊，彼此射擊，作戰中我仍念念不忘美子，上級告訴我們，若是早日征服中國，便可以早日凱旋回國，我只盼望能夠早早和美子團圓，於是，我變成我們隊上最勇敢的射手，經過百十次戰役，我由於我那盲目的英勇獲得了升遷，但始終沒有獲得換防回國的機會。

「那天，就是我到你們家來借棉被的那天，我第一眼看見她——金小姐，我幾乎叫出美子的名字來，她們兩人竟是這般相似，若不是她冷峻而仇視的眼光使我顫慄，我想我一定會情不自禁的……這以後，我不能控制自己不往你們家裡跑，我絕對沒存什麼野心，我只想看見她，知道她就在我身邊，在一個屋子裡，於是，我坐下來浸沉在自己荒謬的夢想中，我想像這便是我的家，環繞於周圍的是我們的雙親，我的孩子，而我親愛的美子，正在為我們預備一頓可口的晚餐，她輕盈地從我身旁擦過，她的裙裾似一陣清風，她永遠曳在唇畔的微笑，她洋溢在一舉手一投足之間的柔情，就像四月的陽光散布在室內，我只是默默地啜吮著幸福之杯，我甚至不敢咳嗽一下，生怕驚破了這夢，我只盼望這夢能一直做下去，直到哪一天，戰爭結束了，我又回到美子身邊——可是，夢終竟碎了，我昨天得到家裡的信息，才曉得可憐的美子和我那一歲的孩子全被盟機炸死了……」他雙手掩著臉，悲慟地伏在膝上，一剎那，我們那小屋裡充滿了一個男人粗澀的唏噓聲彷彿一隻受傷的野獸在低嚎，我們全都默然——忽然，他停止悲慟，抬起充血的眼睛，怒睜著，一手握著拳頭，一手握著酒瓶，用牙縫裡迸出來的聲音說：「我不恨盟機，我只恨戰爭，我恨那破壞和平，破壞幸福的戰爭……」他舉起酒瓶仰著脖子又喝了幾口，「我厭倦了戰爭，戰爭……」他搖搖晃晃扶著椅背站起來一路含糊地詛咒著，踉蹌地走出去。

那天晚上，大姊正式向雙親宣布：她要離開故鄉。

「去哪裡？」父親瞪大了眼睛，母親半張著嘴。

「大後方，自由區。」

「啊！那太危險了！」母親不勝驚惶。

「哪裡又算得安全？與其提心吊膽坐在等宰割，不如冒險去爭取自由。」大姊堅決地說。

「妳一個人怎麼去？」父親的口氣鬆軟了。

「有好幾個同學！」這時我忙不迭悄悄扯了一下大姊的後襟。「我想把大弟也帶出去，讓他好好念點書。」大姊接著說。

經過母親的流淚，父親的考慮，大姊的堅持終於獲得了勝利，但最後還有一個難題，那就是錢，不僅旅費，還有帶路的黃牛也要錢，而且，出發的日期就在一個星期以後。

「妳知道家裡吃飯都成問題，一下子哪裡去籌這一大筆款？」父親鎖著雙眉發愁，接著又說：「好吧，我就拚這兩條老腿為你們奔跑一番，成不成要看你們的運氣了。」

六

離開大姊的同學們約好出發的日子只剩兩天了，眼看明天晚上就要動身，但父親籌借的錢離需要的數目還差得遠哩，大姊急得像隻熱鍋上的螞蟻，一早起來便在屋子裡不停的從東邊走到西邊，母親說：「大妞，別這樣走來走去，走得人心慌。」大姊說：「不這樣走我憋得心慌。」說著，她走到門口一拉門，想探望探望父親，迎著她進來的卻是松本太郎。後面還跟著個兵，挾了一牀棉被——我們惦記著出走籌款的事，自從那天得罪大姊後倒忘記了他差不多有一個星期沒有來了，人好像顯得十分憔悴和頹喪。

「謝謝你們棉被。」他很勉強地笑了笑，笑意有點悽愴。

「這不是我們的棉被，」我瞥了一眼那牀碎花被面搶著說，「我們的被面是印了很多小孩的。」

「借的人家太多，這可調不回來了。」他歉疚地拍拍我的肩膀，我再想說不依，母親卻瞪了我一眼，意思是人家還給我們已經是大情面了，隨即攔過去說：

「你們不用了？」

「不用了，我們今晚便要開拔，」他作了一個自我諷刺的嘲笑，但掩飾不掉聲音裡的悲憤沉痛，「又要去從事一場兇殘的殺戮！殺戮那些素不相識的人。」他示意叫那個兵士退出，轉首望著大姊，大姊一直站在窗前，背對著屋裡，他略一躊躇，終於趑趄地走過去，吶吶地說：

「金小姐，請原諒我那天的舉動，我絕對不是惡意，我只是想我的妻子想得太厲害了，而又喝醉了酒……」

大姊一動不動地挺立著，像一尊石像。

「如果妳已原諒我，那麼請看我一眼，僅僅一眼，最後的一眼，」他的聲音完全是一種哀求，無力而存著一種冀望，像一個將溺斃的人呼求一隻援助的手，我看見大姊的兩排睫毛急速地眨動著，但是仍舊沒有回過頭來，松本太郎臉上的肌肉因絕望而痙攣著，嘴唇微微抖顫，憔悴的臉一下變得慘白無人色，片刻難堪的沉默，忽然，他從口袋裡摸出一只象牙雕刻的戒指送到大姊面前，「好吧，我知道不易獲得妳的諒解，但請留著這個當紀念——不，不敢說是紀念，只是當妳想起被侵害的仇恨時，請勿忘記妳的敵人中也有妳的友人——並不是人人喜歡侵略和戰爭的，可是每個人一生中總得去做許多他不願做的事。」大姊沒有接他的戒指，他便放在她面前的窗櫺上，轉過身來，黯然向四周諦視了一眼，然後悄悄地、蹣跚地退出去。

松本太郎的背影剛消失在門口，大姊拿起戒指來手只那麼一揚，那枚小小的戒指便在空中劃了個弧形，跌落在窗外。

下午，母親拿著剪刀，對著那條還來的又髒又硬的棉被發愁，好像那是一堆傳染病菌似的。

「他們把我們那許多值錢的東西、糧食，都搜刮去了，一條棉被倒記得還，真是假清白——嚇，這上面的汗垢怕不有一個銅板厚！」母親翹著手指用剪刀一刀一刀剪斷上面的縫線，一面在嘴裡嘀咕著，「拆下來至少得搓上肥皂泡一夜，再煮一天——嘿，這哪裡是什麼棉花絮，簡直是牛皮嘛，也沒有這樣硬——噯！宏成，你們快來看看這是什麼？」

母親大驚小怪的一喊，我們立刻全都圍了上去，只見她兩指拈著一根一寸長、兩分寬，很薄很薄的黃東西，擎得高高的，父親拿過來掂了掂、舐一舐、斷然宣布道：

「是金子。」

「金子？」在這個窮荒的年頭金子真是稀寶，大家全瞪著眼，伸出手去摸摸、看看，母親這下全不怕傳染病菌了，十隻手指小心的在又黑，又厚，又硬的棉花胎上東捏捏，西捻捻，又用剪刀挑開來張張望望，我們都屏息靜氣，十隻眼睛緊跟著她的手指移動。

「松本大尉在不在？」猛不防背後一個生硬的聲音喝問著，大家全吃了一驚，回過頭去，只見門口站了三個日本兵。

「不在，」父親迎上去回答。

「今天來過沒有？」

父親看看母親，母親毫不思索地說：

「上午來過就走了。」

三個人疑惑地向屋內掃視了一眼，又退出去了。

父親忙過來把門閂好，等蹦跳的心定了一定，母親又開始了她的搜索工作，把一條棉絮搜完，居然搜出了好些條——顯然那是有錢的人家故意避人眼目，把來藏在最舊的棉被中，不想轉輾借用反而損失了。

「這點金子不僅夠你們的旅費，連日後的生活費都有著落了，真是天如人願！」父親為我們額手稱慶。

近幾個月來，我第一次看見大姊笑了，大姊笑起來真美，但這笑彷彿曇花一現，一剎那她又恢復了那種超過她年齡的莊肅，叫我脫下棉襖來，這晚上母親跟大姊足足忙了一晚，她們把我們的棉襖、棉褲、鞋子可以拆開的都拆開了，重新又把小金條、金葉嚴密的隱藏在棉花裡，再仔細縫合。想著這是留在家裡的最後一個晚上，我也興奮得一晚沒闔眼。

第二天一早，父親揣了一小根大概錢把重的金條（後來才曉得那都是戒指拉平的），出去換米，回來時，一進門就緊張而神祕地說：

「松本太郎自殺了！」

「誰？」母親彷彿不相信自己的耳朵，追問一句。

「就是常常到我們家來的松本太郎，他在公園裡那個陶然亭上剖腹自殺了。」

「哦！可憐的人，他也受夠了痛苦。」母親搖頭歎息著，屋裡片刻沉默，忽然她看看大姊說：「雖然他是我們的敵人，實在他本身並不壞，再說要不是他換錯棉被，今晚上你們也無法離開這裡。」

大姊默然不作聲，獨自站在窗前直視著外面，彷彿全然無動於衷。一會兒，她悄悄地踱了出去。我覺得心裡有點悶，便也從邊門裡走出去，只見大姊低著頭，在院裡慢慢地躑躅，好像在找尋什麼？

「大姊！」我直率的在後面問她：「妳在找那枚戒指嗎？」

「胡說！」大姊好像不提防被蜂子螫了一口的，回過頭來怒目瞪著我，「誰讓你瞎說亂道，想些怪主意！」說著，她使性的給了腳旁一塊小石子一腳踢得遠遠的，頭一扭，便踅了進去。

我碰了個釘子，覺得怪無趣的，走到那我親手用碎磚堆砌的小花壇前，那裡有我手栽的月季、夾竹桃，今晚都要離開了，我心裡有種不出的惆悵，輕輕地摘下兩張黃葉，預備壓在書裡，忽然，眼角一亮，看見那枚戒子正躺在月季樹下，我把它撿起來，用衣襟把它擦拭乾淨了，只見那上面雕著一隻鴿子，銜著一枝橄欖葉，鴿子栩栩如有神，雕刻得非常精細，我諦視片刻不由得默默地把它納入口袋裡。

就在那晚上，我和大姊一人揹了個小包袱，接受了雙親的祝福，冒著風雪，踏上奔赴自由的征途，口袋裡便揣著那枚戒指。

又一次，我把它撿出來想擲掉，卻不知為什麼又把它放了回去。

民國四十三年五月三十日

編註：本文原刊於《幼獅文藝》第二卷第四期，一九五五年四月，頁十七～二十一。

奔向自由

劉自強剛把一塊泥磚塞進牆洞，驀地眼前一暗，他連忙裝作一手提住褲腰，機警地回過頭去，一個不太高的身材已經從那狹小的門裡走了進來——是新補到班上來的小鬼余德明。

「真見他媽的鬼，牆上掉下塊磚泥濺老子一身的糞水！」劉自強悻悻地詛咒著，像是自言自語又像說給余德明聽，一面還裝模作樣把手在牆上擦著，但余德明只淡淡地望了他一眼，清秀而略帶稚氣的臉上沒有一點表情，逕自蹲下來辦他的「公事」。

「這小子硬是活著多一口氣！」劉自強暗自在肚裡咒罵著，卻又擔心他看見了自己的動作，等自己走了他一檢查，一告密……他感到一陣懼怕的煩躁，若馬上去把藏在牆洞裡的東西取出來吧，等於不打自招。要不索性蘑菇著等那小子走了再拿，可是已經出來這半天，那些「土包子」又得起疑了——他只好硬著頭皮，跨出廁所。

在出操時，他心裡一直像懷了鬼胎似地惴惴不安，幾次忍不住偷偷地窺看余德明，見他抿著嘴，瞪著眼，臉上陰沉沉的，依舊沒有半點表情，有一次不知做錯了什麼動作，班長當胸一拳揮去，只見他的臉頓時變成蒼白色，身子晃了幾晃才立定，他看見他咬緊牙齒，喉骨動了一動，彷彿嚥下了什麼——忽然，他覺得余德明也怪可憐的，年紀那麼輕，就像家裡那最得他疼愛的么弟——他不至於告發他吧！

出操回去，劉自強抽一個空隙便去廁所，還好，他收藏著的寶貝沒出岔子，心裡一塊石頭算落了地。

這寶貝不是別的，而是十二年來出生入死，一直貼身攜帶著的國軍軍人手牒。他清楚地記得那上面記載著每一次他曾參加的戰役，他的汗馬功勞；上面那八條軍人守則，更是背得滾瓜爛熟。他把它看作一種榮譽，他的第二生命，他想像自己總有一天會回到國軍陣營，回到自己的夥伴身畔，他冒著生命的危險把它小心收藏起來，做為將來回到自己陣營時的證據，證明他雖然被脅迫參加匪軍，但他永遠不曾忘記自己是一個忠於黨國的革命軍人。

大家都只曉得劉自強叫劉自強，沒有一個人曉得他原來的名字：黃奇威，這名字是他祖父給他取的，他不能讓它沾污了。當他在上海保衛戰那一役，因彈盡援絕，被共匪包圍時，就把符號撕下來丟了，在編入匪軍時，他便隨口謅了個劉自強的名字。

「別忘記了你不是共匪劉自強，而是忠勇的國軍戰士黃奇威！」劉自強因為編入匪軍中不能隨便說話，養成了在心裡自說自話的習慣。每當深夜夢迴，便常常這麼默默地喚著自己的名字，要自己警惕。

如今，他一面走出廁所，又一面默默地在心裡背誦軍人守則，「若是忘漏了一條，那簡直不能饒恕自己。」他說，順口背了下去：「明禮義，知廉恥，盡責任，守紀律，不怕死，不貪財，愛國家，愛同胞——」

「劉同志，」余德明不知從哪裡鑽出來悄悄地走在他後面，帶著一絲難得的笑意，天真而直率地說：「又去看了你的寶藏！」

「什麼？」劉自強陡然一驚，立刻像一頭被驚擾的刺蝟般，豎起防圍的尖刺。「我不懂你說什麼？」

余德明沒料到這敵視的態度，顯得十分困窘，吶吶地想解釋：「對不起！我看了你藏在廁所……」

「余同志！你講這些話是什麼意思？」劉自強心裡發慌強自鎮定著，厲聲地攔住他說下去，摔開他就想走，余德明偏搶上一步，扯著他的衣袖急急地說：

「劉同志，請相信我不是出賣朋友的人，我要告密早就告了。我原以為你們都是一籮裡的貨，現在才知道你也是同我一樣被迫參軍的。」

劉自強沉著頭沒有回答，他怕他是匪軍派來刺探的。

「好像你抗戰時參加過武漢會戰？」

「是又怎樣？」劉自強故意強硬地反詰。

「那你一定熟悉武漢的地理，我奇怪你怎麼不逃走？」

「說這話，你瘋啦！」劉自強心裡怦然一跳，忙用申斥來掩飾自己的吃驚。

「我就恨我對這裡的路徑一點都不認得。」余德明一點不管他申斥，逕自激動地說下去：「我多想回家去看母親！她這幾年盼望兒子回去，兩鬢上又不知添了多少白髮，前年我沒有書讀，共產黨誘勸我考軍政大學，我考取了大學，不想卻被哄騙到這裡來參軍，完全失去了自由——可憐母親還不知道哩——有一次我夢見她老人家哭著，眼睛裡流出來的不是眼淚，而是鮮紅的血……」說到這裡，他的聲音梗塞著說不下去了，劉自強望著身旁這比他小了一半年紀，就像他弟弟的大孩子，當他親人般毫不隱瞞的訴說著自己的心事，忽然一下子變得心軟了，撤除了布防在自己周圍那些刺蝟，他輕輕的在余德明臂膀上捏了一下，說：

「別這樣，讓他們看見了又說你犯了溫情主義。」

「隨他們怎麼說，槍斃我也好，活著沒有自由比死還痛苦。我寧願為爭自由而犧牲，不願貪生而失去自由。」余德明咬牙握拳，越說越激昂。

「不到最後關頭，不輕言犧牲。犧牲而沒有代價是最笨的事。耐著點，讓我們等機會……」

「讓我們等機會，你是說你同我，你帶我逃出去？」余德明一手抓住劉自強的胳膊，仰望著他，眼睛裡閃爍著希望的光彩。

劉自強點了點頭。

「那太好了，可是與其等機會何不找機會？馬上找機會行動！」

劉自強沉吟著，還沒有作答，一抬頭看見營門口一個人影一閃，慌忙說：「快走，副班長來了，問你說是借草紙。」

余德明一溜進了廁所，劉自強迎著副班長向營門口走去。

「剛才同你在一起的是誰？」副班長喝住他，三角眼懷疑的在他身上掃視著。劉自強覺得就像用一把尖硬的鬃毛刷刷著他的裸體。

「余德明。」

「你們談什麼？」

「他忘了帶草紙，向我借。」

副班長看了手錶。

「你上一次廁所怎麼要十分鐘？」

「報告副班長，我也管不了我的肚子，它盡拉稀。」

副班長在鼻子裡哼了一聲，狠狠瞪他一眼裝模作樣的走開，劉自強暗暗在肚裡罵了聲「龜孫子！」

這以後，劉自強怕引起副班長的懷疑，盡量避免跟余德明接觸，但德明卻一看見他便帶著那種迫切、期待的神情，緊盯住他看，像小孩子等著別人嘴裡的糖似的。「這小子真沉不住氣！」他在心裡咕嚕著，趁著有一天築馬路，他挑著一擔石子經過余德明身邊悄悄地遞過話去：「正在計畫路線，沉著點，別那樣緊盯著我。」

第二天起，余德明果然不再盯著他了，但他看見他臉色日形憔悴，神情日現委頓，而那雙深邃的眸子卻揚射著一種奇異的光彩，彷彿他身體內正有什麼在煎熬著，就用自己的脂肪軀體作燃料。眼看著那年輕的生命在一點一滴枯竭，劉自強多看他一眼，就不由得多想念一次自己的弟弟，想起弟弟，又不由得由衷地憐惜他。

劉自強忽然一下子變得勤勉起來，開會、學習、出操、做苦工……什麼都比別人做得好，做得快，一天班長拍著他的肩頭誇獎他：「你這一陣思想搞通了，進步很快，如果你再表現得更好一點，能夠樣樣起帶頭作用，我們將封你做班上的戰鬥英雄哩。」

監視和防範都鬆懈了，劉自強的計策得兌售了，時機成熟，不容再遲延，那天他覷空暗示余德明去廁所，他丟一張草紙在哪裡，上面用黃泥寫著：「熄燈號後，繞道第三營房左側，右轉彎，進樹林，在大石碑前等我，千萬沉著。」他早注意到哪裡步哨最稀，而又有樹林作隱蔽。

熄燈號一響，營房裡頓時漆黑一片，不一會便鼾聲此起彼落，只有劉自強緊張的在黑暗裡瞪著眼睛，正憑著手指的觸覺，匆忙地把軍人手牒在棉襖下面拆開的針縫裡塞進背上去——忽然一道電筒光直射過來，他連忙停止動作，裝作睡熟了，心想該不是余德明出去把事情漏了？手電射到他鋪位上停了，一個聲音喚他：

「劉同志，趙同志病了，你替他放哨去。」

劉自強的心往下一沉，一放哨，三個鐘頭！

他們的警戒線是一條長堤，隔百步一個哨崗，在星光下可以看見對面的人影晃動，就像彼此監視著。一步歪扯不得，劉自強焦灼不安地踱來踱去，只掛牽著余德明，為的不知怎樣著急了，一分鐘一分鐘慢慢過去，也不知站了多久。只覺得兩條腿都僵硬麻痺了，還不見有人來換班，好不容易挨了半夜，換班回去時，人凍累得就像塊石頭似的，再也動彈不得。心想余德明看他沒有去總會踅回來吧。可是第二天早點名時，卻再不見余德明那瘦小的身影。

他認得路嗎？他知道哪裡有哨兵嗎？他逃得走嗎？這些問題苦惱了劉自強一上午。中午聽指導員宣布要開「鬥爭大會」，他心裡更惴惴不安，當他們圍成一個圓圈，像耍猴子般牽進來站在中間那個衣服被泥濘和血跡黏成一片，臉上血痕斑斑的瘦小人形，不是余德明又是誰？劉自強心裡像被重重的擊了一鞭，低下頭去。只聽見指導員宣布余德明的罪狀：說他犯溫情主義，沒有戰鬥意識，接著大家同聲起手來把余德明痛斥一頓，還有向他吐口涎，丟石子的。彷彿一群豺狼，圍著一匹被捕獲的兔子，唁唁亂叫、亂咬，最使劉自強難過的就是他亦不能舉起手來，不能不罵上幾句。

余德明沒有被槍斃。因為他們的部隊馬上又奉命開拔了。一路上余德明都被「老八路」監視著，當大家不得不下車跋涉時，他們便罰他挑一百多斤的重擔，牽大炮，他那瘦小的身軀看著似乎馬上要摧折了。痛苦地喘息著、顛頓著，但他的眼睛更堅冷、嘴抿得更緊，劉自強很想向他解釋一下，但苦無機會，那天，他們像牲畜似地裝在一列鐵皮車裡，劉自強不能把自己的眼光離開對面的余德明，他感到了他的諦視，抬起疲乏的頭來，兩人的眼光接觸了，余德明似乎從劉自強的諦視中說出了太多的話，說出了那些對自己失約的申訴乞恕，同情和鼓勵，他堅冷如冰的眼光溶化了，他們彼此諒解了，他們的眼光凝定在一點，彼此感到一種心的擁抱——他們是真正的同志，他們沒有放棄願望，沒有放棄奮鬥！

等到渡過了鴨綠江，劉自強才曉得要去韓國，他們都成了「反美援朝」的志願軍！前線傷亡的厲害，劉自強他們這新增援的一批立刻補充上去，韓國冷，韓國前線更冷，劉自強覺得身上那一身又舊又硬的棉軍服就像一層紙殼，一點都禦不得寒，戰壕裡積雪化了，化了又積。雪凍泥濘直浸過腳踝，伏在壕裡就似埋在冰窖裡。半天不挪動，準得把血液都凍結了。劉自強接過槍——共匪不放心他們，到了前線才發槍——第一個跳下戰壕，他們這是第二線。第一線離二線十九碼遠，正要死不斷氣的放著槍，同對面的聯軍作戰——忽然，一個親切、誠懇而嘹亮的聲音，突破槍炮聲響起在這肅殺的戰場：

「中共志願軍的弟兄們，放下槍枝過來吧！你們都是善良的人民，犯不著替共產黨作炮灰！」

這喚聲在劉自強聽來是那樣新鮮而使人感動，好像迷途的羔羊聽見母羊在呼喚，好像地獄裡升起一支柔和的音樂，這喚聲也喚醒了他的思索，早便聽說聯軍裡有蔣總統的國軍參加作戰，只要越過面前這片戰場，不就是自由國家？不又能與自己的弟兄們會合了！他把頭昂高點，想再聽一遍那喚聲，正看到余德明也昂著頭傾聽著，眼睛裡閃爍著興奮和喜悅，他們會意地相對一看，對面的喚話又盪漾在空中：

「弟兄們，我們都是愛自由的人，不能受共產黨奴役，過來吧，我們歡迎你們，你們的自由祖國——台灣，也敞開大門歡迎你們回去。……」

「拍！」劉自強肩上一陣瘦痛，挨了重重一槍托。

「媽的！王八頭翹那麼高，想死嗎？伏下去！」

第一線向對面密密的放了一排槍，劉自強也跟著捩開扳機亂放了一頓，他的槍管比別人稍稍高一點，除非對面是一丈高的巨人，否則永遠射不中目標，他只是借消耗子彈洩憤而已。

一架飛機飛到了他們戰壕的上空，低得連機翼上畫的聯合國標誌都看得清清楚楚。

「投彈吧！炸吧！讓大家同歸於盡！」劉自強暗暗詛咒著，但飛機沒有投炸彈，卻盡投下些白紙卡片。飛機上也在空中喊話：

「中共軍的弟兄們，我們給你們送投降證來，撿起來擱在身上吧！你們帶了它隨時隨地過來，我們總是歡迎的。」

一張卡片像一大片雪花，落在劉自強面前不到兩尺處，劉自強瞪眼望著它。班長伸出槍刺去對準紙一頓亂戳亂刺，埋入泥雪中。劉自強偷偷嚥下一口口涎，像一個餓了很久的人，剛發現一片麵包，卻被惡狗啣走了。

兩方的炮火越來越密，第一線的人忽然冒了炮火衝出去，但馬上被密集的機槍迫射回來，跳進戰壕的人沒有衝出去時的一半多。

「第二線第三排上第一線補充！」一個命令被傳達著。

劉自強又是第一個爬出戰壕，但故意顛躓了一下，正好走在余德明前面。進了第一線只見那裡一排人只死剩五六個。

他推開一個死人，便在土墩上伏下來，用他自己的方式拚命開槍。

聯軍的坦克車出動了，向這邊衝過來。

「劉同志，你一直是最勇敢的，拿這手榴彈出去把坦克車炸了。」班長從死人身上解下兩支手榴彈交給他，劉自強一陣緊張，覺得心彷彿要從喉嚨頭跳出來，他一聲不響，緊緊的揣著手榴彈，對面又是一排機槍射來，他用手肘猛衝一下旁邊的余德明，趁勢躍出戰壕，余德明緊跟在他後面，俯著身子向前跑。

「擲呀！把手榴彈擲出去！」後面催促著。

這時對面又有炮彈射過來，劉自強把第一枚手榴彈擲出去，不是擲在前面的坦克車上，而是擲進後面的戰壕裡。兩人在煙灰中拚命向對面奔跑。

「嗖、嗖！」兩顆子彈從他們身旁掠過，是從後面射來的，而且越射越密，他一轉身又把第二支手榴彈擲過去，就在這一剎那，他感到右手一涼，一陣麻痺，他來不及看一下，還是在槍林彈雨中向前跑，快越過戰場，跑近聯軍陣線時，他正想舉起槍來，猛覺得背上被什麼一擊跌倒了——

劉自強醒來時，發覺自己正躺在一個陌生地方，一個穿著白衣服的韓國小姐站在他面前，看見他醒來，溫柔的向他一笑。

「這裡是……」他怔愕地環顧著周圍。

「這裡是聯軍的醫療站。」小姐操著生硬的中國話回答他。

「那麼我終於，終於投奔到自由國家了！」

「是的，你投奔到自由國家了，不要動，等傷養好了，他們會送你去你的國家。」

「那太好了！可是，我還有個同伴，和我一路逃出來的同伴？」

「那躺在你旁邊的不是！」

劉自強一轉臉，這才看見他左邊還躺著個人，頭臉給綳著纏得看不清楚，但他可以看見那雙他熟悉的、深邃的眼睛正躲在紗布裡向他笑哩。忽然一瞬間一個思想像閃電般震撼著他，他一欠身，左肩背一陣猛烈的刺痛，不由得使他重重地呻吟了一聲，他又伸展右手，但右手完全不受他的支配，又彷彿已不存在。

「我怎麼啦！」他痛苦地說：

「你的左肩背中了一彈，已經取出來了，你的右手有二個手指不幸……嗯，但現在這些已沒有危險了。」

「不是這個，我……」劉自強越是急得抓頭拉耳，越是說不上來，最後護士小姐才弄清楚他的意思，把他脫下來的棉軍服拿給他。

那件被泥雪污穢的棉軍服肩背上赫然呈現著一個子彈灼焦的洞，洞的四周還凝結著創口的血跡，但劉自強不看這些，他先在棉衣外面一摸，又馬上扯開衫腳下面的縫隙，伸手進背上，摸出來的是那張他看作榮譽生命的軍人手牒！

手牒浸過水，沾過泥，角上還黏著新的血跡，但一掀開來，偉大領袖蔣總統的肖像，依然帶著那親切、慈藹的微笑望著他，鼓勵他。

「哦，哦，我終於又獲得了自由，我又將回到我的夥伴身邊，我的名字又叫作黃奇威，黃奇威！……」劉自強——不，黃奇威把軍人手牒按在胸前，激動地喊著，兩顆熱淚從燃燒著希望熱情的眼角落下來。

民國四十三年四月二十二日

編註：本文原刊於《幼獅文藝》第一卷第三期，一九五四年五月，頁十四～十六。

瘖戀

一

在牆上捺下最後一枚掛畫的圖畫釘，搬家的事便算妥貼了，懷著輕鬆的心情，我在窗下的書桌前坐下來，原來枝葉斜斜地伸到窗口那株樹還是株月桂哩，怪不得一陣陣只聞到清香，前天來看房子時，因為房子本身就使我滿意，看時只隨便向關著的窗外瞥了一眼，不想竟是綠沉沉的一個大園子。我漫步踱了出去，這園子在從前顯然費過一番匠心布置，只是現在乏人整理，顯得荒蕪了，雜草叢樹掩沒了石階和花壇，有一枝玫瑰，寂寞地縮在一些矮樹間開放，牆腳下一排美人蕉足有人高，還有不少千年紅、鳳仙花、日日春、萬壽菊什麼的，都在草叢間自生自滅，自開自放，靠園子東首，幾株錯雜繁密的扶桑木掩映著一排落地長窗，在這樣明媚的三月天氣，不僅窗子緊閉著，還放下綠色的窗簾。我猜那不是女房東便是房東小姐的房間，真是辜負了這滿園春色，但這近乎淒清的幽靜，對我卻是更有利，實在這環境和房子已超過所企望的了，說起來天下有很多事確是碰機會，許久以前我就急需要找一間可以靜靜看點書，寫寫文章的，清靜的房子，但找了很久還沒頭緒，結果卻得來全不費工夫。那天我在街頭躑躅正碰見表舅，他看見我第一句話便問我房子找到沒有？我苦笑著搖搖頭。

「我有點事情去接洽，」表舅指指不到三步遠一家商號對我說：「回頭一起同我到那裡去談談。」

我無可無不可地答應了，便同著他一路走進那家商號，一個透著精明的中年人笑著迎出來，表舅跟我介紹說那是陳老闆，他們兩人似乎很熟絡，談了些生意上的事，表舅忽然想起來笑著向陳老闆說：「你有沒有辦法幫我這甥兒一個忙，他正急著要找一間清靜的房子念點書，而又找不到門路哩。」

陳老闆沉吟著，重新打量了我一眼，這才緩緩地說：「有倒有一個地方，是我寡嫂同一個侄女住著，房子很空，也很清靜，只是她們已有十幾年未曾賃出去了。好吧，後天我正要送月費去，順便同我嫂嫂商量商量。」

到約好給回音的那天，我們去店裡，陳老闆堆一臉笑告訴我們說是他花費了不少口舌，總算說服了他嫂嫂，說著，他放下店務，便帶我們去看房子，一看我就十分中意，第一天便搬了過來。

據陳老闆說十幾年以前，這房子也有一個青年人借住過，後來不知怎麼失蹤了，在日治時代不見一個統治下的百姓原算不了什麼，也沒有人敢去查究，這以後房子便一直空著沒有人住過，當我使用那安嵌在牆角的三角書架，那只油漆剝蝕的書桌，那張小木牀時，不由得細想起那個從這個世界消失的人，這上面一定都還留著他的手澤，但景物依舊，人已杳然。

這幢屋子實在太清靜了，清靜得有一種修道院的氣氛，女房東整天在房裡拜佛誦經，不輕易露面，房東小姐據說有病，我搬來後從無一面之緣，見面最多的便是那個管一切打掃烹飪雜務的老使女，大概是這屋裡的沉肅的空氣養成了她緘默的習慣，一天只見她默默地，耕牛似地操作著，問她說話可以用動作表示的就採用動作，搖頭或點頭，不然，頂多也只用最簡短的字句來答覆，這樣的傭人對主人是最好的保密者。

搬來後，除了一天兩次出去吃飯，我成天都把時間消磨在書上，有時也寫點什麼，課讀之餘，便到後園去整理園地，我首先把那些蕪亂的雜草荊枝劃除了，把半圮的花壇築好，修剪了玫瑰的枝條，又把生得太密的花移植開來——半個月之後，園裡面目一新，充滿了蓬勃的生氣，每當清晨午間，我手執一卷坐在明朗的窗前，望望紅嫣綠翠的花木，四周靜悄悄的，闃無人聲，內心感到無限的寧貼和喜悅。

二

每當我在窗前那塊園地裡巡視花木或是散步吟思時，總是不住向那四扇緊緊閉著的窗子，那沉沉下垂，紋絲不動的窗簾望上兩眼，我現在可以斷定那是房東小姐的閨房，陳老闆告訴我他的侄女有病。但不知是什麼病，竟這般常年累月幽禁在房裡，忽然我產生了一個模糊的意念，一個可笑的願望，就像小時候聽大人講了故事，呆呆地凝視著天空，希冀天門忽然打開，冉冉的走出個仙女來，或是從月亮裡出現個嫦娥，我幻想著有那麼一天，淡綠的窗簾忽然掀開了，露出一張蒼白清癯，卻十分美麗的臉龐，像一個仙女似的輕盈、超潔，這傻念頭竟越來越變得執拗而深刻——但儘管我有這份荒謬的想像，窗簾卻始終未曾因此而掀開過一絲一分縫隙。沉沉垂著，肅穆神祕，彷彿神龕上深掩的幕帷。

一天傍晚，我到外面去吃了晚飯回來，屋裡的情形不禁使我吃了一驚，幾乎所有的東西都變了位置，書架上的書，和桌上的文稿全翻亂了，抽屜一起打了開來，連牀上的枕頭都拋在一邊，在桌上一堆凌亂的書稿中，還遺留下一枝折下不久的桂花，顯然的，在我出去那一段時間中有人到房裡來過了。我一檢查東西，卻又沒有缺少什麼——實在我也沒有什麼值得偷的，不過，是小偷又哪有那種閒情還折一枝桂花？那麼難道是屋子裡的人：是那位吃齋唸佛的老太太，是那個沉默嚴謹的使女？我感到十分困惑，一種無端被人干擾侵犯的煩惱使我這一晚都未曾平靜下來好好看書。

自這一晚以後，我常常感到怔忡不寧，我變得特別敏感，總覺得暗中有人在監視我，在窺探我，無端的我會拋卷停筆，屏息諦聽，只要園裡有一點聲響，總誘使我出去看個究竟——有時像餓虎撲食般猛不防竄出去，有時又似貓捉老鼠似地躡手躡腳偷出去，自然，那不過風吹落葉，或是鳥嬉枝頭，庸人自擾而已，只有一次當我躡手躡腳，出去向四面張望時，忽然覺得眼角上一花，恍惚那沉垂著的窗簾正在波動，等我定睛看時，卻又不動了，只是在原來遮掩嚴密卻岔開一寸多寬一條縫隙，一個衝動，我很想過去在那縫隙向裡面張望張望，但我又怕也許正有一雙眼睛在那裡窺視著我，我更怕被人發覺了把我看作輕薄的人——我終究鼓不起勇氣來一窺究竟。

弓上的弦太緊張了會綳斷，神經太緊張了也使人疲竭瘦痛，幾晚不曾好睡，那晚上我有點精神恍惚，而外面正下著雨，雨滴落在芭蕉上、台階上，淅淅瀝瀝，我感到有點淒清和無邊的寂寞，當我運用腦筋思想時，腦子裡卻似乎有一枝針在刺，心裡煩躁而渴乏——我覺得自己要病了，便提早上了牀裹在被窩裡。

迷迷糊糊也不知睡了多久，迷濛間，猛被什麼驚醒，房裡黑黝黝的，只聽見暴雨如注，風打著呦哨掠過屋祭，震撼的門窗軋軋作響，心想沒注意報紙，該又是什麼小型颱風過境吧，但風是間歇性的，吹一陣猛烈的稍緩一陣又接上一陣猛烈的，我覺得門窗的震動響得有異，屏息諦聽，響聲來自靠後園的那兩扇長窗，彷彿有人在搖撼想開窗進來。我在黑暗裡朝窗的方向用力睜大眼睛，灰色的窗的輪廓逐漸呈現出來，窗外也是潑翻了墨汁似的一團黑暗，忽然，在那灰黑色的玻璃格上有一塊白色的什麼在蠕動著……是一隻手，尖瘦、蒼白有如爪子似的手！

「誰！」我陡地推被坐起，一面厲喝問著，一面捩亮電燈——就在這燈光一亮間，我聽見了一聲尖厲的驚喊——這喊聲就似一把銳利的錐子刺入我的神經，使我一輩子也不會遺忘——這喊聲裡充滿了絕望和驚懼，不像人的聲音，而像一隻受傷的野狼在慘嚎。接著那隻爪子似的手倏忽消失了，台階上有踉蹌滑跌的腳聲，不知是一種什麼力量，促使我從牀上跳下來，奔到窗前，拔掉插門，打開長窗一腳跨出去，迎著我撲過來一股猛烈的風雨，在風雨中，我瞥見園子那端一個白色的，幽靈似的人影只那麼一晃，便不見了。消失得那麼迅疾，我不能斷定她是進了有綠窗簾的屋子，還是真的像幽靈般隱遁了。正疑懼間，猛地又是一陣巨風挾著驟雨，向我身上撲捲過來，我寒伶伶打了個寒噤，從背脊上一直冷到腳心裡，眼前一陣昏黑，我不禁扶著門框重重呻吟了一聲，再顧不得什麼，連忙返身進來，腳下卻又觸到了什麼東西，俯身拾起來一看，是一本拍紙簿，已被雨淋得半濕了，我也無暇審視那是什麼簿子，順手往屋裡一擲，便拉好窗門，用顫抖著的手指插上門閂，連著一身淋濕的內衣睡上牀去，裹在被窩裡猶自打著寒顫，好半晌，冷退了，卻又渾身燥熱起來，喉頭冒煙，心裡想嘔，頭痛得彷彿要裂開來，我在自己的呻吟中迷糊睡去——

三

我昏昏沉睡，醒來覺得自己有如睡在火山口，燥渴難耐，心想撐起來倒杯水喝，但頭沉重得像一個鉛球，四肢全然不聽意志的支配，我大聲呻吟著，又沒有一個人。於是我又沉沉睡去，這樣半昏迷的醒來好幾次，也不知道睡了多久，只模糊記得每次醒來電燈總是亮著，窗外依舊風雨交加，多漫長的夜！恍惚自己正在風雨之夜趕路，路泥濘滑濕難走，我已走得精疲力竭，搖搖欲倒，而路越來越濘滑，成了泥潭。腳踏下去便深陷不能拔，我掙扎著，腳越拔越深陷，身子往下沉淪，漸漸不支——突然，觸倒了一塊硬的，噢，踩到石頭了，有救了——我驀地睜開眼睛，強烈的光線刺得我閃眨了幾下，這下可真天亮了，房裡亮著的不再是昏黃的燈光，而是燦爛的陽光，陽光裡兩個人站在我牀前，一個是陳老闆，一個掛著聽診機，顯然是個醫生。

「謝天謝地！總算清醒了。」陳老闆寬慰地望著我說。

「我病了很久嗎？」聽見自己的聲音那樣虛弱，我感到十分困惑。

「我不知道，我一來便看見你昏昏沉沉，喚你不理，就急著給請了醫生來。」

「可否請你看看日曆。」我思索著請求道。

「四月十六，今天已經是四月十八了，噢，敢說你已病了三天了，病這些日子都不曾找醫生看？」陳老闆大驚小怪地望著我，好像怪我大意。

「我不曉得一病就這麼沉，喊人又喊不著，阿英每天來打掃應該看到了——好像這幾天她沒有來。」我抱怨著。

「你也不能怪阿英，」陳老闆的聲音顯得十分沉重，「她這兩天忙著另外一個病人，照管不了這許多。」

「誰」我怵然一驚，「誰又病了？」

「是我侄女。」

「是什麼病？」我迫切地問。

「急性肺炎，很嚴重。」

「你告訴我你侄女關在房裡已好幾年了，可是我看她的病症分明是驟然受了風寒。還有那嚴重的神經崩潰，又像是受了很大的刺激。」醫生一面告訴我只是受寒不要緊，一面便接過陳老闆的話懷疑的說。

「她是幾時起病的？」我問。

「我嫂嫂告訴我是昨天早上發覺她一身冰涼，死去了似地躺在牀上。」

「昨天早上，前天晚上……難道那便是她……」我忍不住疑懼地把那晚上所見聞的告訴他們。聽我說完了，陳老闆和醫生心照不宣地對看了一眼，陳老闆緩緩地說：

「你看見的那個人影，不是什麼幽靈，大概就是我的侄女。」

「是她？」陳老闆沉痛地點點頭。

「我那侄女神經失常已經好幾年了。」

我不禁倒抽了一口冷氣。

經不住我的央求，陳老闆終於告訴了我他那可憐的侄女得病的經過：

「桂芳——就是我那侄女小時候可真逗人愛、又活潑、又聰明，昂揚著那小小的美麗的頭顱，像頭孔雀似的。不幸的是在她十六歲時，我哥哥死了，就在同一年，她患了一次九死一生的重病，病好了，她卻喪失了兩種官能，不能說也不能聽……」

「成了啞子？」

「也是聾子。受了這打擊，最初幾個月她消沉得可怕，我們都提防她會採取劇烈的行動，過了很久，才慢慢平靜下來，自己開始看看書，寫寫字，在後園裡種種花，大家見她好起來，防範也就鬆懈了。除了不開口，不說話，不願意跟人家來往，那時她同平常人已完全一樣了，可是，誰料得到有一天家裡人半天不見她，先以為她在園裡種花，卻忽然發現她人事不知的暈倒在桂花樹下。」陳老闆下意識的瞥了一眼窗外，我心裡一動。

「就是窗前那株月桂麼？」

「嗯。」

「你不說屋裡原來也有個青年住著？」

「是的，他是我嫂嫂的一個遠親，雙親全沒有了，為了就讀方便，我嫂嫂便讓他住下，他搬來的時候桂芳已啞了好幾個月了。說也湊巧，桂芳暈倒在樹下的那天，正是他失蹤的第二天，若不然及早施救，也許便不會得這個病——人是醒過來了，智慧卻受了損傷，從此便得了神經病。」陳老闆唏噓著黯然低下頭去——

陳老闆走後，我躺在牀上思潮起伏總不能平靜下來，何以桂芳偏在窗前的桂花樹下猝然暈倒而致病？何以桂芳偏在暴風雨夜來敲窗而回去便猝然得病？她的病，似乎與這小屋有密切關聯，我追溯那天屋子裡被翻弄的情形，那晚上敲窗的情形，那一聲毛骨悚然的喊聲……忽然，我想到那晚上進來時曾在窗外撿到一本簿子——我自己並沒有這樣的拍紙簿，我連忙下了牀在屋裡找著，在書架腳下找到了它，這是一本很普通的拍紙簿，白色的紙頁因年代悠久而發了黃，密密地寫滿了鉛筆的字跡，奇怪的總是一行粗勁的字夾著一行細弱秀麗筆跡，不是筆記也不是文章，唸起來倒像劇本中的對白——我猛然記起桂芳不能聽也不能說，但她可以寫，這上面寫的也許是她與另外一個人的筆談？這樣想著再看下去時，果然證實了我的猜測不錯，只是簿子經雨水浸濕，有不少已模糊不清，看不出字跡，由內容的情節看，約有三四個月的時間，每次僅兩三句的，也有長篇大論的，差不多都是表白著兩人心情和情感發展的經過，蛛絲馬跡，節錄如次。

四

桂芳，噢我窗前正有枝桂花，每天芳香繚繞——允許我就這樣稱呼妳嗎？

隨便你。

告訴我，我搬來這裡，每天在這園裡走動整理花圃，不知有沒有打攪妳的清靜？

沒有。

那就好了，我喜歡花，我不忍看它們凋零枯萎，妳願意同我合作嗎？

好罷。

●

為什麼總是這樣悒鬱不歡？妳知道，憂患傷人心靈，比疾病傷人身體更甚。

軀體已殘廢，更不在乎什麼心靈。

請不要這樣自暴自棄，妳忘了妳還有一雙明亮的眼睛，可以看見這美麗的世界，這燦爛的陽光和花朵，這光輝的青春和生命。妳還有一雙靈活的手，除了能做凡人所能做的事，更可以宣達妳的心意，寫出妳所想的，畫下妳所見的。不要盡為妳失去了的懊傷，而應該盡量運用並發揮妳所有的。

謝謝你，從來沒有人對我說過這許多，我願意照你的話試著去做。

●

多謝你的書。

都看完了嗎？覺得怎樣？

我很佩服海倫．凱勒女士，她雖然瞎了雙眼，卻還能做出這許多事情，她那種不屈不撓的精神，尤其使我感動。

希望妳能效法她的精神。

她的確給了我不少啟示和活下去的勇氣。

那我首先在這裡為妳虔誠的祝福！

●

芳，妳今天真美麗極了！妳那明亮的雙眸像黑夜的星星，妳那煥發的臉龐像彩霞般鮮豔，妳那甜蜜的微笑宛如四月的薔薇綻開在唇畔……

你癡了，你是在作詩麼！

如果我是在作詩，妳就是我的靈感。我真的作了一首小詩，我唸給妳聽：

我是黑夜的行人，

妳晶瑩的皓眸，
便是我不滅的明燈。
我是大海的航者，
妳無限的柔情，
便是我不變的方向。
我是人世的旅客，
妳甜蜜的芳心，
便是我永恆的歸宿。

●

芳，為什麼不看著我？我的眼睛已說出了我內心蘊藏的一切。
我……
我誠懇的請求妳。
但你知道那是不可能的。

我不知道有什麼不可能，只要兩心相愛，真誠相許，世上便再沒有足以阻礙的事物。

可是你總不能有一個既聾且啞，官能殘廢的妻子。

若是彼此心神融貫，性靈交會，這其間更無隔閡。

●

親愛的，妳不再詛咒人生，厭倦人生！

噢！不。人生太美麗，太可愛了，我真想熱烈地擁抱人生，像擁抱……

像擁抱什麼？

……

像熱烈地擁抱我——妳的愛人一樣，是嗎？別怕羞，望著我，親愛的，讓我駐留在妳眼中，妳駐留在我眼中。就像妳活在我心裡，我活在妳心裡一般。

●

我們要有一個家，小巧得像鴿子籠，美麗而溫馨。

有綠色的小客廳，緋色的寢室。

我們要有一群可愛的小男孩、小女孩。

個個活潑健康。

我馬上挽人跟妳母親去說：把妳嫁給我。啊！想想看：有妳做我妻子，多麼，多麼地幸福！

看你抱得我那麼緊，幾乎使我暈眩。林，你說到那天我應該躲在房裡，還是投在你懷裡？

妳坐著，像一位高貴的女皇，然後我跪在妳面前，為妳套上訂婚戒指。

●

林，你的吻沒有往日的熱烈，你的眉峰有煩惱的痕跡。告訴我，是遭遇了什麼不愉快的事嗎？

我不想把那樣的事煩擾妳寧靜的心，隨它去吧，來，讓我再親親妳。

不，如果我不能分承你的煩惱，將來又怎能做你的妻子！

還不是受了那些侵略者的瘟氣！

那些可惡的倭鬼都是禽獸不如的東西！你忍耐一些，不用跟他們計較。

可是，妳知道，忍耐有時也有限度的。

我知道。

我們不是可以被征服的民族，總有一天，我們要推翻他們的統治，驅逐他們出境！

●

林，這些日子你都上哪裡去？回來那麼遲，使人掛念。

對不起，讓妳掛念了。我只是跟同學討論一點功課。

沒有騙我？

沒……哦，芳，請別追問這些，我心裡很亂。

就不能告訴我？

芳，如果我要離開這裡？……

凡是你去的地方，我也去。

不管是哪裡，也不管有沒有危險？

不管天涯海角，刀山火坑，長相隨。

芳，妳對我太好了。

不能告訴我你究竟想去哪裡？

我只是說說，不一定——等明天再告訴妳。

你精神不好，該早點休息休息，祝你做個好夢，忘記那些不愉快的事。

一千遍晚安，一千遍祝福，我的愛人！

對話到這裡沒有了，留下小半冊空白。

五

我猜想大概是筆談到哪裡，那姓林的第二天便失蹤了。究竟去了哪裡抑是有什麼抗暴行動被統治者日本人毀了？永遠是一個難解的謎。那女孩子剛從他哪裡重新獲得生存的信心和勇氣。一往情深，為他的失蹤而急瘋了。忽然，一股熱血直湧上腦際，我若有所悟，桂芳失去了十幾年的智慧，而這屋子，這小園十幾年來一直平靜如古廟，近來也許她不經意地看見了重新整理的園地，發現了屋裡有人住的形跡。這些喚醒了她沉睡的熱情，失去的記憶，精神恍惚間，風雨中她懵然挾著簿子來敲窗，是想與林繼續談情。不料屋裡燈一亮，卻是陌生面孔，那脆弱的神經恰似腐舊的弦線，驟然一震一綳，崩潰了……

我心裡深深地泛上一股歉疚之情。一手撫弄著簿子，心想應該用怎樣的方法去交還她，我聽見過不少精神病患者往往遇到新的刺激，或把使他失去記憶的事重演一遍，反而痊癒了。也許我這一來可能使桂芳喚起失去的記憶倒是奇蹟……就在這時，我忽然毛骨悚然，一顆心空虛虛地被拎了起來。

那是一陣悽慘的哭聲，就從園裡傳來，難道是……我一身軟癱了下來，我不敢想，我用手堵上耳朵。

陳老闆神色悽惶地踱了進來。我的眼睛一接觸到他的眼睛，知道我所恐懼的成了事實。

「我不殺伯仁，伯仁由我而死。」我悔恨地譴責著自己。

「這並不關你的事。」陳老闆反勸慰我。

「可是，你不知道——」我想把那本簿子的事告訴他，不知怎麼想了想又沒有說，他莫名其妙地望望我，又走了。

三天中，我沒有出過房門。

我所喜愛的寧靜已消失殆盡，而內心的罪咎卻日益加深，這屋子我已無法再住下去，病體一復元，我又開始收拾我簡單的行裝和書籍，決計離開。

臨行前，我備了香燭紙錢，去靈堂弔唁，阿英引領我到那間從未進去過的小姐的閨房，一進門只見桌上點著素燭，供著相片。後面便襯著那一排沉沉懸垂著的綠色窗簾。房東老太太兩鬢蒼白，形容枯槁，閉著眼坐在桌畔正喃喃誦經，我不禁心裡一酸，黯然趨前致慰。

「她活著受了十幾年罪，如今超生了！」老人沉痛地說了這一句，便又闔上眼睛，逕自喃喃唸誦。

我肅然諦視案頭遺容：短短的柔髮覆蓋著一張秀麗的臉龐，明亮的眼睛蘊藏著智慧的光芒。唇畔浮著一抹甜甜的微笑。一副稚氣可愛的神情，顯然是十幾年前的舊照。我把折來的一枝桂花先供上，燃上香燭，再把紙箔一張張撕開投入焚盆中。一面便悄悄地將那本簿子夾在紙箔中一起焚化。花氣氤氳，香煙繚繞，佛聲喃喃中，我的眼睛逐漸潤濕像蒙上了一層輕霧，彷彿窗簾無風自動，箔灰迴旋低飛……

願在天之靈安息！我肅然默祝。

無言的責備

我們早就計畫著把這兩間小房間粉刷一下，逢上過年，更應個時景，湊巧昨天是個星期日，皚和我便動起工來。牆刷奶黃色，由皚粉刷，木柱窗框什麼的漆淡綠色，由我髹漆，這樣分工合作。忙了一天，房裡居然煥然一新，色調顯得柔和而淡雅。今天石灰油漆都已乾了，我便把取下的相框、畫片仍舊掛回牆上，除了兩張風景和靜物，我們原懸有三張近於紀念性的照片：一張是我倆的結婚照，一張是我二十歲生日的半身像，還有一張是皚離開家鄉時靠在老屋大門口一隻石獅子旁照的相，他斜倚著獅子，左手插在腰際，眼望著雲天。樣子瀟灑而英俊，我很喜歡他這張相片，皚自己也很得意，有時，他會對著相片凝視半天，似乎很神往，很眷戀，對那逝去的日子和音訊杳然的老家。我們還沒有結婚時，這張相片早就掛在他宿舍裡了。當我們二年前合成一家，它仍在新房裡占了一個顯著地位，今天當我想把它擦拭潔淨重新掛回牆上去時，發覺有些使玻璃黯淡的並不是附著在表面的灰塵，而裡面的襯紙也變黃了，於是我撥開銅搭扣，還有釘的牢牢小釘子，取下框板，又是一層厚厚的道林紙，這才是那張相片，我用長指甲輕輕一挑，相片挑起來了。但底下卻還有一張覆在那裡，多奇怪，他究竟祕密地深藏了一張什麼寶貝相片，我一反手，手裡那張相片翻了過來……

我一瞬間幾乎以為自己是眼花了。又懷疑是不是在做惡夢，然而，都不是，我清清楚楚站在新粉刷的房間中，陽光明亮的從窗戶投射進來，一點不錯，相片上是皚和另外一個女人！

背景依舊是那隻石獅子，皚側著頭，右臂撫在獅頭上，那女人便虛枕著他的手臂，站在他右邊，兩人都笑吟吟的。那女人有一張清秀的瓜子臉，小小的嘴，長長的眼睛裡洋溢著柔和的光輝，纖細的身上穿一件十年前流行的寬袖鬆腰旗袍，平底皮鞋，十足一副溫柔賢淑的少婦模樣，相片角上用鋼筆寫了一行字：「二十七年偕淑婉攝於舊宅碧廬」，我認得那正是皚的筆跡。看這親密偎依的神情、這題字，儼然是一對夫妻，這麼說來難道皚曾經結過一次婚？而像一般人一樣，太太留在家裡？那一旦反攻大陸，我的身分？……我緊緊一把抓住椅背，我真怕我自己會昏厥過去，這是可能的嗎？皚欺騙了我！皚——我最親愛的人，我全副心靈交託的人，我們是那樣相知相愛，我把我的生命與他的緊緊聯繫在一起……多麼可怕呀！我只覺得整個世界在我面前崩潰了，覆滅了——直到相片從手中滑落地上，才使我驚覺，我重新撿起照相，仔細端詳，不禁妒恨填胸，熱淚盈眶，恨不得馬上找皚來算帳，但我又想到皚平日的為人，坦白而誠摯，在家庭是一個好丈夫，在國家是一個勇敢、堅毅的軍人，不僅我這麼認為，他的朋友們也一致推崇，他真能欺瞞著我鑄成這樣一件大錯？我決定先捺住沸騰在心頭的激憤，在晚上平心靜氣地盤問他一個水落石出。

傍晚，我在弄飯，聽見_回來了，先抱親了一會在門口接他的孩子，然後照例把外衣一脫，到廚下來幫我端菜端飯。飯後，我去洗碗碟，他便把房裡收拾乾淨，跟孩子廝纏一會，等我弄清廚房裡的瑣事，他便往沙發裡一靠，拿起當天的報紙來，我則坐在對面編織或縫紉，聽他給我唸報上的新聞，書上的故事，他把身子拉得長長的，顯得舒泰而滿足，外面是漆黑的夜，屋裡卻充滿了溫暖和恬靜，平時，我就最珍惜這段可愛的時間。

今天，他又用那幽默而輕鬆的口氣，為我講述一段社會新聞，我用了最大的忍耐去聽，但還是一字都不曾聽進耳朵，等他告一段落，我終於忍不住啟口了。聲音故意抑制得十分平靜，彷彿偶然不經意想起來似的：

「_，你認識一個叫淑婉的女人嗎？」

「誰？」他彷彿驟然被蜂子螫了一口，吃驚地放下報紙，望著我。

「淑婉。」我重複了一句。

_怔了一怔，眼睛裡掠過一片陰影，臉色變得蒼白，沉默半晌，才沉緩地說：

「認識，我當然認識她。」他不安地瞥了我一眼，「妳從哪裡知道她的？」

「這裡，我無意中發現這張相片。」我把夾在雜誌裡的那張像拿出來遞給他。一面密切的注視他，只見他接過相片的手有點顫抖，眼光一接觸到上面，蒼白的臉立刻被一陣痛苦所痙攣。手指緊緊的扣住了相片。

「她是誰？」

「我的妻子。」他喃喃地說，完全漠視了我的地位。

「什麼？」我似乎遭遇了當頭一擊，陡地站起來將編織物推落地上，「你為什麼不早告訴我你結過婚？」

「因為我一直怕觸痛心靈上的創傷。」他沉痛地說，眼睛一直沒有離開過相片。

「她現在在哪裡？」我兇狠地盯住他問。

「她麼，她早已不在這人間了——願她在天之靈安息。」他仰首祝禱，我從未見過他這樣虔誠。

我心裡如放下一塊石頭。無論他怎麼愛她，死者總不能在活人手上占奪愛情，而無論他們怎麼相愛，過去的總是過去了，頂多留下一點回憶——我拾起編織物，覺得自己太缺乏涵養，但仍舊悻悻地責備他：

「說什麼你總不該瞞住我。」

「我並不是存心要瞞妳……」他歉疚地放下相片，一手撫摸著熟睡在他身旁的孩子，「妳先把孩子安頓好，我再慢慢地告訴妳。」

下。

我把孩子放在牀上再回到客廳裡，他從沉思中驚覺，望著我挪了挪身子讓我在他旁邊坐

「瑛，」他嚴肅地望入我眼中，「妳看我像不像一個怙惡不悛的賭棍流痞？」

「當然不像！」我不假思索的回答。

「有沒有流痞賭棍的氣質？」

「皚，」我怫然阻止他，「我不喜歡你這樣貶損自己。」

「可是，我曾經是那樣怙惡不悛的人。」他激動地將臉埋入手掌中，手指深深地插入濃密的頭髮。「就為我的怙惡不悛，傷害了多少親愛的人的心，就為我的頑劣行為，讓一個善良的靈魂做了無謂的犧牲。」

我從來沒有見過他像這樣苦惱的神情，聽過他這種沉痛的聲音，我呆呆地望著他，竟不知是恨是憐！

「記得我曾經告訴過妳，我從小便是個被寵慣了的獨生兒子。」皚從掌心裡發出窒塞著的聲音。「從小學到初中，我都是在本縣中順利的修完。但家鄉是個小縣分，中學不完備，進高中時，我只得轉到另一個省城中住讀。就在那時，我因為交友不慎，從幾個壞同學那裡學會了賭博，而且入了迷。我開始不斷的向家裡索取款子來償還還不清的賭債，我們不但星期日找一個僻靜處賭一整天，晚上也偷出去賭，以致慢慢的功課趕不上了，上課老是缺席，

而當我要畢業的那一年，終於被校方發覺而遭開除了。

「雙親的傷心是不用說的，但他們終於寬恕了我，因為年輕受了壞人的引誘，他們決計讓我待在家裡，緊一緊放鬆了的韁繩，一方面預備給我進行婚事，好讓女人綰住我的心。我本來是不贊成媒妁婚姻的，但那時一來因為良心上有內疚，二來空閒得無聊，也就由他們安排著同一個女孩子結了婚。」

「那女孩子便是淑婉。」

「淑婉就同她的名字一樣，既賢淑，又婉順，完全具有從前的女人那些美德，她對我真是體貼入微，起初我倒也覺得燕爾之樂甚於一切，但不到二個月，我又覺得煩膩了，我又嫌她舊式，不像我在省城看到的那些摩登女郎，於是，我又開始偷偷地出去閒蕩起來，認識了一些縣裡的賭棍流痞，又賭博起來了，沒有錢還賭債，便挪用父親的帳款，用父親的名義各處賒欠，只想贏了便彌補進去，不料這漏洞越來越大，直到有一天終於被父親發覺了，父親氣得當場吐血。同時不得不變賣了一些田地，抵償我挪欠的款項，他聲稱他大半生辛勤掙來的一點財產，已被我花去了大半，養兒既不能防老，還有一小半，他將留著老倆口度過殘生，可不能供我這敗家子揮霍。一氣之下，他一橫心便要同我脫離父子關係，後來還是母親一把眼淚、一把鼻涕的勸阻了。父親便把我介紹到鄰省一個遠親的一個紗廠裡去當個小職員，說是試我三年，看我在這三年中能不能改過自新，再作決定。

「起初父親的意思只叫我一個人去，把淑婉留在家裡。可是淑婉卻說我去天涯，她跟去天涯，我入地獄，她也同入地獄，不管我去哪裡，她一定相隨。不然，便以絕食作無言的抗議，父親見她這般堅決，也只得隨她自主。到了那裡，我那份微薄的收入，只能勉強糊口，淑婉雖然也是從小嬌養的，這時卻摒卻脂粉，刻苦勤儉，省吃省用地過起日子來，家裡一切粗細事都親自動手默默操作著，從來沒有半句怨言，她把每件事物都安排得妥妥貼貼，從不讓我操半點心。她安慰我，鼓勵我，更小心體貼地侍奉我，我不知道我有什麼值得她這樣死心塌地的愛我，其實，我是不值得她愛、不配她愛，以我的卑微下流，比之她的溫雅高潔，簡直是一注溝裡的濁水和一股山中的清泉，濁者自濁，清者自清，但她卻想以她的澄清，滌除我的污濁。

「受了錢的束縛，在那裡我也安分了三四個月，但在家裡總是悒悒寡歡，脾氣躁急，淑婉便勸我出去走走，看看朋友，有一個星期日，我到一個同事家去，他們正在打沙蟹，邀我入局，起初我推辭，後來看的心裡癢癢的，心想難得逢場作戲，便參加了作戰，牛刀小試，居然贏了。回家我很高興地跟淑婉說起，她一聽驚愕了一會，半晌不作聲之後，看到我難得有的高興，她也陪我高興起來。第二個星期日我又去了，這次卻輸了。我知道我的這份薪金供兩人吃用都是十分拮据，哪有餘存，但第一次輸了哪就能賒帳！我還是求助於淑婉，果然，她不聲不響就抱了一只手飾箱出來，在裡面撿了一只戒指給我——那全是她的陪嫁和私蓄，卻沒有想到全帶了來，更沒想到她這樣賢惠慷慨！

「賭博是不能開手的，就像有魔鬼操縱著意志一樣，一開手就不能歇，一次兩次，就有三次四次，不久我又故態復萌，常常一下班家裡都不去就到賭友家裡，一賭賭到深更半夜再回去。淑婉對我的行為不但沒有半句怨言責備，而每晚我什麼時候回家，她總等到什麼時候。夏天裡還給我冰上綠豆湯，備好洗澡水，冬天裡又燉上紅棗粥，暖好湯婆子，等我回去享用。當我錢輸光了，向她要飾物時，她也從來不曾猶豫過，頂多只是用交織著怨尤和憐惜的目光凝視著我說：

「『你也要顧憐顧憐身體，這樣熬夜……』

「『我把這筆帳還清了，一定洗手不賭了。』我下決心地說。於是她又拿出金鐲子來，剪了一截——她的首飾箱已越來越空了。

「當我深夜回家，看見她那睡眼惺忪，孤苦寂寞的神情，有時心裡也會感到十分愧疚，覺得撇她一人在家裡也怪可憐的。而她在家裡省吃省用，苦苦操作，我卻用她的積蓄一擲千金！再說雙親在家又怎樣期待於我！好幾次我真下了決心，一定不再賭博，但是，第二天一邀一拉，手上摸著了牌，便完全把隔夜的決定拋到九霄雲外去。耽迷於賭博的人，在我現在看來，簡直比畜生不如，是完全迷失了心竅，泯滅了良知，喪失了意志，像一葉沒有舵的船，無法操縱自己。

「一個冬天的深夜，我永遠不會忘記那一個晚上，我從一場賭博中散出來，街上已沒有一個路人，凜冽的西北風直往我頸脖子裡灌，我不禁打了個寒顫，放快腳步加速血液的流動，平常當我的腳步聲踏上台階時，淑婉好像早就等好在門背後似的，立刻把門打開了，頂多也不過在門上輕輕敲兩下，她便應聲相迎，但那天我在門上，窗上都敲了好幾次，都得不到反應。窗裡燈亮著，卻因放著窗簾看不見裡面。我急了，便順手在地下撿起塊石子，剛把玻璃打破一塊，一股令人作嘔的濁氣便從破洞裡直竄出來。我心知有異，連忙伸手進去除下搭扭把窗子打開，幾乎使人窒息的大量濁氣奔了出來，我用手帕繫上口鼻，從窗口跳了進去，在慘綠的燈光下，我第一眼便看見淑婉，側躺在火爐旁邊地上，一隻右手向前傾伸著、手指所及是一只圓桌，但圓桌和桌上的水瓶茶杯都已傾倒，流出來的水正浸著一件完成了一半的玫紅色小毛衣——顯然的，淑婉本來烤火在織毛衣，後來睡著了，卻在迷糊中被煤氣的窒息所驚醒，她昏迷中還想去拿桌上的水喝，但因中毒太深，體力不支，手剛扶到桌子，人便跌倒了——

「我抱起淑婉施行急救，用人工呼吸……但是，一切都遲了，她軟綿綿地躺在地上，六個月孕的肚子微微在棉袍下隆起，清秀的臉龐被窒息的痛苦弄得歪曲、可怖！

「她為我燉的紅棗粥還在火爐上滾著——」

「啊！淑婉就這樣死了？」我不覺驚懼地叫起來。

「是的，她就這樣默默地死了，就同她默默地生存著一樣。」皚從手掌裡抬起頭來，眼睛被罩在一層悲痛的淚光下茫然直視空間。「她的死，是一個無言的責備，這責備比學校的開除、父親的吐血、母親的傷心、最後被家裡驅逐都還嚴厲，這責備像一塊燒紅的鐵，烙在我心靈深處。當時對著她的遺體，我為自己安排了兩條路。一條以死殉之，一條從新做人，結果我選擇了第二條，我把她的靈柩送回故鄉，便離開雙親，離開我跟淑婉共同生活過的縣城，獨自一個人走得遠遠的，那時正值全國展開對日抗戰，我便毅然選擇了這條路！」皚沉默了半響，才幽幽地對我說：「瑛，請原諒我一直沒有向妳揭示這痛苦的烙痕。」

「我原諒你。」我溫柔地說：「而且她也會原諒你。」

「妳說淑婉？」他愕然望著我——在整個故事後，第一次看我。

「是的，她愛你至深，她在天之靈若知道因她的死而使你獲得新生，一定高興的。」

皚只是搖搖頭在嘴角作了一個慘笑。我又緩緩地說：

「同時，我還要謝謝她。」

「妳？為什麼？」

「因為你的新生，使當今復國建國的大業中增添一份不可輕視的力量，使我有一個值得驕傲的丈夫。」

「瑛！」皚熱淚盈眶，緊握住我的手顫聲喚著，「瑛……」

我也握緊他的手，以交融著溫情、鼓舞、安慰的眼光，默默地，深深地，迎著他透過淚光的視線。

扇子

我帶著微醺回來，只見屋裡黑黝黝的，門鎖著，心裡便有一種不祥的預感，忙不迭開門亮燈，屋裡的陳設依舊，只是冷冰冰的顯得有點淒涼，就像空關了許久沒有人待過似的，首先映入眼中便是門對面一片空白，原來在那牆上懸著的是她的一張十二寸著色的半身相片，平時只要一推開門便見她嫣然相迎。再就是桌上那些琳瑯滿目的化妝品不見了。我拉開櫥門，裡面除了我的幾套蹩腳西裝，全部花花綠綠的旗袍也沒有了。一種恐懼緊緊抓住了我。——她真的走了！我又打開所有的抽屜，箱子，翻開案頭的文稿卷帙，想看看她有沒有留下什麼言語，但也不見。

我失魂落魄的一轉身，腳尖卻踢到一樣東西。低頭一看，原來是一把精緻的檀香扇。我熟悉那是她夏天常用的，如今丟在地下不知是她故意暗示諷刺，抑是匆忙中遺留的？我下意識的拾起來在手裡把弄著。這時我的酒意已清醒了，不禁想起上午兩人因一點小事而口角的情形。我鬥不過她因而氣憤地說：「這樣的家庭我可過不下去，我讓妳好了！」說著，我披起外衣就朝外走，卻聽得她堅決生氣的聲音在後面擲過來：

「這是你姓賈的家，你有權利住下去。我馬上走！」

我沒有理會她，逕自奪門而出。在一個朋友家裡混過了一餐午飯，又一個人去看了兩場電影。晚餐在一家小飯店吃的，還喝了四兩清酒。原想趁著酒意，回家給她陪個小心算了，誰料到她當真走了……哼！為這一點小事就出走，一點情感都不顧。夫妻相處的日子長哩，將來煩不勝煩，她想用出走來威脅我，恐嚇我，制伏我，我可不受那一套！她別以為少了她我就過不了日子，好吧，她既然一點夫妻感情都不顧，我也會狠心，看看究竟誰比誰強！

由恐懼、怨恨而至惱羞成怒，我把扇子往桌上一摔，隨手拉過一張原稿紙來，毫不思索的，像平常在報上看熟的那些啟事一樣，寫下了一則因意見不合的協議離婚啟事。

我把懊恨惱怒一起借啟事發洩了，心頭反倒輕鬆了一點，胡亂便睡上牀去，想同平時一樣看一陣子書睡覺，可是，看了半天也不知看些什麼，索性把燈一關閉上眼睛，忽然又記起未婚前有一次和她在划船……我翻一身抖落這思想——不知她走到哪裡去了。台灣沒有什麼親友……該死的！我忍不住自己責罵著自己，老想這些幹嘛？真是沒出息的懦夫！我硬把思想的閘門關上，可是這被窩裡怎麼冷得一點熱氣都沒有，這牀板又梗得人骨頭痛，枕頭安排得偏不是位置，這些可惡的東西偏湊在今晚上搗亂，睡吧，睡吧……翻了幾十個身，好不容易迷糊睡去，卻又驀地被一個聲音驚醒。

那個聲音是那樣輕忽，那樣縹緲，彷彿是幽靈的歎息，而隱含著無限幽怨。我不禁為屏息傾聽：

「哎！這周圍是多麼黑，又多麼寒冷，只我孤零零地被棄置在這裡，——這位先生，你冷不冷？」

「我倒不大覺得，」一個帶著點沙啞的聲音回答，「也許是習慣了，主人常常用過了便把我丟在這裡，有時連帽子都忘了給我戴——妳不是不怕冷的嗎？我還看見妳殷勤的為女主人服務哩。」

「那是夏天呀！」縹緲的聲音裡摻著深深的感慨，「那時女主人簡直與我寸步不離，不管去哪裡都帶著我，把我執在她那雙白嫩的、指甲紅紅的手裡，輕輕地揮動著。有時還讓我半偎著她美麗的臉蛋，貼著她嬌豔的嘴唇。」

「妳真是豔福不淺！」沙聲音羨慕地說。

「嗯！說起來，我還是男主人和女主人的撮合人哩！」縹緲的聲音忽然想起了什麼炫耀地說：

「真的嗎？」沙聲音有點不信。

「這還能假嗎？有一次女主人帶我去赴一個宴會，她不停地舉起手來半掩著臉窺視著。我也向她窺視的方向望去，原來是一個風度翩翩的男人，當那個男人向這邊走來時，女主人便頻頻地揮動著我。我猜一定是由我身上散發的香味吸引了那個男人。他一看見女主人，便呆呆地注視了半天。於是，女主人輕盈地站了起來經過他面前，大概只走了兩步——我說她一定是故意的，假裝一失手把我跌在地上。那一跤跌得真不輕，差一點摔斷一根骨頭。幸好那男人趕緊把我扶起來，交還女主人，女主人向他笑了笑……那男人你道是誰？便是現在的男主人呀！」

「唔！原來如此。」沙聲音恍然大悟。

「可是，人類可難侍候得很哩。」縹緲的聲音中那份興奮淡落了，又恢復了那深沉的怨懣。

「他們自然不會記得妳了。妳還不知道他們要離婚了麼？」沙聲音說。

「什麼？」縹緲的聲音驟然一驚，懷疑地說，「我不信。」。

「哪，離婚啟示還在妳旁邊擱著。妳看不見？等我唸給妳聽——我倆因意見不合，難偕白首，經雙方協議，自登報日起，脫離夫妻關係，自後男婚女嫁，互不干涉——唉！我也想不到去年還替男主人寫信給女主人。滿紙的親愛的啦，我愛啦，妳是我的生命，我不能沒有妳啦……曾幾何時？卻又來替他們寫離婚啟事了。」沙聲音不勝感慨系之的說。縹緲的聲音也附聲喟歎著。屋子裡充滿了一片唏噓聲，繼之是死一般的沉默。半晌，縹緲的聲音又悒鬱地說：

「既然如此，女主人怎樣會忘了把我攜去呢？」

「妳忘了現在是冬天呀！」沙聲音提醒它。

「我知道。可是，冬天快完了，等春天一過去不又是夏天了嗎，到那時女主人如果再要找男主人，不是又用得到我了嗎？」

「虧妳想得周到！」沙聲音啞然一笑，旋又感歎地說：「說也是。不曉得男主人下次再用我寫親愛的啦，我的生命啦，又是給哪一位女人了！人類的感情真是……」

我實在忍受不住了，霍地推被而起，扭亮電燈，向聲音的來源望去，只見書桌上並排躺著剛才從地下撿起那把檀香扇，和一支我的鋼筆。

我一把攫起扇子，想把它撕成片片。忽然，耳畔彷彿又響著那種縹緲的一個幽靈的歎息似的聲音。我遲疑著打開扇子，一陣幽香透入心脾——檀香滲和著她慣用的香水，素的白絹上似乎還隱約留著她的脂粉跡。恍惚間，扇上的那朵蘭花逐漸擴大、模糊，而幻成一個我熟悉的面孔——她正半掩著臉，向我嫣然一笑，笑得嫵媚而多情，笑得心旌搖盪……我的心一下子軟化了，軟得跟碰著了火熔化的餳糖一樣，於是我一把抓起那則離婚啟事撕成片片，重新拿起鋼筆來像剛才那樣毫不猶豫的寫下另一則啟事：

蘭：一切誤會皆我之咎，盼速歸重聚。

啟事明天送去報社，後天一早便可以見報。我把鋼筆擺進抽屜，扇子擱在枕畔，重新上牀就寢，淡淡的幽香中，我的意識逐漸恍惚模糊……

狂歡之夜

聖誕夜，平安夜——

康克扶著駕駛盤，直視著前面，以每小時六十公里的速率，在月色朦朧的公路上急駛著。車燈照射出路旁兩排森鬱的樹林，好像拱衛的巨人。他覺得腦袋有點昏眩。雖然掠過曠野的冷風頗具寒意，仍感到臉上熱烘烘的；這是剛才喝下去的酒精在起昇華作用，他記起在聖誕舞會上一個人喝悶酒的事。這一個萬眾歡騰的節日，對他卻太苛刻了。他原來約好了李小姐，預備今宵狂歡通宵，不想她卻失了約，他只得臨時再去約張小姐和王小姐。自然，年輕的女孩子還不早就為自己安排了今宵，碰上一鼻子灰。弄得他只好一個人擺拆字攤，眼看人家雙雙對對，翩翩起舞，親親熱熱，摟抱貼臉，他唯有借酒澆冷心頭一股無法捺下的燥熱。

「若是讓我逢上聖誕老人，一定綁他的票！」他在心裡嘀咕著。忽然覺得眼前一亮，有什麼白色的東西掠過車頭，他嚇了一跳，連忙剎車，卻四圍靜悄悄地什麼也不見。儘管是狂歡之夜，在這條穿過田野的僻靜的公路上，沒有一輛車也沒有一個人。燈光所及，前面隱約照出兩個灰白的橋柱。

「見鬼！」康克詛咒著，心想一定自己喝多了酒眼花。

過橋不遠便是××俱樂部，今晚也有聖誕晚會，他想去碰碰什麼可遇而不可求的機會。於是加足馬力，向前駛去。眼看橋柱上兩個顏體的「楓橋」已迎面撲來，忽然車頭裡一陣切立擦拉的嘈雜聲，車子倏地停住了。

「今天真是倒透了楣！」他不得不跨下車子走到前面去檢查。這時耳畔卻飄來一陣輕幽的音樂，心想這是哪一腳風，竟把××俱樂部的音樂都吹了過來！

他回到車子上發動引擎，馬達吼叫了一陣，車身卻依舊紋絲不動。他又只得跳下車來，惱怒的揭開車蓋，正當他俯首檢查時，剛才聽到那縹緲的音樂，彷彿更近更清晰了。他一回頭，卻見一個盛裝的女人婷婷地站在他身後。

那女人全副赴舞會的打扮——而且是化妝跳舞會。她大概扮的亞拉伯人，穿一襲曳地的白緞長裙，長長的黑髮披垂兩肩，鬢邊插一朵紅豔的玫瑰，頰畔微微晃搖著環形的金耳墜，大半個臉龐卻被一塊輕紗遮掩著，只在紗上露出一對深不可測的眼睛，正凝注在康克身上。當他接觸到她的視線時，似乎感受到一股冷氣——月光映著她雪白的肌膚，好像一件凍凝的象牙雕刻。

在這深夜，這曠野，這盛裝的單身女郎？……

「對不起，可以讓你的車子送我回去嗎？」她似乎看出康克的疑惑，迎上一步用溫柔的聲音問訊。眼睛裡的寒氣在笑意中融化了，顯得嫵媚而富有魔力。不等他回答，她又接著解釋：「我從那邊舞會裡溜出來的，他們說什麼也不讓我走，可是我允諾了我丈夫十二點鐘以前一定回家。——正巧，走到這裡恰好遇見你。」

這真是從天而降的豔遇，聖誕老人究竟不曾虧待他，康克不禁沾沾自喜。

「我很樂意為妳效勞。」他說。「只是我也有一個請求——」

她望著他眨了眨眼睛。

「今晚上我一個舞伴也沒有邀到，因此到如今我還不曾跳過一支……」

「你的意思要我先同你跳一支舞？」

「允許我有這個榮幸。」

「可是，」她猶豫著，瞥了一眼背後靜悄悄的公路。「我不想回到那裡再受他們的包圍。」

康克跟著用眼睛巡視一下四周，忽然靈機一動，便指著橋堍旁那片芊綿的草地建議說：

「就在這裡不成嗎！有音樂，還有月光，夠詩意。」

她默允了，他欣然趨前握住她的手——驟然間他竟以為握著一團冰凍，冰得他嚇了一跳。

「我沒想到外面比屋子裡冷的多了。」她歉疚地說。「我把外衣遺留在衣帽間。」

「讓我使妳暖和起來。」康克緊摟住她的腰肢——她的腰真纖弱，好像一箍就會斷似的，他想。

他們開始跳起來，那縹緲的音樂就似一條無形的環帶，無盡止地環繞著他們，旋、轉，從不停歇。他們也無休止的跳下去。他從來沒有碰到過像她那樣輕盈，那樣柔若無骨的舞伴，輕飄飄的似乎連腳尖都未曾沾過地，簡直要羽化登仙。

康克諦視著那對嫵媚的眼睛，有一種渴望強烈的在胸際升起。他渴望看到她整個臉龐，那一定是很美的。他想在貼臉時用嘴唇把那塊紗巾弄下來，於是，他把臉慢慢地湊過去……就在這時，音樂的環帶倏地中斷，遠遠傳來沉緩的鐘聲，響了十二下。

她從康克臂彎中滑出來，眼睛裡瀰漫著驚恐。

「啊！十二點！」

「我馬上送妳回去。」康克安慰她。

「遲了！」她絕望的絞著雙手。「已經遲了！」

「妳可以向妳丈夫解釋。」

「他從來不接受任何解釋——我永遠不會忘記發生在前年聖誕夜的事，以致令我終身抱憾。」她不安地閃著眼睛，似乎尚有餘悸。

「前年？」康克模糊的觸及記憶中一點什麼關聯。

「是的，前年。」她沉緩地說。「我丈夫很愛我，但他也妒嫉得厲害。他不願意我多跟別的男人周旋，尤其是跳舞。他說他寧願去死，也不願意看見自己的妻子被抱在別的男人懷中，偏巧我又天生是個舞迷，一跳起舞來便把整個身心靈智浸沉在音樂的旋律裡，直跳得廢寢忘餐。但結婚後我們卻一直避免參加類似的晚會。

「那一年聖誕節的前二日，丈夫問我喜歡什麼，他要送我一件貴重的禮物，年年他都如此，那天我卻故意吞吞吐吐，欲言又止。他立刻保證說只要我想得到的，他總盡力辦到。我這才說我不要別的，只要他答應我去參加今年的聖誕晚會，他聽說呆了半晌，才用一種陌生的聲音說：『好吧，答應妳一次，只是無論如何得在十二點鐘以前回家。』

「那是一個盛大的聖誕舞會，而那一晚我是最成功的了。起初我只同我丈夫跳，但他因為身體胖，跳了兩三支音樂就累得動不得了。這以後，我一直接受別人的邀請，一個接著一個，連一支音樂都不曾停過。我丈夫一個人坐著，有好幾次催我『該回去了吧！』我總是告訴他『等一等』。最後，當我結束一支音樂回到座位上，他已拿好衣服站在那裡等我。

「『十二點差五分。』他不耐煩的望著我說：『一定得馬上回去了。』」

「我無可奈何的轉過身去等他給我穿外衣——就在這時，一個青年走了過來請我跳舞。

他英俊瀟灑，舞跳得很好，這晚上我已跟他共舞過兩次了，我不能抗拒這邀請，便說等我跳完這支一定回家。我剛走了一步，聽見我丈夫極力抑制著的聲音在背後說：『妳儘管跳去，我走了！』他果真撇下衣服氣鼓鼓地走了。

「我怔了一怔，那青年立刻溫柔的湊在我耳畔說，跳完這支，他馬上送我回去。於是我們又跳起來，跳得如癡如醉，我驀地驚覺，夜已很深很深了。在上車以前，青年勸我喝杯香檳，禦禦外面的寒氣。我本來不能喝酒，卻糊裡糊塗乾了一杯。車子經過國際飯店，裡面揚射出音樂聲，舞會正酣。他又建議進去換換情調，那時我昏昏然只想安睡，含糊地說了聲『太遲啦！』卻不由自己的被他扶下車去，進了旅館，他卻不進舞廳，挽著我走上樓梯，走進一間華麗的房間……這以後的事我完全迷糊了，只記得他伴送我到家裡已是第二天黎明。」

她頓了一頓，那交集著怨尤的目光凝視著康克，他寒伶伶地打了個冷戰，模糊的記起一件事，他在有一年聖誕夜曾做過一件荒唐事，但是……

「我回到家裡卻看見丈夫不在家。」她冷靜地接下去說。「傭人也說他同我出去不曾回來過。我奇怪他這半晚到哪裡去了，但我實在疲極了，疲得一挨著牀沿就睡熟了，睡得跟死去一樣。也不知睡了多久，迷濛間卻被一種令人窒息的苦悶驚醒，睜開眼睛，只見我丈夫正俯視著我，臉被妒恨和痛苦所歪曲，醜陋可怖。我只意識到令我窒息的是他堅箍在我頸上的手，這以後便完全失去了知覺。」

「妳，妳是……」康克恐懼的看著她，瞠目結舌，身子彷彿被釘住在地上。

她帶著一個冷酷的笑意凝視著他，伸手扯去面上的薄紗，露出姣好的口鼻。在潔白的頸上，卻彷彿繞著一圈紅豔的珊瑚珠似的紅色痕跡。康克的臉色倏地轉成死一樣的灰白，驚駭欲絕，噤默了半晌，才用足全身精力，從丹田裡迸出狂呼。

「打鬼！」他嘶聲極喚，「打鬼！」當他喚第二聲時那女人的身體忽然變輕、變淡，像一縷煙似的悠然消失，只剩下冷酷的笑意還留在空中凝對著康克，但一會兒也終於隱退幻滅。

康克瞠目瞪視四周，但見慘澹的月光下，空曠的田野沉寂地展向黑暗的無垠，萬籟闃靜，更無半點聲息，一陣涼風吹來，他驀地寒伶伶打了個冷顫，惚恍從一個惡夢中驚醒過來，逃避似地提起軟癱的雙腿，慌忙跨上車座，扳動引擎，開足馬力，直向前駛去，一氣衝上了橋，忽然發覺車頭正對橋柱衝去，他手忙腳亂地想扳轉來，但已經來不及了，只覺得猛然之震，接著一陣木頭摧裂的嘈聲，車子便隨著撞斷的欄杆直墜下去——

孿生兄弟

一

今年夏天，我在姑母家度過了一個暑假，這暑假在我二十年生命史上說來是頗不平凡的，因為我在戀愛這玩意兒上，第一次——嗳！先不說罷，說了洩氣，就講不下去了。

姑母家在K市東郊有一幢精緻小巧的別墅，在這一帶置有別墅的，不是長袖善舞的投機家、商業鉅子，便是在政治舞台上的要角。自然，我姑父也不會例外，他自己有一個紗廠在台北，還兼了幾處股東、董事、理事什麼的，不常回家，胖胖的姑母成天埋在牌桌上，唯一可以陪我玩的就是表哥。

表哥在城裡念大學，沒事也常來找我玩，看電影，游泳，泡咖啡館，郊遊……我們本來是青梅竹馬之交，青年人跟青年人的趣味又差不多，自然我們在一起玩得很好，我們兩家的長輩很有意思親上加親，彼此已默認我們是一對。但我卻不理會這些，我還年輕，我愛玩兒，我喜歡異性的殷勤、阿諛，和那副在漂亮女郎面前拚命想表現自己，而又弄得呆頭木腦的傻相，我的血液裡滲著一種反抗的因素，我一點都不稀罕得來容易的東西，卻偏喜歡想盡方法，用盡手腕去獲得那些離我遠遠的事物，而寧可等弄到手再一腳踢開，不過表哥總歸是表哥，是踢不開攆不走的，我彆扭一回，使性氣一會，結果還是玩在一起。

記得是我住到姑母家的第三天早晨，表哥提議我們出去遛遛馬——表哥隨時都在想主意讓我能解悶。我自然很高興的答應了。表哥先從馬廄裡牽出一匹灰色的馬交給我騎，接著又另外牽出一匹來，當我一看見他預備給自己騎的馬時，說什麼也要調換一匹，那匹馬長得可真駿，身材比灰色馬要短一點，但更結壯，一身雪白的毛，梳理得發現發亮，披垂在頸旁的長鬃卻是黑色的，那天我正巧穿的是紅色新裝，這配在一起該有多美，但表哥偏說銀龍買來不久，性子較劣，不善騎的人是不會駕御的。一聽他說我不會騎，可惹犯了我的性子。

「你這簡直是輕視人嘛，你就估計我不及你會騎？」我說著一手從他手裡奪過韁繩來，左腳蹬上馬蹬，只那麼輕輕一躍，就上了馬背，這一切都做得那麼敏捷、灑脫，我猜表哥一定又是瞪著眼，又驚又愛地盯住我，但這匹銀龍可也真作怪，我右腳剛挨著馬蹬，牠便陡的用後腳站起來，長長的馬鬃迎風一抖，還來不及讓我向表哥炫耀一下馬上的英姿，牠便灑開四蹄，馱著我飛一般跑。

銀龍真不愧銀龍，跑起來就同駕了風似的，我怕風吹得我透不過氣來，便緊緊拉住韁繩，伏在牠背上，心想這副樣子不知像不像〈太陽浴血記〉裡的碧兒，只是我還比她多了一套馬鞍……驀地裡「霍霍」幾聲馬鞭在空氣裡抽動的音響，一匹馬從橫刺裡攔阻出來，銀龍又陡地站起來長嘶一聲，站停了。

攔在我面前的是一匹高大的棕色馬，馬上跨著的是一個穿騎馬裝的青年。灰色的上裝配著深紅的領花，襯得那張淺棕色的臉英姿勃勃，一雙深邃而明亮的眼睛緊盯在我身上。

「受驚了吧！小姐。」他望著我笑一笑，露出潔白而整齊的牙齒在陽光裡閃耀。我本來應該謝謝他攔住了銀龍，但我從他的聲音和舉止上又看到那種男人們為女人做了一點小事便以功臣自居，而要受者知恩報恩的神情，立刻我的感激又成了反感，把眉毛一揚，冷冷地責問他：

「你這人，幹什麼攔我的馬？」

「對不起！我以為是……」他起初愕然了一會，旋即窘紅了臉，愧疚地向我彎彎腰，退讓在一旁，我不屑的斜瞥了他一眼，頭一昂，腿輕輕在馬肚上一夾，銀龍又飛跑起來，但跑不多遠，又是幾聲鞭響使銀龍停止了，又是那件灰色的上裝繫著紅領花，又是淺棕色臉上亮著一雙深邃而明亮的眼睛，這下輪到我愕然了，剛才那個明明跟我背道而馳，絕對不可能又趕在我面前，可是就在我一疑懼間，銀龍又猛地豎立起來，我一時沒提防，竟給牠掀下了馬背，就在這時，表哥可慌裡慌張的趕來了，見我跌在地下，連忙下馬來牽扶，一面還抱怨著說：

「告訴妳銀龍性劣，妳偏要騎，如今可摔了，摔痛沒有？」

我一肚子的懊惱，摔開表哥的手自己爬起來說：

「誰說我自己摔的，就是碰到鬼，他——」我瞪一眼那個正牽住銀龍的人，一轉眼，卻又看見表哥旁邊也站著一個人，兩人一模一樣的裝飾，一模一樣的臉、身材，連那雙黑亮的眼睛也一樣的閃著笑意，我也見過不少很像的孿生子，可從來沒有見過這樣相像得就似兩張花紋一樣的鈔票似的，一下子我看出了神，連臀部被摔痛這回事也忘記了。

二

「……這是湯家兄弟，」表兄跟我們介紹著，「至於其他的你們還是來個自我介紹吧，我可攪不清。」

「我叫湯嘉德，比我弟弟早五分鐘出世。」站在表哥旁邊的那個走過來向我點頭施禮。

「我叫湯稼德，比我哥哥遲出生五分鐘。」牽住銀龍的那個也走了過來，兩人說話的姿勢和聲音都一樣的。

「真有趣！」我緊瞅著他們，想從他們臉上或身上找出一點不同的地方，但是失敗了。

「你們兩個這樣相似，朋友們又怎樣辨認呢？」

「我們兩人一向是行動一致，所以朋友們可以不費這份心。」左邊那個，記得介紹時他說是哥哥的那個回答我。

「聽說孿生的彼此間都會產生一種心靈感應，是嗎？」

「有這麼一點，譬如我們常常會不約而同的想到一件事。」弟弟稼德說，哥哥又接下去。

「有時稼德說出一個主意，往往跟我要說的正好符合。」

他們說話時，逢上簡單的詞句便兩人同時出口，當一個說另一個便望著微笑，那神情好像說：他說的全跟我要說的一樣。而講述什麼時，又往往一個說上句，另一個馬上接著說下句，從來不重複、衝突。

「假使把你們分開來，是不是會感到不便？」我完全被好奇心和興致所驅，一個問題接著一個問題。

「嗯，有這麼一點。」哥哥嘉德說，舉起馬鞭來在空中劃了個弧形，稼德也舞著馬鞭在樹上抽一下。「好像失落了什麼似的。」

「又像有一根神經麻痺了似的。」弟弟說。

「記得有一次家裡試著把我們分開來，一天我在家裡騎馬時摔傷了左腿。」

「不想同一天、同一個時候，我也在叔叔家從樓梯上跌下來跌壞了右腿。」兩人說著，被過去的事激起了快樂的情愫，相視著大笑起來，笑得那樣狂放融洽，簡直是旁若無人。

「那……」我再想問下去，卻被冷落在一旁的表哥攔斷了。

「表妹，妳怎麼像個大法官似的，盡著審問，我們一起遛遛去吧。」

「差點忘了，我們還有人約會呢，明天再來看你們。」兩兄弟猛然想起什麼似的，同時躍上馬背，向我們揮揮手，並肩馳去。在這一轉身間，我又糊塗了誰是誰。

我從表哥手裡接過馬鞭，這一下才記起了摔痛的腿股。我皺著眉頭懶懶的說：「回去吧！」

「腿還痛嗎？」表哥將轡頭並著我的，緩緩地並轡而行。

「嗯。」我淡淡地在鼻子裡應了一聲。

「噢！妳分不分得清湯家兄弟兩個？」表哥試著提起我的興致。

「一點都分不清。」搖搖頭。

「就是囉，要是兩樣同樣的東西，還可以在上面做個記號，可是兩個人！恐怕也只有生他們的母親分得清了。他們不但外貌相似，就是脾氣也都是一模一樣的。什麼東西都備雙分，做什麼事也總是兩人在一起。兩人親愛的那股勁兒，簡直連新婚夫婦看著都會妒嫉。」

我看表哥說話那神氣就有點揶揄。

「那麼他們將來結婚怎麼辦呢？」

「依我看他們這樣親愛女人是摻不進去的——不過如果要找對象的話，也只有找孿生姊妹了。」

「是麼！」我漫應著，女人是摻不進去的，我就不相信世上有這樣的男人，我更不相信手足之情會勝過男女之愛，這倒是很有意思的測驗，可以試一下……

「表妹，」表哥銳利的眼光似乎已探知了我心裡的祕密，「妳在想什麼？」

「我想，我恰巧認得一對孿生姊妹……」

「真的？」表哥懷疑的望著我。

「看那串野果子，多鮮豔！」我顧左右而言他：「快摘給我。」

三

第二天上午，我特意小心的修飾了一番，穿上新製的淺緋色鑲嵌白紗的衣裙，頸上繞了三圈晶瑩的珍珠，自己對著鏡子顧盼一回，也覺得婀娜多姿，嬌豔照人。這時，我已聽到湯氏兄弟跟表哥的寒暄聲從樓下傳來，那聲音正好在迴廊上，於是我故意跑上涼台，又從涼台頂上靠花園的鐵梯上姍姍下去，背後襯著碧藍的天空，翠綠的樹木，我知道我這樣走下去一定非常動人的。當三個同時發現我時，一剎那竟停止了高談闊論，一個個張嘴定睛凝視我。

「我還以為是哪朵雲彩把妳送來的。」湯家的一個趨前握了握我給他的手，眼睛裡顯出了讚美的神情。

「真像一位彩雲仙子自天而降。」另外一個亦用閃爍著愛慕的眼色望著我說。

表哥卻一眼不瞬地瞪著我，默默地嚥了口唾液，彷彿想以那口唾液裹著把我吞下去似的。

這時我發覺夾竹桃裡還坐了一個人——那是柳薇，表哥的芳鄰，她對表哥很有意思，但表哥的反應是若即若離，我知道她一直以敵視的態度對我，現在她冷眼瞅著我，眼睛裡閃爍著難以掩飾的妒嫉——一個女人對一個比她更吸引男人的女人的反感，我卻故意親暱挨著她坐下來。

「柳，昨天為什麼不同我們一起去騎馬？真好玩！」我知道她常嬲著表哥教她騎馬。

「真的？我不曉得。」說著她怨恨地瞥了一眼表哥，「你答應教我騎馬，幾時教嘛！」

「上午騎馬最涼爽了，尤其像今天這樣好的天氣。」我在一旁鼓勵著。

「就現在去，好吧！」柳薇當真站起來整裝待發，一面央求地望著表哥。

「那……」表哥無可奈何的用眼光向我向湯家兄弟徵詢同意，「大家一起去吧！」

「我？」我嗔怪地瞪了他一眼，「你不知道我昨天摔痛了腿？」

「我不想去。」

「我也不想去。」

湯家兄弟同時搖搖頭說。於是表哥只得在柳薇催促下，像個俘虜似地被俘了去，我輕鬆地從心底舒了口氣。廊上只剩下我和湯家兄弟，兩人一左一右，像騎士般拱衛著我，起初還有點拘謹，一會兒可就熟不拘禮，活潑而健談，他們在說話間時常不經意地彼此相望一眼，這一眼中流露了彼此間的關切、默契，顯露出他們是如此深深地摯愛而息息相關。顯示出他們不管在大庭廣眾間抑是無人之處，他們所關念的只是他們自己——他們的另一個。他們深感興趣的也只是他們自己，他們所做過的或是將從事的，他們從騎馬而談到愛好，談到志趣……，兩人總是表達著一致的意見，好像同時灌音的兩張唱片。

「我們對美術有一點興趣。」一個用食指悠悠地敲著桌沿說：「我想我們可以做美術家。」

「這樣我們可以在一起寫生，一起作畫，開畫展時就叫湯氏兄弟畫展。」另一個接下去說，手指在桌上敲著拍子。「我們也愛好文藝，我想我們也可以從事寫作。」

「每一部作品都由我們兩個執筆，署名就署湯氏兄弟著作。」那一個越說越高興起來，「再不我們就去學工程，兩人開一個營造廠。」

「叫兄弟營造廠。一個設計，一個打樣。或者就辦一個農場。」這一個也熱烈地提議。

「叫兄弟農場，你管畜牧，我管墾殖，我們……」

兩人你一個我們，他一個兄弟，越談越起勁，越扯越沒完，興高采烈，眉飛色舞，浸沉在自己的情熱中，完全疏忽了一旁的我，以及我美麗的新裝，我第一次在異性面前感到被冷落的屈辱，我幾乎承認我第一著棋失敗了。

「反正你們的原則就是幹什麼也得兩位一體，像俗諺說的秤不離錘，錘不離秤一樣。」我岔進去說，不然我怕我這一上午的打扮，光只為了乾坐著聽他們無窮的計畫。

「對！」兩人同時喊出來，遞給我一個感遇知音的微笑。彷彿這才記起我的存在。

我嬌慵地轉側一下身體，紗巾從肩上滑落下來，兩人幾乎同時彎下腰去，一人拾著一端，拾——應該說是「抬」起紗巾送給我。

「你們兩位真是行動一致！」我笑著接過紗巾，眼光逗留在他們臉上。「我倒想煩勞你們為我做一件小事。」

「只要妳吩咐。」兩人立刻殷勤的回答。

「我想要一朵玫瑰花佩在這裡，」我按了按胸前，「誰肯替我去園裡摘一朵？」

「我去！」兩人同時敏捷的舉步向前，我卻留住稍稍落後的一個：

「撇下我一個人嗎？」

「唔。」留下的那個顯得有點局促不安，不住望著走去的那個。

「他是……」我也望著走去的那個沉吟著，好像才記起又忘了似的，其實我又糊塗了誰兄誰弟。

「嘉德，我哥哥。」

「那你是弟弟稼德？我一定要把這名字記清楚，嗳，稼德，我這樣叫你行嗎？你們兩個湯先生老教人攪不清。」我笑著睨視他。

「那真是榮幸之至。」他驚喜的說，眼睛裡內熠著光芒。

「稼德，我昨天發現你們很像一個電影明星。」

「誰？」他的不安消失了，全神貫注於我的談話。

「主演〈古堡藏龍〉的史都華格蘭傑。」

「不是妳的想像吧？」他吶吶地說。

「不。不過他是一個人扮演兩個，而你們是兩個人扮演一個。」

「妳原來把我們看作舞台上的演員，你覺得我們是在演戲？」

「人生不本來是一齣戲麼？有演悲劇的，也有演喜劇的。」

「那麼依妳說我們是演悲劇抑是喜劇？」

「這很難說，得看將來的演變。」我一手肘著臉，將上身半伏在桌子上，微笑著望入他眼中說：「我倒想先問你一個問題。」

「請問。」他眨了眨眼睛。

「像你們兄弟這樣相親相愛，須臾不離，將來有了愛情上的糾紛又將如何處置？」

「糾紛？」他天真地笑了一笑：「我想那是不會有的，因為我們的情感向來一致——同時愛我們所愛，恨我們所恨。」

「就因為這樣。」我頓了一頓，「譬如說假如你們兩兄弟同時愛上了一個女人，或者一個女人同時愛上了你們——」

「這倒不曾想過。」稼德垂下眼簾，困惑地，似乎想撤除什麼黏住的蜘蛛網頻頻眨著眼，身體在椅子裡轉動著，忽然，他抬起那雙明亮的眼睛，密切地注視著我，「那麼，讓我問妳，」他的眼睛裡又浮動著笑意，摻著點狡黠：「如果兩兄弟同時愛上了妳，或者妳同時愛上了兩兄弟——」

我被他的反詰怔了一怔，立刻巧妙地回答：

「也許，你所能答覆的，也就是我的答案。」說著，我脈脈地瞥了他一眼，揚聲笑起來，稼德也跟著我大笑著，那率直的笑聲融在一起，彷彿一下子使我們感情拉攏了好幾年，這時嘉德摘了花回來，他用徵詢的眼光看著我們，想分享這份喜悅，但我們只顧相視而笑，未加理會。他的眼睛立刻陰沉下來，露出疑惑的神情，把花遞到我的面前來。

「啊！這兩枝玫瑰真美極了！」我似乎這才被花的豔麗所震驚，誇張地讚美著，一面接過花來，在臉上頻頻摩挲、浸聞，不勝陶醉。接著，我把一朵紅的佩在自己胸前，還有一朵白的，我放在鼻子上按了按，趨前給插在嘉德襟上。

「轉送給你，代表我的謝意！」我退後兩步，笑著端詳，嘉德有點受寵若驚，囁嚅的，咧著嘴掛了個傻笑，我偷瞥一眼稼德，只見他眼睛裡掠過一道妒嫉的陰影，嘴唇抿得緊緊的，默不作聲。這以後，顯然地，他不時在做著徒然的努力——不看他哥哥，但他的視線卻執拗的落在那朵花上，而一落在花上，又立刻像被刺了一下似地急速避開。

我輕快地打從心底裡吹了一聲口哨。

我繼續在兩人間周旋著，度過了一個歡愉的上午，當他們告辭時，我在他們眼中看到了常在一般男人在戀愛中所顯露的神情——一種渴慕的眷戀的神色，深深地向我注視了臨別的一眼。

表哥正在這時像隻鬥敗的公雞般，曳著疲困的腳步回來，他一面握別湯家兄弟，一面用眼光從嘉德襟前的玫瑰看到他們的眼中，又瞅了我一眼，彷彿是他們從我這裡帶走了什麼似的。

四

這次後，湯家兄弟常來找我玩，先是隔一天兩天，之後竟是每天必到。他們只顧承奉我的言笑，毫不理會屋主人表兄的冷淡。他兩陪著我做各種娛樂和消遣，騎馬、野宴、游泳、打橋牌、跳舞……他們完全以我的喜怒為喜怒，以我的意志為皈依。我一高興，他們就像獲得老師獎勵的小學生，歡天喜地，盡對著我喋喋不休，我稍稍不豫，他們又似忠實守護著寶藏的獵狗，默默地守護著我。從來，我不曾見過兩個男人在異性面前，像他們這樣採取一樣的舉止行動。他們同時向我讚美，向我阿諛，一個說著不夠，一個加以補充。他們用同一方式表達他們的崇仰愛慕之情，他們同聲向我歌頌，向我傾訴，向我禮讚，終日喋喋不休。我反成了他們包圍的核心，以致我感到頭昏目眩，難以應付。

我的測驗有了初步的答案，但我不需要那樣的答案。

我不時想出些新的方法來跟他們周旋，我試著各別的差遣他們為我做一點小事，又試著各別的向他們表示好感。一天，我坐在他們中間，聽他們一吹一唱，像吃多了糖甜的發酸似的，我聽得有點發膩，便站起來開放了一張唱片：〈吻我，親愛的！〉幾乎是同時，兩人都請求我共舞一曲。

「你們讓我選擇誰呢？」我裝得十分躊躇的說：「誰都是一樣。」

「聽憑妳的意思。」他們一致回答。

「那太不公平了，」我搖了搖頭，把胸前一支玫瑰取下來拈在指間，「這樣好吧，當我把這朵玫瑰投向空中，誰接著誰便做我今天的騎士——整整一天。」

他們默默頷首，於是我拈著花，哼著〈吻我，親愛的！〉跟著音樂的旋律在室內迴旋，他們兩人緊張地做著躍躍欲試的姿勢，眼睛一瞬不瞬地盯著我手裡的花，轉，旋——倏地我把手臂輕輕一揚，花在空中劃了個弧形，落下去，他們同時用最優美的投籃姿勢躍身而起，花在半空停住了——一個執著花朵，一個捏著花梗，就保持那個姿勢，誰也沒有鬆手的意思。

「當你們決定誰是選手時，再告訴我。」我笑著走到廊上，但半天，半天背後沒有動靜也沒有聲音，我回身進去，只見他們兄弟兩面東面西背對背坐在屋子兩端，那朵玫瑰被揉摧得粉碎地摔在地上。

我心裡有點不豫，但立刻一個新的主意使我滿心洋溢著喜悅。

我把這樣的遊戲叫「愛情的選擇」，常常由我想出一個題目要他們兄弟兩個賭賽。誰贏了我就選誰做我那天的騎士，輸了的便只得枯守寂寞，起初他們還以嬉笑的態度賭賽，後來可越來越認真了，看他們那樣相親相愛的兄弟在競爭時那副斤斤較量的神情，實在有意思！而勝利者的趾高氣揚和失敗者的垂頭喪氣一對照，更失去了他們之間平常持有的那種和諧，逐漸地，他們在我面前不再兩位一體地滿口稱我們我們，而改說我，盡量地表揚自我，他們對彼此的關切和興趣轉移了。他們爭著向我獻納殷勤，他們從來不放棄一個可以媚諛我的機會，他們平時原是互相謙讓，處處關懷，如今卻跟兩個在戀愛中角逐的男人沒有差別，一樣的勾心鬥角，賣弄討好。原來流露在他們眼中那種心神的默契，如今代之以猜忌和妒嫉，他們暗暗的彼此監視著，當我對一個表示得親暱些，那一個眼中便洋溢著妒意，而對那一個較接近些，這一個又滿臉羨嫉——看他們不自覺的流露出那種困惑、迷亂，以及內心充滿了矛盾的神情，我不禁沾沾自喜。

那天湯家兄弟走了，我亢奮地想著明天跟他們約好的一次「愛情的選擇」，我要他們來一次游泳競賽，誰先到達，我將給他一個意想不到的獎品——一種使心靈陶醉的獎品，我料定這獎品將使失敗的一個妒得要死，而獲勝的將死心塌地地投在我腳下。

晚上，我試穿新買來的紅色游泳衣，在鏡子裡端詳著我自己，忽然覺得心裡有什麼想上升、想飄浮，就似汽球裡灌滿了氫氣似的，我哼著歌在鏡前旋了一轉，如果女人有野心，她很可以征服全世界的男人，我這麼想。

可是第二天，過了約好的時間，湯家兄弟破例失了約，代替他們送來的是一封信，一朵鮮花，信上面只寥寥數語：

請恕我們失約，為了及時防止一個悲劇的演出，我們不得不以最大的努力這樣做了。也許，這以後我們很少見面的時候，但只要我們的憶念存在之日，妳永遠是我們心目中最受愛慕的安琪兒。獻上鮮花一束，謹代祝福！

嘉德
稼

我氣得把信撕得粉碎，把花擲在地上用力踐踏著，鄙夷的將一口唾沫吐在遍地狼藉的紙屑和殘花上。

「懦夫！」我狠狠地咒罵著，就像小時吹皮泡泡，使勁吹，使勁吹，結果「拍」的一聲吹爆了。但我從來不後悔自己吹得太過分，總恨皮泡泡太不結實，隨手一摔。可是如今沒有惹惱我的殘破的皮泡泡可摔，有的只是幻滅後的懊惱和空虛，我一股勁兒衝去馬廄，想藉馳騁發洩一下，馬伕老王卻告訴我兩匹馬都讓表哥和柳薇騎走了。我鱉著一肚子無處宣洩的氣惱，從花園裡踅回去，一路上順手所及，摧殘著花花草草，突然覺得這裡一切都礙眼，都使我憎厭，我想回家，馬上就回家，馬上就回家，造個藉口哄姑母。什麼湯家兄弟、表哥、柳薇……去他們的，於是我迫不及待地回到房裡，開始整理箱子。

五

我把壁櫥裡的衣服，桌上的零碎雜物，正胡亂往箱子裡塞，房門上剝剝兩響，我猜是表哥，說了聲「進來！」腳聲輕輕地停在我身後，「黛娜！」喚著我名字的竟是湯家兄弟之一的聲音，我頭也不抬，隨手將他們送給我的一只古瓷小花瓶，從箱子裡撿出來擲到窗外去。

「黛娜！妳盡可以把我也這樣擲出去，但是請妳千萬不要這樣生氣。」他的聲音有點怯，好像小孩做錯了事似的。「妳是預備去旅行。」

「回家！」我悻悻地說：「免得在這裡給人家編排我導演什麼悲劇喜劇的。」

「不，黛娜，請聽我說：」他迫切而婉轉地向我解釋：「妳知道我們兄弟倆是不能分開的……」

「並沒有誰讓你們分開啊！」我冷冷地攔住他說。

「可是，妳知道，我們兄弟倆卻同時愛上了妳，而且愛得同樣的摯誠，當我們談起對妳的戀慕和敬愛，如同妳是一個被我們共同崇仰的神一樣。然而，妳畢竟不是神，而是有感情有血肉的人，神可以被許多信徒敬崇，人卻不能容許有雙份愛情。昨晚，我們揭開了這垂幕，發覺讓事情這樣演變下去的結果是可怕的，於是我們寫那封冒突的信給妳，預備不再見妳的面，同時隱跡天涯——」說到這裡，他的聲音低沉下去，眼簾垂下來凝注著地下，摸出手帕來拭著額角，我默不作聲，逕自不停手地檢理衣物。

「信送走了，我卻一刻比一刻難以忍受。」他沉緩地接下去說：「我不能忍受將失去妳的那種恐懼，我終於忍不住一個人偷偷地溜出來看妳，我同哥哥共同這麼些年來，這是第一次瞞了他一個人單獨行動。」他內疚地望了望自己的腳尖。

「那麼，馬上回去向你哥哥懺悔還不遲。」我瞟了他一眼，聲音還是冷冷的。

「不要這樣說，黛娜！」他懇求著，臉被痛苦所孿痙，「我愛妳勝過一切，我為妳可以犧牲世界上的一切。我的生命中不能沒有妳，我的命運操縱在妳的手裡——」他激動地握住我的手，為愛火所燃燒發亮的眼光深深的注入我眼中，聲音有點顫抖。「黛娜，告訴我……說妳……愛我。」

「是的，我愛你——」我看著他慢慢地說。

「啊——」他驟然間驚喜得不知怎麼說，欲將我攬入他懷裡，我抗拒著繼續說下去：「同時我也愛你哥哥，你知道，因為你們兩人在各方面都是一模一樣的。」我感到他的手無力的從我腰際滑落下去，眼睛不安的避開我的視線。「不過，一個人不能容納兩份愛情，正像你剛才所說的。而我也不想浪費我的感情。」

「妳是說……」他惶惑地望著我。

「在兩個中選擇一個。」我說，「這選擇的工作可以由你們自己決定。」

他臉上的肌肉動了一動，怔怔地木立著，眼睛直視著地面，像尊石像，只嘴唇微微顫動。

「就是這樣決定。」靜默了片刻，我故意看了看手錶，隨手拾起件旗袍摺疊著預備放進箱子。「六點鐘還有班特別快車去城裡。」

「我將遵照妳的意思去試試。」他遲遲地說，蒼白著臉，舉起沉重的步子，緩緩地走出去，走下樓梯——

「稼德！」我追出去站在欄杆前喚他。

他立停腳步回過頭來，望著我有所期待。

「我等著你！」我嬌媚地說，用手指在唇上按了按，向他送了個飛吻。立刻，他神色沮喪的臉煥發起來，黯淡的眼睛揚射著柔和的光輝，顯得生氣勃勃彷彿注射了新的血液，他活潑的還了我一個飛吻，一轉身三腳兩步便跑完了階梯。

稼德走了不會超過五分鐘，另外一個——嘉德也來了。他說的幾乎跟稼德完全相同的話，我也同樣答覆他，等他抉擇。

一個一個的走了，我肘著欄杆站著，反覺得有點茫然，萬一他們的答覆是正面的，又將如何處置？也許這次我玩笑開得過分了點——但我一向行事總是任性之所至，從不問後果。那一點輕微的煩憂一會兒便煙消雲散了，我正待轉過身去，卻見表哥不知什麼時候悄悄地站在我背後。

「我剛才看見湯家兄弟單獨一個人出去？」他微憂地望住我說。

「這也值得希罕嗎？」

「打從我認識他們起，還是第一次看到他們單獨行動。」表哥頓了一頓，猜疑著，終於鼓了最大的勇氣說下去：「表妹，妳不能再繼續這危險的遊戲了，妳該知道這結局會是損人不利己的。」

我在鼻子裡嗤了一聲：「別說得那麼嚴重！」

「我完全知道，妳這慣捉弄人的小妮子，妳只是想顯示一下妳的魔力，妳就不惜造成人家兄弟鬩牆，在別人感情上烙下不可磨滅的痕跡，這難道還不嚴重？」表哥毫不放鬆。

「這才說得稀罕，人家要愛我，我能阻止別人的愛麼？」我撇了一撇嘴，譏諷地瞅著表哥，「就同柳薇要愛你一樣。」

「我正要告訴妳，」他望著我說：「妳知道柳薇對我很好，寧可人負我，我不願負人！」說到這裡，他深意地望入我眼中。「我要跟她訂婚了。」

「那麼，我祝福你們。」我平靜地伸出手去，「祝你們幸福！」說完，我轉身離開了他。

「表妹！」表哥在後面顫聲喚我：「表妹！」

我不理他，逕自繞過屋子，走上涼台，再下到花園，我覺得我須要清靜一下。

我才不在乎表哥，可是他似乎應該隸屬於我。

我在花園裡躑躅了半晌，當我踅回迴廊上時，兩個人影從門裡進來，正是湯家兄弟，可是他們的樣子與平常多麼不同喲！那整潔的儀表哪裡去了？頭鬆散亂的披在額上，衣服污穢凌亂，而在那白襯衣上，斑斑點點染著鮮紅的是——啊！是血，他們看見了我向我走來，腳步有點蹶頓，走近了，我看見潮潤的鮮血猶在他們衣袖上滲透出來，我驚恐地掩上眼睛。

「可敬的黛娜，我們為妳決鬥了。」他們異口同聲地說，聲音很陌生。「榮譽是屬於妳的。」

我放開掩住眼睛的手，他們面對我站著，冷靜地直視著我，污穢的臉顯得無比堅定。

「我們為妳流了血，這血是卑微的。然而它是屬於我們兩人共同的生命之源泉，當我們在爭執中看見血從彼此手臂上流出來時，我們同時發覺我們正在做一件可惡的蠢事——就像有人拿刀砍下自己的手足，剜刳自己的皮肉一樣的蠢。」說到這裡，他們彼此內疚地對望了一眼。

「我們是這樣卑微而愚蠢。」一個說。

「實在不配占有妳聖潔高貴的愛情。」另一個接著說。

「請接受我們的謝罪。」兩人同時說：「也許我們不能不把你美麗高貴的形象從我們心裡剷除，因為我們必須忘卻由這而引起的愚蠢的罪行。容許我們看這最後的一眼——」

他們深深地凝視著我良久，那深邃的眼光，堅冷似一支銳利的匕首，刺入我心胸，熾熱如一柱灼爍的火焰，灼焚我心靈——於是，他們默默地向我一彎腰，伸出沒有受傷的手臂緊緊地挽住，轉過身，像一對在莊嚴的進行曲中同赴婚席的愛人般，沉緩而莊嚴地走出去——

這一切演變只是一刹那的事，快得我還來不及接受，來不及說一個字。我感覺我自己彷彿從地面浮起，空靈而無傍無依，世界和一切都離我很遠很遠。我是那麼孤獨迷茫。

我不知該怎樣說，我沮喪不是為的測驗失敗，而該死的是玩火者終被火炙，我發覺我已真的愛上了他們——兄弟兩個。

我從我軟癱在哪裡的藤椅中懶懶的站起來，彷彿已過了一個世紀，在廊沿上我發現兩塊暗紅色的斑點，那是從湯家兄弟臂上滴下來的血，我不禁俯首諦視著，忽然那兩點血在我凝視中變成兩道銳利而熾熱的視線，注入我眼中，滲透進心頭——我陡然驚覺，連忙挺直身子把左腳伸出去踏在血跡上，鞋底還在上面旋了幾旋。

「離六點還有一刻。」我走到客廳門口，回過頭來，向周圍瞥了一眼，喃喃地向自己說：「我必須造好一個藉口告訴姑母，趕上那班特別快車。」

民國四十二年十二月二十四日

編註：本文原刊於《晨光》第二卷第八期，一九五四年十月一日，頁十九～二十四。

異國溫情

一

每逢星期日上午，光棍兒宿舍裡總是特別顯得熱鬧緊張，我被一本引人入勝的小說所吸住，躺在牀上看著，耳畔仍不斷傳來擦皮鞋、刷制服、拖椅挪桌的嘈雜聲，有的大聲唱著，有的吹著口哨，但不一會口哨伴著橐橐的腳聲都遠了、消失了，也不知道過了多久，我丟下看完了的書，覺得走光了人的宿舍顯得比平時空曠多了，靜悄悄的，又彷彿缺少了點什麼似的，「大夥兒都跑光了！」我喃喃地自語著，站起來伸一個懶腰，一回頭卻見永剛一個人端了張藤椅在窗前，兩手交疊在腦後，面對著窗外坐著。窗外一片遼闊的藍天，綴飾著朵朵白雲，幾隻教練機正翺翔在天空，像幾隻矯捷的海燕。

「好一副閒情逸致！」我嚷著，永剛似乎驀地從沉思中驚醒，回過頭來向我打了個招呼。

「我正在看那些雲。」他說：「雲真是變幻無窮。當我們駕著飛機穿過雲層時，彷彿那是洶湧的波濤，而我們正浮在波濤上。當我們在地下望上去時，它又像白色的輕帆，縈住人們的思想駛向遠遠的……」

「大陸，故鄉。」

「嗯。還有那曾經用青春的彩筆塗抹過的地方。」永剛的聲調裡洋溢著憧憬，炯炯有神的眼睛在英挺的眉毛下閃爍著的異彩，使臉上抹上了一層柔和的光輝。自從他的臉部經過了手術以來，我第一次看到這樣煥發、光彩、連僵硬的肌肉都顯得充滿了青春活力——他的臉是在美國受訓時一次飛行失事受傷的，後來用臂部的肌肉移植上去。因此看來兩頰顯得有點纍纍下墜的樣子。但這並不影響他瀟灑脫俗的風度，和整潔優美的儀表。他父親是個小有聲名的畫家，家學淵源，他亦畫得一手出色的國畫。

「你的意思是指那個你發生過愛情的地方？」我問他。

他笑著沒有作聲，但發亮的眼睛是最好的答覆。

「我從未聽說你亦有過戀愛的故事，我猜那配得上你的主角，一定是舉世無雙的……」

「是一個美國女孩子！」

「唔，美國女孩子！」

「我從人類崇高的溫情中又獲致了綺麗的愛情——我永遠忘不了那一份異國的溫情。人間雖然冷酷，但仍舊到處有人情的溫暖。我相信這句話。」

「是你親身遭歷的傳奇故事？」

「不，我們認識的經過確是有點曲折、奇突，但那並不是傳奇，希望你不要用傳奇的眼光來看待。」永剛又採取了我剛才進來時的姿勢靠在椅背上，閃光的眼睛凝望著窗外朵朵白雲，夢幻似的——

二

……那時我正在美國受二年的飛行訓練，有一天——我永遠不會忘記那一天，是春天裡一個明朗的好日子，我隨隊出發練習一個飛行課目，正橫飛過紐約城上空的時候，我的那架飛機忽然發生發動機故障停擺。我一面使用油泵注油，一面向長機報告，領隊當即命我單機離隊回場。但雖然拚命用油泵注油，卻一點反應都沒有，高度已越來越低，返場是萬萬來不及了。我只有關上油門，拉回高空調節器，做迫降的準備。當時因為底下正是鬧市，我只顧緊抓著操縱桿，順風向郊外飄去……只記得著陸時哄然一響一震，我便什麼都不知道了。

後來才知道我的臉部破碎得很厲害，腦神經也受了損傷。當我從一星期的昏迷中清醒過來時，第一件映入我眼中的是潔白耀眼的病室中一束鮮豔的紅玫瑰，而正把玫瑰供在我牀頭櫃上的卻是一個苗條的少女！

這少女的背影有一頭光滑的金絲髮，柔軟的披在背上，用一支綠緞結綰住。鵝黃的絨線衫，配著綠白格子的裙子，完全女學生的打扮，而一身線條圓熟、勻盈，充沛著青春活力。輝耀的生命似乎就在她美麗的金髮上遊動著，當她轉過身來時，我看見了那雙在修長的睫毛下閃熠著的，活潑而明媚的眼睛，彷彿在陽光照耀下的海水般泛著澄清的藍。當她發現我正在望她時，突然驚喜地怔了一下，接著一個嫵媚的微笑浮上她秀美的臉龐，她親切地向我諦視了片刻，才翩然離去。

我很想問問她是誰，為什麼送花給我？但我覺得我唇角兩旁的肌肉彷彿凝成石膏了，僵硬而不受意識的支配。——原來我整個頭臉都裹纏在紗布中。

接著第二天，第三天……她每天都按時來為我換上鮮花。換好，便一句話不說走了，但她的一笑一瞥，一個慰問的眼神，一個溫柔的動作，都帶給我無限的感奮。那時我的意識和知覺向在游離狀態中，記憶力幾乎完全喪失了。而她的倩影，卻在我心裡留下了深深的印象。

這樣差不多過了半個月，那天，醫生為我解除了臉部的繃帶，嘴和舌頭一從束縛中解放出來，我也不管醫生的囑咐，第一句話就是迫不及待地問送花來的女郎。

「小姐，謝謝妳送我花，慰藉我病中的寂寞，可是，妳是誰，又為什麼每天不辭辛勤為我送花來？」

她望著我神祕地笑笑，露出雪白、勻齊的牙齒。

「以後再告訴你。」

我第一次聽見她的聲音，清脆、嬌柔，彷彿夜鶯在枝頭吟唱。

我再要說什麼，她立刻伸一個食指按在孩子般嘟起的嘴唇上，向我搖搖頭。當即拿著插有殘花的花瓶出去注換清水了。

我感到有點失望，一抬眼看見她擱在牀頭櫃上的皮包，心裡一動。便伸手取了過來，捩開搭扭，第一件摸出來的是一塊手帕，第二件摸出來的是一管口紅，第三次摸出來一面精緻的小鏡子，我下意識的拿到面前來照了照——天！鏡子裡竟是一張這樣可怖的臉！凹凸不平的肌肉，歪斜在一邊的口鼻，這醜陋不堪的臉難道就是我的臉嗎？在那可怕的一擊下，刹那間我那一絲脆弱游離的意識，竟又裊裊離我而去，迷糊間似乎還聽到醫生和那金黃髮女郎的爭辯聲……

等我恢復知覺時，病室裡只有一瓶玫瑰幽幽的吐著馥郁的芳香。

這以後花依舊每天送來，只是改由護士小姐經手換插注水，再不見金髮女郎的婷婷倩影。

我意識著自己醜惡的模樣，精神十分困瘁消沉。醫生雖然告訴我再動幾次手術便可復元，心裡總覺鬱鬱，當我這般憂憂抑抑時，几上供著的那束玫瑰便悄悄地送來沁人心脾的芬芳，使我神智為之一清。而那一朵朵鮮豔絢爛的花朵襯著綠油油的葉子，顯示著生命的蓬勃和青春的綺麗。我凝神諦視，恍惚花朵幻作那一雙海水般明亮的藍眼睛，正向我盈盈微笑，那樣嫵媚，又那樣柔情脈脈——她是誰？那神祕的女郎！我遍索我貧弱的記憶之庫，不得線索。來美國我只參加過幾次舞會，但同我跳過舞的女孩子沒有一個像她那麼婀娜多姿，嬌柔可愛。

她是誰？她是一個猜不透的謎！

有一次當護士小姐來換花時，我故意問她：

「是那位小姐送來的麼？」

「不是她還有誰！沒有一個探病的有她那麼殷勤了。」護士眨眨眼睛，向著我詭譎地一笑。

「是你的愛人吧，很漂亮哩。」

我不能說連她的姓名還不知道，只得不加可否地笑笑，搭訕著說。

「奇怪，這一陣怎麼她自己不進來了？」

「那個……」護士小姐吟忖著沒有說下去，但經不住我的追問，她後來終於告訴了我，原來那天我偷照鏡子的事讓醫生知道了，他譴責女郎不應該這樣疏忽，給我照鏡子，使我的神經受刺激，可能引起傷創的變化……她被說得十分羞慚而又惶恐。第二天來時只向護士問了問我的病況便不曾再進病房——我聽了這回事，在對她的感激上更加添了一份歉疚。我發誓要探聽出她的一切。

又經過了三次整容手術，醫生告訴我可以出院了。這時我的臉雖然沒有偷照鏡子時那樣歪斜可怖，但這是個陌生的臉，我對它失去了那份親切感，也許要很久才能培植起來。

離院的那天，我收到一束比平時多上一倍的玫瑰花。花上繫著一張白色的卡片，上面寫了一行字：

敬祝　康樂！

三

出院後，女郎的倩影無日不縈繞心底，但在偌大的城市中去尋覓一個不知姓名的女郎，不啻大海中去撈針，半個月、一個月過去依舊沒有一點線索。

一天紐約的中美俱樂部有一個舞會，是專為招待我們這批來自東方自由國家的大孩子，我隨著大家走進那座輝煌的大廳，同學們一個一個擁著如花似玉的女孩下舞池去了，我一個人揀一處僻暗的座位坐下，眼睛望著舞池裡迴旋曼舞的人們，心卻隨著幽幽的音樂飛到很遠很遠的地方去——忽然，一對白色玲瓏的高跟鞋，半截淡黃色晚禮服的裙裾，停留在我眼角。耳畔響起夜鶯似的聲音：

「一個人在這裡發呆麼！」

彷彿在睡夢裡聽見了緊急集合號，我猛竄跳起來——海水般澄清明亮的藍眼睛，甜甜的笑靨耀亮了我的眼，婷婷玉立在我面前的，不正是我夢寐思之的神祕女郎！

「啊！是妳，我終究找到了妳！」我喜不自禁，緊握著她的手不放。

「我猜著今天或許會碰到你。」她笑著縮了縮手，我這才覺得她的手一直還握住我的手裡，立刻紅著臉放了，為她挪開椅子來。

她今天化了妝，又穿上晚禮服，似乎比二個月以前更長大也更豐滿了。金髮鬆鬆地披在肩上，淺黃色袒胸紗衫襟前佩了二朵紅玫瑰，更襯得嫵媚動人。

「我不曉得該怎樣表達我的感激，在我住院的那段日子裡，妳賜贈的花束給了我心靈上無限的溫暖和慰藉，給了我精神上一種鼓勵和振奮，我能夠早日恢復健康，可以說大半是妳的賜予。而那天——」我感到十分窘迫和羞愧，不曉得該怎樣解釋那次冒失。「因為妳不肯告訴我，而我迫切地要知道妳是誰，便猛浪地擅開了妳的皮包，不想惹起醫生的誤會，真真是對不起！」

「這一點小事還老記在心上！」她睨視了我一眼，淡淡地一笑。「不過那天確是我疏的忽，我著實為你擔心哩。」

「現在可以告訴我妳的名字嗎？」

「蒙娜・柯尼茲瑪。你叫我蒙娜好了。」

「我叫……」

「永剛・李。」她搶著一字一頓拼出音來。

「妳是在醫院裡的病況表上看到？」我的名字被她熟稔地唸出來，感到十分的榮幸和一點驚奇。

「不，遠在那個之前，你想想看。」她把頭一側，嬌憨地望著我說，藍眼睛裡管著點淘氣。

我凝視她的臉，竭力在記憶之海裡搜索，彷彿不識又似曾見過，迷離恍惚，仍不得要領。

「不記得了嗎？你還為我簽過名字，在一張畫上。」

「哦！」經她一提醒，我才恍然如夢初醒，原來在半年前，我曾應女子東方藝術學院校長愛瑪女士之邀，去客串了一次有關中國藝術的講演，題目是「敦煌壁畫與近代藝術」。聽講的女學生一個個體態健美，淡抹濃妝，鶯鶯燕燕齊集一堂使人眼花撩亂，不敢正視。講到一半時，人群裡忽然起了微微的騷動，一張白紙不知從何處傳遞起，經過一個一個學生，最後由頂前面一個女生遞到講壇上，我一看，原來是畫的一張我的速寫，雖然寥寥幾筆，卻神態畢肖，栩栩如生。

「謝謝那一位同學給我畫的像！」我高興的用眼光掃視著金色銀色的髮的波浪，一個清脆的聲音嬌柔地說：

「不是送你，是請你簽一個名！」

我馬上搜尋聲音的來源，但眼光卻迷失在紅唇的海中。我在畫像角一簽下了自己的名字，又遞給前面的學生，接著一個一個遞下去，在中間那排停止了，一個學生向我嫣然一笑，頭一低，又立刻捲入金色的波浪中，再也分不清。——

「請原諒我受損傷的記憶力！」我歉疚地向蒙娜說：「想不到戔戔一個簽名竟換取了如許溫情。」

「可是，那並不是一樁事。我只是遵照祖父的意思才給你送花去。」

「妳祖父的意思？」我又如墜入五里霧中。

「嗯。」她狡黠地眨著眼睛。

「妳祖父是……」

「法蘭士・柯尼茲瑪。」

我沒有聽過這個姓名，在美國認識的，甚至僅僅見過面的幾個人，是屈指可數的。

「你祖父……」

「別盡為這事喋喋不休。」她嬌嗔地瞟了我一眼，攔斷我的說話。「在這狂歡之夜，難道你就準備以你的曉舌打發過去麼？」

「對不起！」我惶惑地說，立刻整衣起立，恭敬地請她跳舞。暫且讓那個疑團像一團濕海綿堵住在胸口。

挽著她纖柔的腰肢，伴著她輕盈的步子，真有飄飄欲仙的感覺。一支音樂接著一支音樂，腳，彷彿上緊了發條，只想旋、旋、旋。當她與旁人翩翩起舞時，我便獨坐一隅，靜靜地欣賞她的舞姿，她也不忘記在舞伴的肩上，遠遠的擲給我一個微笑。但大半的時間，她都偎依在我的臂彎中。

夜半，舞會終了。因為我們是集體行動，不能送蒙娜回家，臨別時，我囁嚅地正想再問她祖父的事，她彷彿已窺破了我的心事，拿出筆記本寫了兩行字，隨手撕下來遞給我說：

「這是我家裡的地址。我祖父最喜歡交中國朋友，隨時都歡迎你去。」

我喜出望外，不禁俯下頭去，在她纖美的手背上吻了一下。她凝眸諦視，一笑離去。

四

當第二個休假日來臨時，我一早便以迫切而愉快的心情，忙著整容和修飾。惹得同學們盡猜疑著，嚷著要吃糖。我乘火車到了紐約，便按照蒙娜開示的地址找去。是一幢小巧的米黃色平房。我一按門鈴，只聽見一頭小狗的狺狺聲，接著蒙娜的聲音嬌聲叱責著：「瓊妮，不許叫。」

門開了，應門的竟是蒙娜自己。她那天穿一件有小白翻領的綠西裝，金髮辮成二支長辮子，柔滑地垂在胸前，手裡抱著一頭棕色鬈毛哈巴狗，那神態比去醫院裡時又更年輕了，完全一副嬌憨的小姑娘模樣。她欣喜的接過我送她的鮮花，先把鼻子浸在花裡，又用臉頰摩挲著，愛嬌地說：

「我猜你今天一定會來。」說著，她掩上門，帶我走過一條兩旁栽著花草的小徑。走到正屋面前，她先連蹦帶跑地跳上台階，嚷著：

「祖父，我為你邀請的中國朋友來了。」喚聲未畢，一個白髮皤然，但精神矍鑠，藹然可親的老者迎將出來，嘴裡一迭連聲地說著：「歡迎！歡迎！」一面伸出手來，熱烈地握著我的手左右直搖。殷勤地讓我進客廳坐下，又囑咐蒙娜烹上咖啡，這才坐在我對面，用那種親切的眼光審視著我，就似我是違別多時的老朋友似的。

「從一粒沙子可以看整個世界，從一個青年可以看出一個國家。」老人含笑望著我，讚許的點著頭說。

「謝謝老先生的誇獎！」我說，感到惶惑而愧恧，「但像我這樣輕微的人是不足以代表祖國的。」

「任何一個國家有這樣的青年都應該感到驕傲。而你那次飛行失事所採取的行動，更表現出中國所崇尚的仁義道德。如果換了我們美國的孩子，遇著這樣意外，一定是撇下飛機不管，先管自己跳傘。至於飛機摔在鬧市將引起損害。那更是另外一樁事了。」

「但基於我們在國內所受的訓練，那只是一種正當的措置。」

「你的國家是一個值得尊敬的國家，除了我生長的美國，我最愛的便是中國——那古老、樸實，崇尚仁義道德而又最富博愛精神的民族。」老人誠懇地說，聲調裡有著嚮往的意味。

「聽到你對我的國家讚譽，真是萬分的榮幸。」我感動地說。

「在醫院裡時，收到我叫蒙娜給你送去的花麼？」老人突兀地問我。

「我因為那些花，我發誓要尋遍紐約回報我的謝忱。言語是不足以表達我的感激的……」我吶吶地說，為自己的鈍拙感到懊惱，原是來道謝的，卻讓老人先提起了才有機會表示。但老人向我擺擺手，又問我：

「你可知道我送你花的用意何在？」

「是？是……」我不知道該怎樣措詞。老人笑著接過去說：

「一來是向一位可敬的人致敬。二來呢，希望這一點人情的溫暖，能減除你病中作客異國的寂寞，而獲得一份慰藉。」

「真是說不盡的感謝——」

「不，不用謝我，這比起我在中國身受的恩惠，真是一點微不足道的小意思。」

「啊！你去過中國？」我意外的感到驚喜。

「嗯！算來該是四十年以前的事了。」

「四十年以前，四十年以前他還不曉得在哪裡哩！」蒙娜端了一盤咖啡出來，笑著遞給我一杯，又給了她祖父一杯，把自己一杯擱在几上，卻同小哈巴狗一起盤坐在祖父膝前的地下，望一眼這個又望一眼那個，嬌癡地打趣著。

老人落入沉思中，老眼被回憶中的往事燃起青春的光亮，他一手撫摸著蒙娜柔滑的頭髮，緩緩地說：

「四十年以前，我在一艘兵艦上當船員，停泊在中國的黃浦江裡。有一天，我接到一封電報，原來是我的未婚妻打來同我解除婚約的。那時我很愛她，感到十分痛苦，便乘小划子上岸到一家酒吧間去，一個人拚命地喝悶酒。等我從酒吧間裡出來時，已經醉得連方向都辨不清，就那麼糊裡糊塗的亂闖一頓，也不知走了多久——我猜大概已走出了市區。忽然，我的一隻腳踏了個空，整個身子便傾倒下去，迷糊中只覺得渾身冰涼的，嘴一張，一口又一口的水——在那時我還以為是酒哩——直向喉頭灌，灌得我打噎……這以後便糊塗了——醒來時發覺自己睡在暗沉沉的紅木大牀上，身上穿了一件釘了無數鈕扣的對襟白褂子，和一條腰圍繫帶子的黑褲子，我正在困惑間，沉沉下垂的帳子掀開了一邊，一張、二張打疊著無數皺褶，而皺褶裡嵌滿了慈祥和關切的臉，悄悄地向我注視著。見我睜開了眼睛，立刻高興地笑了——這是一對典型的中國老夫婦。

我想掙扎著起來，卻覺得四肢軟弱無力，而頭痛欲裂，老夫婦倆連忙作手勢叫我躺下，但由於言語隔閡，我們無法交談，彼此只得吃力地用手勢來表達意思。據他們告訴我，我是跌落在他們後門的池塘裡，被老翁發現了叫人救起來的。並且囑吩我盡可安心靜養。我也只能用眼睛，用手勢來表示我的感激。

不幸的，第二天我竟發起燒來了，他們煮了一種很苦的藥茶要我吃，吃過之後替我蓋了好幾牀棉被還緊緊地塞好了，叮囑我不要動。我只覺得身體裡越來越熱，好像一座火山在裡面熔解，喉嚨頭只想冒出火來。接著就出汗了，汗又似泉水般向外直冒。彷彿經過了一次土耳其的蒸浴。我遵照老夫婦的叮囑，不敢把被子摺掉，慢慢地等汗自己乾了，我的燒果真也退了，而開始感到了肚餓——真的，現在我們噪傳一時的傷風特效藥也未必有這樣神驗，而中國卻早在幾十年以前便發明了。」

「祖父，等一等講，也讓客人喝咖啡囉！」蒙娜嬌憨地搖著老人的膝頭說。

「真的，看我都講忘記了，咖啡都快冷啦！」老人慈祥地笑著向我舉杯。

「在我病的日子裡，」老人接著講下去，「兩位老人家——尤其是老媽媽，照扶得真是周到，對待自己親生兒子也不過如此。她一會兒用手試試燒退清沒有，一會兒又跟我掖好被子，更不時地為我端茶調藥。看到我寂寞時，也用手勢同我交談一些簡單的事情，譬如問我幾歲啦，結婚沒有？有多少兄弟什麼的。她也告訴我他們老倆口兒，只有一個獨生女兒。他們是靠種田生活的，不過田是請人家耕種的——有時她便一面紡線一面陪我，我最愛看那簡單的搖機把棉花紡成線，又把線織成布。老媽媽的手勢非常熟練，隔一會她便抬起眼睛關切的望我一下，而那單調的紡織。常常把我送進安恬的夢境。

差不多每當我肚子感到飢餓，便聽到竹門簾外腳聲悉索，一個人影一晃，接著一個溫柔的聲音喚了一聲「媽！」，老媽媽便立刻迎到門口去，一轉身便端了一木盤食物進來——有黏稠的甜粥，鮮美的掛麵。老人用那種滿足的神情，諦視著我一口一口吃下去。——從那一聲嬌柔的喚聲下，我斷定那準是老夫婦倆所說的獨生女兒。

有一次我在半醒的狀態中，本能地覺得有人在窺視我，我初以為是老媽媽，睜開眼來，卻見一雙黝黑晶亮，像古澤般深邃的眸子正好奇的凝視我，一見我睜開眼睛來，忙不迭轉身就跑了，只瞥到一支長長的辮子一晃，苗條的身影便驚鴻般消失在簾外。

我感到無限惆悵，決計當下次睡醒時，慢慢地打開眼睛。終於，給我候到了機會，那天當我半睜開眼睛時，看見她正在牀前桌上收撿碗碟——這少女有著我從未見過的，那種沉靜溫柔的東方少女的美。她的年齡大概比蒙娜還輕些，白皙勻淨鵝蛋臉上，有一雙黝黑明亮的眼睛，細長的眉毛，端正的鼻子，小巧的像菱角般彎彎有致的嘴，一切都配的那麼均勻可愛。一根長長的末梢纏有二寸寬紅絨繩的辮子，鬆鬆地垂在背上，當她做事時，辮子便在背上微微晃動。她穿一套雪青顏色鑲滾黑邊的短衫褲，更襯得唇紅齒白，楚楚動人。她把碗碟撿在木盤裡，忽然旋過臉來，向著牀……我怕又驚跑了她，趕緊閉上眼睛——但等我再打開來時，房裡卻連個人影兒都沒有了。」

「祖父曾害過單相思哩，為那個中國女孩子。」蒙娜笑著向祖父打趣，老人不加可否地笑笑，眼睛裡閃爍著動人的光彩。

「病好後，我不得不依依難捨的離開那一對慈祥慷慨的老夫婦，那瀰漫著恬淡安謐的氣氛的古屋，和那個楚楚動人的少女，我多麼渴望再看一眼那雙黝黑明亮，古澤般深邃的皓眸！當我四周打量搜尋時，才發覺我走出來的那屋子旁邊還有一個門，一樣的懸垂著綠色的竹簾。房裡傳出來一片有節奏的紡織聲。突然，聲音靜止了，恍惚有一個身影走近竹簾，隱隱約約，依稀可辨，也許，那雙明亮的黑眸子正在簾隙窺視哩。我默默禱告著怎樣得疾起一陣狂風，捲起那重討厭的竹簾！

「我不曉得該怎樣報答兩老救命的大恩，彷彿那樣拍拍身子就走太不禮貌，於是我囁嚅地掏出袋裡所有的錢幣，但這舉動立刻被老眼中溫和的譴責，容忍的微笑阻止了。我覺得自己這一著是蠢不可恕，出自仁心所予的溫暖、同情，又豈是金錢所能答謝的？我的眼光落到手上，心裡忽然一動，立刻把那枚訂婚戒指除下來。用了許多手勢告訴他們這只是做為一個紀念品，紀念這一份遙遠的友情。老翁才欣然接受了，當即撩起衣襟，把腰間那朝夕不離，繫在眼鏡殼下的一個玉墜子解下來遞給我，要我不忘記中國的朋友。

「在兩老的祝福中，我終於黯然離開了。我還說當船停泊在江裡的日子，我會常常探望們。

「回到船上，大家以為我失蹤了，正預備懸賞尋找，見我無恙歸來，都熱烈歡迎著，並告訴我船明天就要開了。

「第二天一早船就起碇了，我卻無法再見到他們一面，我只有遙望雲天，虔誠地寄出我的祝福，祝福兩老永遠健康！」蒙娜的祖父說到這裡，抬起濕潤的眼睛來仰望著窗外——寬敞的窗外，綠樹掩映中露出遠處一角教堂的尖頂，襯著蔚藍的天。這寺，忽然遠遠傳來教堂沉緩的鐘聲，老人舉手握在胸前，嘴唇翕動著，臉上的神情顯露無限的虔敬，無限的神往，半晌，他輕輕唸了聲「阿門！」用手指在胸前畫了個十字，蒙娜也跟著做了。一瞬那我為這肅穆，虔誠的情景所感動，也不禁噤默無語。

「蒙娜，妳還戴著那只小玩意麼！」老人慈藹地俯下臉去問蒙娜。

「戴著哩。」蒙娜說著從雪白圓潤的頭頸裡解下一根金鍊子遞給我看。鍊子上繫著一只雕刻玲瓏的瑪瑙兔子，這是我們上二輩子的人最喜歡用來繫在扇盒子上、眼鏡殼上的裝飾品。兔子身上還帶著蒙娜胸際的溫馨。

「人類博大的愛，是不受任何國界，種族限制的。」老人以一句雋語結束了他的故事。我抬起頭來，正接觸到蒙娜那二道明媚的視線。兩人相視一笑，我把瑪瑙兔子鄭重地交還她手裡，看她小心的繫上頸項。

五

蒙娜的父親在十五歲時去世了，蒙娜的母親又結了婚，一年見一次面，只蒙娜跟她祖父在一起生活。因此，對我這個異國的客人，極表歡迎。老人一再叮囑我有空去他們家裡玩，我也就做了他們的座上客，逢到休假日，總跟他們祖孫倆消磨一天半天。有時跟老人談談自由中國的近況，有時同蒙娜去看電影、跳舞、游泳，或是遠足一次。再不就採辦一些材料，由我教蒙娜燒中國菜——蒙娜的祖父對四十年前嚐過的中國菜，到如今還說來津津有味。而更多的時間，我們耗費在習畫上——蒙娜一定要我教她畫國畫。也許是受了她祖父的影響，她對中國的文化歷史都很感興趣，常愛問長問短。她提出上次我在學校講的有關敦煌石室的種種，我不憚其詳地一一告訴她。

「你們中國真是文化悠久的國家。」她乍舌驚歎著，「你去過你們那個所羅門寶藏沒有？」她幽默地把敦煌喚所羅門寶藏。

「去過，我的故鄉安西就在敦煌鄰縣。」

「怪不得你的畫畫得那麼好。」

「我本來的志願是作一個畫家，若不是共產黨搗亂，我是不會放下畫筆來摸操縱桿的。」

「如今放棄了豈不可惜！」蒙娜為我惋惜著。

「不，我沒有放棄。一旦打垮了紅色叛徒，回到大陸，我又要放下操縱桿握起畫筆來。」我說，帶著點激昂。

「你真教人欽佩！」蒙娜說，聲音裡洋溢著鼓勵和尊敬，那對海水的明媚的藍眼睛深情的凝視著我。突然，我的靈魂在她的凝視中起了一陣顫慄，熱血全湧上心頭來。有一種新的、使人興奮的因素，從蒙娜眼波中滲入我的血液，迅速的滲透了全身的細胞。

這些日子的相處，這些日子的耳鬢廝磨，一個是青春活力充沛的青年，一個是玉女懷春的少女，你知道，這其間將產生怎樣的情愫！但我竭力用理智壓抑著熱情，像冰雪封鎖了沸騰的火山。

有一天，我陪蒙娜去參加一個派對。那芳醇的香檳，那悠揚的音樂，最後一支臨別熱舞的偎依熨貼，早使人醉意醺醺。歸途中，蒙娜讓我駕駛車子，自己軟綿綿地緊靠著我坐在一旁，臉煥發著嬌羞的紅暈，更顯得嫵媚豔麗！

「永剛，」她輕柔地喚我，「出來這麼久你想不想家？」

「慣了也就不想了。」我說。

「包括你最親愛的太太在內？」

「我還沒有結婚哩。」

「那麼未婚妻？」她緊盯著追問，我笑笑搖搖頭。

「什麼都沒有。」

「不相信。你們中國人都是早婚的。」她斜睨我一眼，可愛地撇撇嘴。

「那是從前的事。至於我們空軍，還規定要滿二十八歲才能結婚。我還差二年多哩。」

她滿意地一笑，靠得我更緊些。我聞到陣陣撩人的幽香，不知來自她髮際或身上。

「難道說連心愛的人都沒有？」

我心裡怦然一動，但仍裝作嚴肅地說：

「暴敵未除，不談愛情。」

「我們美國的男孩子卻是作戰時儘管拚命地作戰，戀愛時還是瘋狂地戀愛。」

「那是你們美國人。」

「中國人個個都是嚴肅的，有一顆鐵鑄的心，不是愛情所能打動的？」她坐直身子盯住我的臉問。藍眼睛裡閃現著狡黠。

「嗯。」我一本正經地回答她，車子正要拐彎，我小心翼翼地扶住了方向盤——突然，她半個身子偎在我身上，一隻溫軟的手繞住我的頸項，耳畔感到她溫馨的呼吸，和帶有誘惑性的嬌聲音。

「永剛，想不想……」我的眼光一落到她向我仰起的，半閉的眼睛翹起待吻的紅唇，立刻全身的血液都沸騰起來……就在這一剎那，車子猛地向前衝去，等我意識到剎車，車頭已輕吻了一下路旁的電線桿，險極！這時，車窗上「嗒嗒」兩下，一個交通警察出現在窗口，但他望了一眼車廂裡卻伸出一個指頭來，用幽默的口吻提出警告：

「青年人，別忘了這是交通要道啊！」

蒙娜靠在車座裡低著頭嗤嗤地笑，我只得搭訕著向他揮揮手，捺住蹦跳的心丸重新調整方向，向前開去，開到一條僻靜的路上，我把車停了。

「蒙娜，」我溫情地喚她，伸手摟住她的腰肢，湊過臉去——她卻陡地坐直身子，向旁邊挪了挪，莊重的學著我的口吻說：

「永剛，你忘了暴敵未除，不談戀愛嗎？」

「可是剛才是妳……」我吶吶地提出抗議。

「我只是試試你究竟是不是鐵鑄的心。」

「妳這妮子！這一試差一點試了兩條命！」我笑著在她腰裡輕擰了一下，「如今試的結果呢？」

「問你自己。」她睨視著我，俏皮地笑著，像火山突然爆發，我再也壓抑不住心田中那沸騰的、海潮般澎湃的熔岩，我用力摟緊她的腰肢，使她面對著我。

「讓我用事實答覆你。」我說，用熱吻蓋住了她那嬌豔逗人的雙唇——一剎那彷彿整個地球停止了運行，如癡如醉中只聽到兩顆心急促地跳盪，蒙娜不再抗拒，一個軟綿綿的身軀半擁半抱地偎在我懷裡，緊挽住我的頸脊，熱情地回報我的吻，一面夢囈般呢喃地說：

「永剛，你是真心愛我麼？」

「我憑我的生命起誓——」我貪婪地把鼻子鑽在她頸畔，聞著散自髮上的，令人心醉的幽香。

「但你從無一點表示。」

「我不敢——」

「為什麼？」她輕輕推開我的肩頭，瞪大著眼睛望住我。

「因為我們國籍不同，生活習慣不同……」

「我祖父不說過，愛是不受任何國籍或種族限制的。」

「中國人把愛情看得十分鄭重，若是開花，必須結果，而你們美國人卻採取遊戲的態度。我更怕付出忠實的情感，卻換來失戀的痛苦。」我一手撫摸著蒙娜柔滑的金髮，心中感到莫名的悒鬱。

「傻孩子！你一定中了人家宣傳的毒，把美國女孩子都看成浪漫而放蕩的淫娃，總不能發現一隻蟲齧了蘋果，就決定全樹都是壞蘋果啊！」蒙娜嬌嗔著，尖起嘴巴溫柔的在我頰上吻了一下喃喃的說：「讓我們彼此相愛，永遠永遠！」

「若是我回中國去……」

「我將同著你，我們一起作畫，我們一起去那個敦煌寶藏，我們去北平、上海旅行，我們要一個充滿東方色彩的溫暖的家……親愛的，不是嗎？」蒙娜的藍眼睛裡閃爍著憧憬的光輝，天真的仰起頭來望著我。

「可是，妳知道中國不比美國，在金元國享受慣了的人怕受不了那種苦？」

「只要你去的地方，我都可以去。」蒙娜勇敢地說，眼光深深地注入我眼裡，我倆的靈魂在哪裡相遇了，我情不自禁把她緊緊地擁入懷裡，一陣雨點似地密吻以後，接著一個深長的、使兩個心靈溶化在一起的長吻！

六

蒙娜告訴我，下一個月的第一個週末是她二十歲的生日。她說那雖是屬於她自己的節日，卻要我分享她的快樂。而且，她預備一個最精采的節目，在舞會終了最一支舞曲前宣布，蒙娜天真的對我說：「二十歲我就是大人啦，大得足以主持一個家。」

蒙娜每天扳著手指計算日子，我也幫她翻著日曆。

那時，我們原來該受的訓已經結束了，卻為著第二個六個月的什麼特別訓練，待在美國待命。有更多閒暇去蒙娜家裡。蒙娜聰明而勤奮，加上祖父的鼓勵，她的國畫有很快的進步，尤其是花卉翎毛，她特別感到興趣。但為了她生日的迫近，那一個星期她幾乎全沒有心思好好的畫，她笑著央求我放她幾天假。

日曆上做有箭頭記號的終於一張張全撕掉了。那天，我新整了容，穿上燙得筆挺的美式黃呢軍服，對鏡自顧，也覺得器宇軒昂，儀表不俗。可是，在赴蒙娜生日舞會的路上，並不是懷著愉快興奮的心情，而是帶著一顆鉛塊般沉重的心——就在隔天裡，我們接到美方轉來的通知，說是那六個月特別訓練暫時不訓，要我們立即束裝返國接受任務！

蒙娜果然為她所說要使我吃一驚的在門口迎接我，她今天穿了一件長及腳背的，蜜黃軟緞繡花旗袍，她那窈窕的身材裹在裁剪合適的長旗袍裡，配著金色高跟鞋，更充分地顯露出優美的曲線。一頭金髮雲鬢似的高聳在頭上，耳畔晃搖著我送她的翡翠耳墜，容光煥發，高貴豔麗，一下子我竟看呆了。她送給我一個媚笑，微微轉側一下身子給我看：

「我穿你們中國服裝好不好看？」

「妳簡直揉合了東方和西方的美於一身！」我看到她那高興的神情，決計慢一步告訴她那個消息，強作歡顏，卻是由衷地讚美她。「祝福妳永遠這般美麗，青春永在！」

「謝謝你！」她高興地說，親熱地挽著我進客廳去介紹給來賓，那天到了二十多個客人，女的大半是她的同學，與我有一面之緣，都嬲著我問長問短。分過生日蛋糕，舞會開始了，祖父挽著蒙娜首先跳第一支舞，一個白髮皤然，一個紅顏嬌媚，互相輝映烘襯，十分有趣。第二支舞是我請蒙娜跳的。我默默地緊挽住她的纖腰，鼻際嗅著那熟悉的幽香，心裡說不出是什麼滋味，蒙娜抬起那雙明眸，盈盈地望著我說：

「達令，今天為什麼這樣沉默！」

「我正默默地在領略哩。」我深深地望入她眼裡說，用臉頰摩挲著她的頭髮，她立刻報以會意的一笑，把身子貼得更緊些，臉偎依在我的胸前，跟著音樂的節奏緩緩地迴旋著——我恨不得音樂永遠響下去，讓時間永遠停留在這一片刻，讓我倆永遠永遠這般的相偎相依！

這以後蒙娜一直周旋在請她伴舞的賓客之間，我只得強打精神，跟她的同學跳著，蒙娜經過我面前時悄悄地對我說：「等著，最後一支舞一定留給你！」

音樂一支接著一支演奏著，我不安地頻頻看著手錶。已經是十點一刻了，我必須十一點鐘趕回基地歸隊，而路上還得消耗半小時。時間越來越迫促，我不能再待最後一支舞，當一曲音樂終了時，我找著蒙娜對她說：「我有話告訴妳，到廊上去一下。」

「真巧，我也正想找你說話。」蒙娜向我神祕地一笑，挽住我的手臂走到廊上，室內的燈光隔著窗幃在廊上投下一片幽暗的光影。涼沁的晚風使我如焚的心緒寧靜了一些，但千頭萬緒仍不知從何說起。

「蒙娜……」

「永剛，」兩人幾乎是同時的喚出聲來，我的聲音太低，蒙娜沒有覺察，只管興奮地繼續說下去，「下一支音樂就是最後一支〈選擇你的愛人〉，我想在這支狂歡熱舞前宣布！」她興奮而嬌羞地抬起頭來用眼睛詢問我，但立刻被我臉上的憂鬱怔住了，她扳住我的肩頭，關切的望著我說：「永剛，是發生了什麼事嗎？」

「蒙娜，告訴我，」我用了最大的勇氣握住她綿軟的手，望入她眼裡說：「愛情是不受時間和空間限制嗎？」

「當然。」她肯定地說。

「當兩人心神已深深契合，兩顆靈魂已酣然偎依，若是遠在天涯海角，是否仍同在一起？」

「是的。」聲音裡沒有猶豫。

「那麼，親愛的，妳應該有勇氣接受離別——我明天要回國去了。」

「什麼？」蒙娜似乎懷疑自己的耳朵，緊握住我的手臂，剛才還是星星般閃爍的眸子，如今充滿了驚疑、恐懼。

「昨天得到的通知，要我們明天早晨就乘飛機去返國站，再搭船回國，」我重新詳細地說了一遍。

「明天！」蒙娜恐懼地重複著這兩個字，紅潤從她臉上褪蝕，身子搖搖欲墜。我擁著她在一張椅子上坐下，愛憐地吻著她的額角說：

「蒙娜，堅定一點……」但蒙娜只是透過晶瑩的淚水凝視著我，失色的嘴唇微微顫慄著，欲言不能，我感到無限心酸，忍不住緊摟著她，吻著那張披滿熱淚的蒼白的臉，嘴唇沾著淚水，也不知是鹹是酸！

「達令，你還會回來不？」她哽哽咽咽地說，語不成聲。

「也許，我總是盡可能找機會回來。」我不得不忍住痛苦安慰她。

「我不能想像沒有了你，生活將怎樣過下去……」

「我會給妳寫信，把我的想念，把我的戀慕，都寫在信裡寄給妳。」

「你不會忘記在遙遠的異國，有一個永遠愛你的人，一個朝夕為你祈禱祝福的人！」

「只要我一息尚存，妳永遠是我心靈的主宰。」

「記著，我等著你，永遠，永遠——」蒙娜依依不捨地偎在我胸前，似有說不盡的萬千叮囑，但我一看錶，時間迫促了。

「哦，蒙娜，已沒有多餘的時間了，我得向祖父說一聲，但不想驚動妳的賓客，」蒙娜立刻進去請出祖父來，聽說我馬上要走，老人也愕然怔住了。半晌才伸出手來熱烈地握住我的手，親切地望入我眼裡說：

「孩子，我實在捨不得你走，但這正是你報效國家的時候。勇敢地去吧！請帶著我的祝福。還有，一個美國公民給中國公民的友情。告訴他們：中美的友誼是永持不渝的。」

「謝謝你，我不會忘記。」我感動地說。

「永剛——」蒙娜又投入我懷裡，緊緊地偎依著我，雙臂用力勾住我的頸項，仰著臉，透過晶瑩的淚光用那雙脈脈含情的眼睛凝視著我，溫軟柔和的嘴唇貼住了我的嘴唇。我們默默地擁抱著，兩個靈魂溶合在一起，兩個身軀更分不出誰是誰——可是，時間已不容許再遲延，我只得忍住心碎，輕輕解開她挽住我的手，匆遽地在她額上吻了一下，抽身就走——

「再見！孩子，為國珍重！」祖父殷勤叮嚀。

「再見！永剛，不要忘記我！」蒙娜溫柔的聲音最後一次縈繞在我身畔。

車門「碰！」的一響，無限溫情，無限恩愛，一切一切都成了天邊的虹彩，遠了，遠了……

七

「你所以不談戀愛，就為這遙遠的愛嗎？」半晌，我從故事曲折動人的氛圍中找回了現實，深感興趣的問永剛。他，為甜蜜的往事所激動，臉上煥發著興奮的紅暈，聽見我問，只不經意地瞥了我一眼，默認地笑笑，又直視前面浸入回憶中。

「那慈祥善良的老人，確是使人敬愛，使人感動，這種激發自內心的，崇尚而真摯的溫情，是比愛情還難求，但那些美國女孩子——」我頓了一頓，為了不想傷害永剛，只在嘴角浮上一個寬容的微笑。「還不是專門製造羅曼蒂克……」

「在原則上我同意你的看法，但在事實上我卻要推翻你的觀念。」他帶著一種神祕的，炫耀的微笑，站起來慎重地打開鎖著的抽屜，遞給我一封信。

淺藍色精緻的信封上，飛舞著一筆秀麗的英文字。

「沒有祕密？」我先按著信問他。

「可以向你公開一次，僅僅一次。下不為例。」他笑著向我豎起一個指頭。

我好奇地抽出信紙來，一股淡淡的、珠蘭花似的幽香先透入鼻際——

親愛的剛：

接到你六月十五日的信，快樂得什麼似的，但我還是強自捺住了要啟讀的欲望，預備等飯後一個人躺在牀上靜靜地閱讀，這樣，我就有著你彷彿正偎在我身邊，聽你娓娓申訴的感覺。

吃飯時，祖父打趣我說：「看妳這喜笑顏開的神情，準又是接到中國的信。」我說：「當然！」祖父笑了，他真喜歡你！我猜一定是由於你使他想起了那位長辮子黑眼睛的中國姑娘。

前些時這裡徵募參加韓戰的志願兵。我真想應徵，可恨他們不收女兵。共產黨是你們的敵人也是我們的，把他們打垮了，不就好回到你的故鄉，去潛心一志的掘發那敦煌寶藏！親愛的，我同你一樣迫切地等待著那一天呢！祖父說他若是年輕幾十年，也一定去應徵。他倒不是迫切要去敦煌，他說是為了維護正義，就得向那些破壞和平，民主自由的暴徒宣戰。親愛的，你們並不孤單，因為世界上還有不少民族跟你們站在一條戰線上的。

告訴你，近來我的中國畫進步得很快，連老師都這麼說，她們勸我開個畫展，說一定會轟動一時。但我沒作這樣的打算，我只是想，等將來到了中國，和你一起開一個畫展，那多有意思哩！想不想這樣一天？我的愛人！

想到將來有這麼一天，親愛的剛，我從心底洋溢著歡喜。世界是多麼美麗，日子又是多麼甜蜜！告訴我，究竟是幾時你們才開始反攻，把敦煌城以及所有蘊藏豐富的城市從占領者手裡奪回？你又究竟幾時實踐你愛的諾言？記住，我正等著你。等著那日子，是那樣的迫切，那樣的焦灼，相思已使我憔悴。

一千個祝福！一千個吻！

你的蒙娜

「最後她急需要解答的問題你又怎樣答覆她？」我把信交還永剛，也不禁為信裡流露的那一片深摯的癡情感動。

「我一直還沒有覆信。」永剛悄然回答。

「那不太使她失望！」

「我要用事實答覆她，我相信那不會太久了。」他把信緊貼在胸前，凝望著澄藍的天空，黝黑的眼睛裡閃爍著一種光輝。跟他堅定的聲音一樣，顯示著一個信念。

編註：本文原刊於《暢流》第九卷第八期，一九五四年六月一日，頁二十七～三十；第九卷第九期，一九五四年六月十六日，頁二十八～三十。

路是怎樣走出來的

一

那天一個朋友結婚，假座「聚美」酒家請客，這是個純粹本地風味的食堂，有時我打從那裡經過，常見門口倚立著兩三個打扮得花枝招展的女侍，門裡霓虹燈散揚著幽幽的光線，顯著有點神祕——第一次走進這以活招牌招徠的酒家，我帶著幾分好奇的心理。客人到得差不多了，便是五六個女侍花蝴蝶似地蜂擁進來，這裡輕勻杯碟，那裡擊掌頻喚。經過訓練的手指熟練而敏捷。在我斜對面的一桌上，是一個穿淺紫色長裙的背影，模樣透著俏麗，潔白的圍裙飄帶在腰後束了一個大蝴蝶結，更顯得腰肢纖柔，她安排杯碟的動作顯得很優雅……突然，我從哪裡看出什麼熟悉的東西。我極力用眼光在她身上搜索著，守著她沿著圓桌慢慢的旋過去，由背影而微露出側面——當我終於看清她是誰時，她也似乎發覺了我的審視，驀地抬起頭來：

「蔣老師！」「妳是——林慧！」她喚了一聲，又立刻慚恧地低下頭去。儘管她臉上塗抹著一層脂粉，還可以看到一陣紅暈直湧到耳畔，她的手指因不安而微微顫抖著。我為減少她的惶悚，故意從她身邊經過走到廊上去，輕輕地告訴她，「擺好了到廊上去找我。」

不一會她果然出來了，兩手插在圍裙口袋裡，笑得有點勉強。我仔細端詳她時，只見她過去在學校裡那天真嬌憨的神情完全消失了，厚厚的唇膏和脂粉反使她清秀的臉蛋顯得庸俗，原是靈活明亮的眼睛也變得有點黯淡呆滯。高跟鞋、露胸束腰的軟綢衫，把一個正發育的少女的形態，誇張地烘襯、呈露出來，就似一朵絹製的花朵，雖然嬌豔，卻缺少那種生氣和活力。

「林慧，妳怎麼不聲不響就搬了家，來這裡多久了？」

「三個多月。」她望著自己的腳尖裝作不經意地說。

「那妳已習慣了這份工作？——其實用自己的勞力來換取報酬，本來是最神聖的事，不過……」我掃射了她一眼，她馬上領會了我的意思，拎一拎衣裙，用自嘲的口吻說：

「老闆規定我們要這樣打扮，就像商品的標幟一定要鮮明引人注目一樣。」

「商品？那妳在這兒的工作是？……」

「不，我說錯了，應該說是贈品。真正的商品是酒菜。我們是附帶著讓客人開心的——等於另一味下酒的菜餚。」她一味自嘲自諷貶損自己，毫不憐惜。

「林慧，妳變了。」我沉痛地說：「妳為什麼一定要選這條路？」

「在別的路上我被擠出來，我也顛仆了無數次。我需要錢，我便選擇了這條最便捷的路——其實也說不上選擇，有這麼條路我就走。」

「妳該知道這樣的路最多陷阱和沉淵。」

「我記得在什麼書上看過這樣一句話：『一個人不管活的力量能不能搏鬥到底，但一經來到懸崖邊緣，不得不跳下。』」

「但一經發覺妳所入的是歧途，還來得及回頭改道。」

林慧凝望著深邃的藍天默然不語，嘴角隱約曳著一絲苦笑。

「妨礙人類進步的最大敵人，便是惰性和虛榮心……」

她把頭一揚，正想說什麼，裡面卻傳來喚「秀珠！秀珠！」的聲音，她皺一皺眉毛，不耐煩地向裡面應了聲「來了！」接著用抑制著的激動，幽幽地說：「蔣老師，謝謝妳對我的關切。不過……我也許會使妳失望的。最好像抹去黑板上寫錯的粉字一樣，忘掉妳曾經教過一個這樣沒出息的學生。」說完，她十分尊敬地向我行了個禮，悄然進入門裡。

二

林慧是我教過的一個學生，聰明、活潑，有一點被嬌生慣養的任性，倔強而好勝。她喜歡文學，常在壁報上發表清逸可喜的散文，她的國文和英文總是九十分以上，而別的科目卻只讓它派司過去就算了。因為我教她們那班的國文又兼導師，看時她也到我房裡來問問有關寫作修養的問題，或是要我介紹她讀些什麼書，據她告訴我，她的國文所以能比一般本地同學好，全是她祖父在世時教的，她祖父很有才學，但在日據時代卻一直過的隱居生活。可是當她剛修完初中第四冊的課本，卻忽然因家庭的變故而輟學了。

林慧的中途輟學，我們都覺得十分惋惜，當時我和教她英文的程老師，還有梅老師商量的結果，決計幫助完成這一個學業階段，可是，當我為著這個消息去找林慧時，她卻堅決地謝絕了。她說：「為我一個人求學的事，讓幾位老師來操心，實在於心不安。而且，我的性格就是不願意接受人家布施的恩惠，雖然老師們完全是一片出於真心的好意，我卻永遠不能寬容自己，何況我還有母親和弟妹，縱使我接受了妳們的好意，總不能讓她們也由別人來供養……」

「那麼妳？……」

「我有一副還能夠思索的腦子，一雙不算太笨的手，憑這兩樣，我想，總可以走我所要走的路——」她說得那麼嚴肅、認真，儼然一個慣與生活搏鬥的戰士似的。

我知道她的執拗不是幾句話解勸得開的，只得說：「妳一定要出去工作也好，世界上的學識本來也不全是從學校能獲致的，社會本身就是一本包羅萬象的巨書，一座設備俱全的大學，妳可以慢慢的去閱讀，去體驗。而將來如果要從事寫作的話，妳自己所閱歷和體驗的便是最好的材料。」

「蔣老師說得好！」她苦笑了一下，「我還沒有想到這麼遠哩。」

「這不難成為事實。」我說：「唯有與生活搏鬥過來的人，才能寫出有力的作品；不過，第一緊要的妳得先認清妳所要走的路，有的路看著平坦，說不定越走越狹窄，有的路看著崎嶇，卻往往通向光明，還有一種邪路專引誘初上路的人，別看它金光燦燦，一路上多的是陷阱和墮落的深淵。若是擇定了路向，便得腳踏實地一步一步的走去，別貪圖僥倖妄想走捷徑——妳現在預備從事什麼工作，有頭緒嗎？」

「憑運氣去碰機會。我能力不夠，卻有的是嘗試的勇氣。」

「祝福妳有好運氣！」我感動地拍著她的肩膀說，覺得她倔強、任性，但任性得可愛。

「有什麼困難，儘管來找我。」

但是她一直沒有來找過我，待我有一天想起去看她時，她們一家已悄悄搬走了。沒想到事隔一年，卻在「酒家」裡逢到她。

筵席開始時，原是林慧侍候的那一桌換了一個胖胖的女郎，林慧自己大概是避開我，一直沒有露面。這頓酒我吃得不大舒服，心裡總像有什麼梗著。席散，我首先告辭，走出正廳，正待跨下樓梯時，一間雅座的門簾被風吹起來，無意間卻瞥見裡面一個淺紫色的背影，正作著斟酒的姿勢，但執著酒壺的手腕卻被一個顧客捉住了，那個正嘻皮涎臉，用一種狎邪的神氣向她說什麼——我匆匆地應付著主人的殷勤，忙不迭俯著頭跑下樓梯……驀地一陣狂笑從門簾裡暴發出來，風捲雲湧的在樓梯上趕上了我，彷彿一根鞭子直抽著我的良心，眼看罪惡的黑手正伸向一個年輕善良的生命，眼看一個純潔的靈魂趨向沉淵的邊緣，而我卻無能為力……

三

之後，我有好些日子連聚美酒家那條街都沒有勇氣經過，但林慧的影子卻不時呈現我腦際。

那天，第一堂我沒有課，打開當天的報紙，卻在地方版裡讀到了這樣一則新聞：

絕世花容毀於一旦

「聚美」之花

夜行遇刺

少女林秀珠，年十八歲，為「聚美」酒家侍應生。容貌秀麗，風姿綽約，素有「聚美之花」之稱。昨晚十二時許，該酒家家打烊後，當即駕單車返家，行至林森路至中山路拐角處，對面忽駛來一騎，以電筒照射秀珠，旋即擦身駛過，但聞秀珠一聲慘叫，比及警員聞聲趕到，但見秀珠輾轉呻吟於血泊中，滿臉泥血，狀殊可怖，道旁並棄有沾血剃刀片一枚。當即四出追蹤，而該刺客已杳無影蹤。據省立醫院莫醫生告記者云，幸刀刃僅傷及右頰，無生命之虞，唯日後將留下二寸餘一條傷疤耳。又傳聞日前曾有五人至聚美歡飲，其中有一麻面顧客醉後纏住秀珠戲謔調笑，秀珠忍無可忍，當面予以難堪，該酒客惱羞成怒，拂袖離去並出言威嚇，或猜測該客嫌疑最重，真相如何，尚在偵查中……。

林秀珠，這名字似乎有點熟悉，但遍索我的友人中卻沒有叫這個名字的（驀地我想起了那天在聚美酒家。有人叫林慧作秀珠，不錯，聚美酒家，林秀珠，準是林慧無疑，我無暇思索，放下報紙，跳上自行車駛向省立醫院。

說明來意，護士領我走進一間三等病室。天熱，室內充滿了混濁的空氣和刺鼻的藥膏味，穿過長長的一列病牀，護士用手指了一指，我便看見林慧躺在角隅裡那張牀上。雖然她側著臉只露出纏在臉上的白紗布，從她的姿態和露在白被單外的一隻淺紫衣袖，我還認得出那是她，這時，正有兩個記者模樣的人站在牀前詢問著什麼，手裡架好了筆和筆記簿。但似乎得不到回答，又帶著失望走了。

我輕輕地走過去在牀沿上坐下，一手按著她擱在被外的手——她倏地回過頭來，我幾乎為那張可怖的臉驚叫起來，昔日那副秀麗嬌憨的眉目完全不見了。整個臉龐被紗布圍裹得臃腫不堪，只露出兩個眼睛和口鼻，左頰還沾著隱隱的血斑。她的眼睛裡交雜憤怒仇恨的表情。看到是我，敵視的眼光才柔和下來，嘴唇顫抖著，掙扎著喚了聲：「蔣老師……」

「林慧！」我握住她的手不知說什麼好。

「蔣老師，您怎麼曉得來？……」她用力調整著顫抖的聲音。

「我在報上看到的。」

「報紙已經登出來了？」她做出憎惡的表情，「怎麼說？」

「就簡單地說起……出事的經過。」

「沒有捉到兇手？」

「說是在偵查中。」

「如果捉到了兇手，我一定要要求當局，由我親手用剃刀在他臉上劃上兩條，讓他一輩子揹著罪惡的十字架！」林慧緊咬著牙齒狠狠地說，眼睛裡冒著火焰，那神情彷彿抓到什麼便會撕毀摧殘。

「不要太激動，妳的創傷還沒有結合。」

「我的創傷！噢，我的創傷！」她突然又軟弱下來，變得歇斯底里地嗚咽著：「蔣老師，我這輩子完了。」

「不要胡思亂想，妳這不是好好的活著。」

「但我將成為殘廢、醜怪。」

「妳沒有少一條腿或是缺一隻手，妳的靈智更不曾受到絲毫損害。『殘廢』這名詞是不存在的。至於美與醜，不是鏡子裡投射的影子便是真理。外貌的美是短暫的、空虛的，只有心靈的美，才永遠常青。林慧，不要再介意那些外表的美，鏡子是沒有心靈的，人們才有深厚的同情心，一個善良、溫婉的靈魂，會有人們眼睛的網膜上產生另一幅影像，在那裡聖潔與內在嫻雅的美，正如靜謐的月光，消融了紛雜的景色使它變成可愛的諧和。」我誠懇地說著，林慧慢慢地平靜下來，那份消沉、怨恨的神色逐漸淡去，信心回到那雙凝望著我的明眸中。我又接著說：

「妳過去所做的全是泯滅妳本性的事，今後正好重新揚起頭來，墾拓自己進入靈智的氛圍內。」

「蔣老師妳待我太好了！」她閃著感激的淚光說：「過去我……」

「不要提過去。」我阻止她，「過去的已經死了，已經定了型，再不能在它上面增減什麼。它對人生的價值是有限的。重要的是把握時機，重新開始……」

「請不要跟她多說話。」護士過來干涉，「她的精神和創口都需要靜養。」

四

我答應了林慧第二天有空再去看她的，沒想到第二天有人來視察學校，緊接著又是開校務會議。第四天我揀了幾本書，正預備下午去醫院帶給林慧，就在當天中午接到了她的來信：

我最敬愛的蔣老師：

當我給妳寫這封信時，我已躺在家裡的小鋪上，儘管醫生勸告我傷口未癒合，不宜出院，我還是回家了。我怕，我怕那些向我投射過來的、好奇的眼光，我更怕記者先生，不管他們口口聲聲宣布自己是站在正義的立場，但我在某些報紙和雜誌上已看得太多了，他們慣愛把像我們這般無告無助的女孩子在社會上遭遇的不幸，加以渲染、誇張，編成桃色事件或是黃色新聞，然而寫成洋洋乎大觀的文章，去騙取大筆稿費——我真懷疑這世上是不是還有正義存在？蔣老師，妳會說那是我的偏見麼？然而不管這些，我終究已擺脫了精神的威脅，如今我的心已恢復了平靜，毫無顧慮的交還了母親，讓她用她無盡的愛為我拂拭蒙垢。

蔣老師，妳那番諄諄的忠告，和妳說話時那誠懇慈藹的神態，將永遠深深的印在我腦中，刻在我心上。是妳那番話使我獲得解脫，獲得啟示，是妳那番話，阻止了我的自趨毀滅，或神經錯亂，而現在還能平心靜氣的在這裡分析自己。蔣老師，我知道我的錯，錯在倔強、任性，喜歡出人頭地，而最大的毛病更是知錯不認錯。我因為自問學識淺薄，一種自卑感（也可以說是自尊心）使我不願（也不能）擠入運用「心力」的一群，而我又卑視出賣「勞力」的人，就在這矛盾下，我徘徊歧途，苟且敷衍，不能解脫，以致招來這次毀容之禍，也可以說是給我一次教訓，只是這教訓未免太慘酷了。

是的，過去的是已經死去了，我不再浪費我的感情，我把它像埋葬屍骸般埋葬在記憶的墳墓裡，我將記取妳的話，培養善良和勤勉的花朵，墾拓自己進入內在的、靈智美的氛圍裡，還記得正待跨進社會大門時，妳曾問我準備從事什麼工作，我說憑運氣碰機會，能力不夠，卻有的是嘗試的勇氣！由於妳的鼓勵和指示，我又恢復了幾乎失去的勇氣，同時領悟到只要為人類造福，能忠誠從事的工作，「勞心」和「勞力」是一般重要的。我將慎重的選擇我所要走的路，然後腳踏實地的走過去。如果在路上不致顛覆，我將帶一個新生的林慧來見妳——我所最敬愛的老師！ 謹祝

健康！

願永遠追隨妳左右的林慧

「勇敢的孩子！」我把信按在胸口，情不自禁感動地喃喃自語，「願上帝帶我的祝福給她！」

五

那天說是巨型颱風「克蒂小姐」將登陸，氣象台發出了警報，下午學校裡也就宣告停課。我把小室的門窗關得嚴嚴的，任憑風雨在窗外暴肆凌虐，我只靜靜地一本又一本的修改著課卷——忽然，門鈴響了，風雨聲中摻有喚「蔣老師」的聲音。我去把門開了，斜風驟雨簇擁著兩個兜在一件大雨衣的人進來。

「傻孩子，怎麼揀這樣的大風雨跑來！」我溫和地譴責著，以為是常來的那幾個學生。雨衣卸下來，是兩個甜摯的笑臉，一個陌生，一個……

「蔣老師！」一個熟悉的聲音。

「咦，林慧！」我感到意外。

「蔣老師，這是我的好朋友梁金枝，她最崇拜您了。」

「蔣老師，允許我也這樣稱呼您嗎！」那個誠懇而略帶謙虛地望著我。

「當然可以，快把濕鞋脫了，裡面坐。」

到屋子裡，我重新把這兩個打量了一番，兩個穿著一樣的白上衣，深藍工褲，兩個一樣的樸實、誠懇，而充滿著青春活力，梁金枝看著要比林慧大幾歲，也長得高些，林慧又恢復了她在學校裡那副嬌憨天真的神情，只是舉止間顯得更穩重沉著，長高了，也更結實了。淺赭色的皮膚發出健康的光彩，距離唇角半寸餘一條蚯蚓似的瘡疤，斜斜地引伸到耳根畔，雨水兀自從她髮梢滴下。

「林慧，怎麼這麼久都不給我一個信息！」

「我不是說要把事實帶給您看。」她俏皮的把眉毛一揚，挺起胸脯，站得筆直地要我看：「蔣老師，妳說我現在像不像一名生產鬥士！」

「像，像極了。」我讚佩地點著頭。「這樣說來妳已參加了生產的陣營！」

「是的。」林慧眨一眨眼睛，一下子又變得嚴肅起來，望著我侃侃地說：「我們的 總統不是說過：『革命的完成，要三分政治，七分經濟。』只有經濟才是各種事業的動力，而勞工又是國家經濟的主力。唯有努力增加生產，供應國家資源，才能使民生安定，國家富強。就在這樣的大前提下，我毅然地參加了生產行列，我覺得當一名大時代的勞工是光榮的，婦女勞工更是反共抗俄戰鬥中一股巨大無比的力量！」

「說得真好！林慧，可是幾時妳又學來這一套冠冕堂皇的理論，如果在學校裡，妳準可以得演講比賽第一名！」我笑著說，心裡卻暗暗驚佩她進步的神速。

「當然囉！人家還是廠裡工人補習班的小老師哩！這些都是她平時講慣了的。」梁金枝抿著嘴在一旁善意地調侃她。

「少損人！」林慧紅著臉擰了梁金枝一把，「蔣老師妳不曉得梁金枝是我們織布間的工長，又熱心，又認真，我進去的時候多虧她教我，下次選舉模範勞工，我們已決定了要選她。」

「少替我吹！」梁金枝也訕訕地拍了一下林慧，「蔣老師妳不曉得上個月我們廠裡舉行增產競賽，她還得了優良獎狀哩！」

眼看這兩個大孩子友善的互相標榜、調侃，屋裡洋溢著無邪的春意，使人忘記了窗外的暴風雨。我高興的把僅存的一點咖啡在酒精爐上煮起，又找著餅乾和孩子的糖果裝上兩碟。

「哎呀！蔣老師這樣招待可折煞我們了！」林慧高興地喊著，一面順手拿顆糖剝了往嘴一丟。

「嘿！別人是獲不到我這份優待的，這是為招待勞工英雄哪！」

她們全笑了，毫無拘束的把糖和餅乾送進嘴裡，我呷了一口咖啡，忽然想起了一件事，「林慧，」我說：「這些日子裡恐怕妳早就放棄妳的寫作夢吧？」

「今天來看蔣老師，主要的就為這件事。」林慧從容地說，放下杯子，在褲袋裡掏出一卷牛皮紙裹著的東西遞給我，羞怯地望著我一笑，「這是我最近脫稿的，蔣老師有沒有功夫替我修改修改。」

我小心翼翼地打開紙卷，裡面是一厚疊抄寫得端端正正的稿子，稿面用潔白的道林紙題著一行題目：

「路是怎樣走出來的。」

「我知道我自己談不上什麼寫作修養，文字和結構都很淺薄和幼稚。但這故事卻是百分之百真實的，是我親身經歷和體驗過來的！這裡面滲有我的血和淚，這裡面揉有我的愛和恨，我怎樣顛仆，又怎樣掙扎，怎樣重新站起。這社會上果然到處是陷阱、泥窪、黑暗，但人間也不缺乏愛和善良，世界上美麗而值得追求的事物正多著，只要有信心。我把這些寫下來，一半是紀念那一段困苦的奮鬥，一半是讓自己有所警惕。」林慧望著窗外搖曳的樹枝，用低沉的聲音緩緩地說，一手不自主地摸著臉上那條疤，眼睛裡蘊藏著一種堅定的光輝，使整個臉龐披著一層光彩，突然我覺得我林慧很美，不是在學校時那種柔弱的美，也不是在酒家那種矯揉的美，而是內在充實的心靈和外在洋溢的活力所交融的，一種健康的美！連那條疤也閃著光彩，一個衝動，我幾乎忍不住想去吻那個疤！

編註：本文原刊於《中國勞工》第六十六期，一九五三年八月一日，頁三十二～三十四；第六十七期，一九五三年八月十六日，頁三十三～三十五。

霧之谷

霧，那漫天漫野，滿壑滿谷，似乎填塞了整個宇宙的濃霧，終於遲緩地開始移動著，就像煙雲迷濛的山峰間果真有「神女」在伸出纖纖玉手，一層層地挽起萬千重輕綃。隱隱約約地露出森鬱的綠叢，紅嫣的山花。嵌在山谷裡的一條小街逐漸在溟濛中展延開來，幾家小店開始除下鋪板，屋簷下的紅紙招在山風裡招展著——這樸質，靜謐，以溫泉馳名的小鎮——四重溪，剛從霧夢中醒來。

透過霧層的一道柔弱的陽光，正照射在鎮口豎著的一塊木牌上，把「景福旅社」四個大黑字照得發亮。陽光一經掙出霧雰，霧在陽光的威力下很快便消失了。這時，一輛藍色的客車像原始的大爬蟲般悄悄地駛進小街，停了下來。下車的七八個旅客中有一個二十六、七歲的女客，穿一件淺灰派力司旗袍，蜜黃絨衣，大花卷的頭髮用紫紅紗巾繫住，襯得那橢圓的臉更見勻淨，臉上未著脂粉，只在抿得緊緊的嘴唇上搽了一抹深紅。秀長的睫毛下一對黑亮的眸子，就似濃蔭遮映著深邃的古潭，潭水原是深沉而清澄，但此刻卻也籠罩著一層悒鬱的霧，顯得有點迷惘。她下得車來茫然打量了一眼寥落的小街。舉起手來撩起一綹給風吹散的頭髮，躊躇著，略為現出那種無所適從的神情。一回頭正好看見那塊木牌。於是她毫不遲疑地提起隨身兩件簡單的行李，走上那迤邐而上的斜坡。

斜坡頂上是一片平坦的坪地，旅社便孤零零地屹立在坪的一端。坪沿上一排整齊的相思木，屏風似的掩映著樓屋，右首是一座茂鬱的樹林，左邊是一些杜鵑花和灌木叢簇擁著一泓清澈的池水。環境十分幽靜。女客悄然走進玄關，只見裡面靜悄悄的闃無人聲。她輕輕咳嗽了一下，立刻有一個白衣黑裙的服務生應聲而出，微笑著為她遞過一雙草拖鞋。

「樓上樓下？」服務生問，她望了一眼走廊一端散放著的幾雙拖鞋，便漫不經心地說：

「樓上吧。」

樓上的房間是L形的，面向著一條寬闊的走廊，橙黃的陽光從一排落地的玻璃窗中照射進來，敞亮而軒朗。這時因為沒有旅客，八九間房間的紙門一起敞開著。女客躊躇了一會，便揀定靠著牆壁的那間六個榻榻米的，服務生敏捷地把紙門一拉，敞室立刻成了方方的房間，把行李安頓下，接著又端上一壺茶來放在廊上的茶几上，關照一聲「浴室在下面。」便逕自下去了。偌大的樓上，只剩下女客一人。

她推開一扇玻璃窗，便在欄杆旁邊的藤椅上坐下來。迷惘的眼睛依舊漫不經心地向窗外投去一瞥，透過那一排相思木的屏風，坡下銜接著的稻田裡有一個人牽著一隻水牛緩緩地移動著，更遠處是一脈隱約的黛山，深邃的藍天上一朵白雲正悠悠地掠過樹頂，周圍靜靜的只有樹葉在風裡切切喁語，偶爾響起一串清脆細碎的鳥聲，一會兒又復歸沉寂。她似乎為這份幽靜感到悅喜，意味深長地吁了口氣，一手端起新泡的麥芽茶貼在唇上呷著，——可是，那古潭似的眼睛只是一剎那的輝朗，立刻又掩上霧雰。她半天半天凝視著空中的一點，眉峰緊緊地鎖攏來，載負了太多的怨恨和悒鬱，她倏地一個轉身走進房間，反手拉上了紙門。

服務生上來了二次，但見紙門緊閉著，房內寂然無聲。

太陽把樹影從西邊移到東邊，迴廊上的陽光退出了。服務生又一次走到樓來，她把耳朵貼在門外聽了一會，遲疑地伸出手去在門上彈了二下：

「小姐，吃飯吧？已經五點鐘了。」

「唔」。門裡的聲音彷彿蒙在被子裡。「端上來好了。」

服務生答應著走了，接著門也拉了開來。她一手扶著門框站在哪裡，眼眶微紅，神情似比來時更困頓。內心的痛苦和深慮留在臉上的痕跡，比風塵所琢磨的還要顯著，她拿了二條浴巾，懶懶地走下樓去。

上來時，她換了一襲黑旗袍。那莊穆的神情更超逾了她的年齡。服務生跪在榻榻米上，跟小孩子玩「姑姑宴」似地搬出一些小碗小碟來。她看著似乎很感興趣，但只扒了幾口飯，就似有砂礫扎著她的喉嚨似的，立刻又擱下了筷子，只把那一小碗湯喝了。

夕陽將墜未墜，擱在樹巔上就像懸了個大紅燈籠。山風勁急了，吹得寬大的棕葉不住地戚戚喳喳地響，突然戚戚喳喳的聲音轉變成奔響的吟唱，伴奏著婉轉的鳥音，有時又夾雜著松濤浪嘯，天風旋唿——這是一支提琴的音樂，靜寂中彷彿不是來自人間，她一時為樂聲吸引，不自覺地循著樂聲信步走出旅社，走進樹林。

密密的枝葉遮蔽得樹林裡十分幽邃。叢草間蜿蜒著一條曲折小徑，點綴著星星似的小黃花。她循著小徑走去，轉了個彎，便見一幢木屋，門前懸著「山林管理所」的木牌。屋前屋後種植著好些花草。就在離屋不遠的一株蒼松下，一個穿著淺藍色絨背心的青年正獨自倚著樹在拉奏提琴。看見她，他似乎怔了一怔，琴聲亂了二個音符，但很快地又綴上了。她本能地感到自己打攪了別人，於是，回轉身又順著原路走出樹林，踅向那為叢林遮映著的池塘，三五片凋零的杜鵑花飄浮在水面，當她俯身探視時，清澈的水裡立刻反映出她苗條的身影，鑲嵌在藍天綠叢中。她端詳著自己的影子，一朵緋色的雲彩打從她頭頂掠過，悠悠的音樂隨風送來，迴盪在清空——突然地，平靜的水面漾起一圈漣漪，下雨嗎？落花嗎？噢，都不是，那只是從那古潭般深邃的眼中滴下的二顆淚珠。暮色逐漸吞沒了人和影。

那樣的悒鬱孤寂，那樣的莊矜無語。霧的山谷裡來了一位霧一般撲朔迷離的神祕女客。

第二天早晨，濃霧又瀰漫了靜謐的山鎮。太陽在雲霧裡突圍著，射出萬千支金箭投進霧層中，其中有一支恰好射入旅舍的陽台上，一個淡青色的人影綽約出現在金光霧氣中，恰似從雲海裡湧現出一個縹緲仙子。緊接著無數支金箭投向這個空隙，霧終於淡了、散了。陽台上憑欄眺望的是那神祕的女客，而陽台下為這景象所吸住，木樁般佇立著的正是昨天拉提琴的那個青年。略嫌蒼白的臉上那雙大膽而懾人黑眼睛裡，匯集著驚異和無限愛慕，像陽光般毫不掩飾地向她射擊。她也許感受到這光灼熱的強度遠甚於陽光，不安地閃動著鬱密的睫毛走了進去。

不一會，她卻又換上綠色的便裝，躑躅在旅社後面的一座山崗上，她挾著一卷書，漫無目的的徜徉著，有時停下來觀察一個木菌，有時摘一片葉子夾進書裡，做這些，似乎全為要排遣掉什麼。驀地旁側裡一叢灌木後有什麼東西一晃，憑女性的敏感，她本能地覺察那樹後正有一對懾人的眼睛像豹子窺視著兔子般窺著她，像被人窺破了祕密似的她感到一點惶亂，只是很輕微的一點，她立刻裝作摘下一棵羊齒草，小心的夾進書裡。一面俯著頭走過那叢灌木……

「小姐，這是妳失落的麼？」青年似一隻小鹿般跳出灌木叢，撿起草上一只淡藍色精緻的書籤在手裡揚著，她回過頭來略一猶疑，這才從他手裡接了過去。

「謝謝！」她輕輕地說，不敢看他的眼睛。說完又逕自向前走去，彷彿急著去赴什麼約會似的。

晚上，小提琴柔和的旋律又迴盪在靜謐的氛圍，只是已不是昨日山風溪流之曲，而悱惻纏綿，像一個戀人正向他的所愛低訴著愛慕情。

翌日，她又去山村間散步，在昨天撿得書籤的地方，在一棵挺拔的樹身上，她看見有刀雕刻的痕印，露出那嫩綠的纖維。她不由得走近去端詳。

我把我的心願鐫在你身上
因為此刻在我心田裡萌發的愛苗恰如你幼小時一樣
你在陽光和雨露的滋潤中生長，茁壯
我卻在伊人雙眸中，
請不要讓新生的枯萎讓企望的幻滅與我祈求吧！與我祈求
當伊含情凝視，我便將伴你永生！

她困惑地從樹上抬起眼睛來，林中有向這邊走來的腳音，她正待迴避，一對懾人的眼睛，一臉殷勤的笑，已迎將上來。

「散步麼！」

「唔。」她掀了掀嘴角，似乎不好意思掉頭就走，用腳尖踢著地上的小草。

「山裡的霧可真困人，霧來霧去便過去了半天，就剩這一會兒清新。」

「山中歲月長，我倒覺得霧填滿了空氣，才把時間拉長了。」她摘一枝葉，把葉子一片片摘下來，一面緩緩地向前走去。他似乎是不經意地走在她身邊。

「妳喜歡霧嗎？」

「並不討厭。」

「我初來時十分厭惡霧，最近幾天才改變了觀念，變得喜歡起霧來了。」

「那你在這裡很久了？」

「不到半年，我是來這裡養病的，住在山林管理所，我叔叔那裡。我叫項若飛，還沒有請教妳呢？」

她似乎覺得青年那份稚氣的曉舌有點可笑，只是淡淡地說：

「姓名只是一個人的符號，又何必認真。」

「可是，有時一個名字卻讓人聯想起形象，譬如說玫瑰，妳立刻就會想起一朵嬌豔芬芳的花朵，說起水晶，妳會想起一種透明晶瑩的物體……」

「說起人你自然會想起一種用兩隻後腳走路的動物。」

她故意打岔道，他突然發覺自己比喻得有點不倫不類，立刻漲紅了臉，窘迫得無地自容，她卻又解嘲地問他：

「那麼，你說我應該有怎樣的名字給人以遐想？」

「我說妳就像這山谷裡的霧，縹緲悠忽，撲朔迷離，可望而不可即。」話說出口，他似乎又後悔自己的唐突。

「霧！那灰色的霧？」

「噢，不是灰色的，是……」

「不，不要分辯，我但願我能像霧一般自生自滅，飄忽隨意，無根而生存，更沒有絆羈、掛牽。」她的聲音低沉下去，似有所感觸。他瞥了她一眼，試探地說：

「妳來這裡是特為欣賞迷霧，還是領略溫泉？」

「都是，都不是。」她說得模稜兩可，似乎避免作正面的答覆。「我需要清靜，我便來了這裡。」

「不是逃避現實！」他用詼諧的口吻說，她聽了卻恍然一驚不覺把手裡的書卷震落地上。

「山上的風真大！」她撿起書來，掩飾地說：「我先回去了。」

這晚上，上弦月給四周的景物罩上一層朦朧的煙雲，幽悒的琴音在夜空裡顫抖著，奏琴的人從林中出來，便靠在池畔那枝柳樹下，全神傾注地拉奏著。樓上的玻璃窗後隱約出現了一個白色的影子，幽靈似地站在哪裡，琴弦震顫得更悱惻纏綿了。

去山上散步已成了她的日課。彷彿唯有在自然的懷抱中，才能卸除她那千斛愁萬斛恨。

這天，她在山坳中發現了幾叢紅豆，她兜起了裙腳，將一球球連著豆莢的紅豆摘下來撩進裙兜裡。這時，有一球長得最密的小繡球似的懸在枝梢，她站在一塊石頭上踮起腳伸手去摘時，還差一個指頭……

「我來給妳摘！」不等她回過頭，一隻手臂已越過她的頭頂，胸脯在她的肩胛上，接近得可以聽到他的呼吸，她連忙一腳跨下石頭閃避開來。他把紅豆摘到了手，身體卻失去了平衡，一納頭從石頭上栽下來，她本能地伸出手去拉，他已扶著樹枝站穩了，兩人卻把紅豆撒了一地，她把手縮回來，兩人不覺都失聲笑了。

「此物最想思，願君多採擷。」他俯身在地下撿著紅豆，嘴裡輕輕地唸著。「摘下這許是回去送人嗎？」

她就在樹下的草地上坐下來，鋪開一塊手帕，將紅豆一顆顆捋在手帕裡。一綹短髮滑落在豐滿光潔的額上，使她的臉看起來帶些稚氣。她搖搖頭說：

「不，我自己想綴一只紅豆手提袋哩。」

「為的載相思！」他一說出口，立刻又覺得自己太唐突了，斜眼看她，卻見她含嗔帶羞地盯了他一眼，將一把紅豆用力擲進手帕裡。

他搭訕著也掏出一塊手帕來鋪在地上，幫著捋下紅豆來。不一會，已集了一堆，他拿過去倒在她一起時，先在她手帕裡拿了一些。

「請送我這幾顆作為紀念好不？」

「你這人真滑稽，紅豆這麼多，還是你自己摘的。」她微微嗤笑著，抬起眼來，正接觸到二道凝視著她的眼光，在那裡有什麼熾熠著，帶著那種挑撥性，似乎在她臉上搜尋點什麼，當她的眼光一投過去他便驟然捉住了她，像蛛網捕住撞網的小蟲，率直地向她進攻著，一剎那她黏住了。但眼皮很快地蓋了下來，頭也跟著低下去，只見長長的睫毛顫抖著像閃著翅膀的黑蝴蝶，一朵紅雲從耳畔湧上臉頰，胸脯急促地起伏著——她開始感到惶惑和不安，極力使自己矜持著，沉默了一會，留下沒有捋完的紅豆提著手帕走了。

他望著她的背影消失在樹後，慎重地將手裡那撮紅豆放進去口袋裡。

那晚的琴聲又顫抖在清冷的月夜。那如訴如泣的旋律就似一隻無形的手指，輕敲著緊閉的心扉。樓上的一扇玻璃門打開了，她披著淡青色的寢衣，緩緩地走到陽台上，沐浴在皎潔的月光裡，宛如一個莊穆的女神。

樂聲不斷的在夜空中迴盪著，盤旋著，樹林夢囈似地喁喁私語，杜鵑花如癡如醉落下粉淚片片。一曲終了，餘音猶自裊裊不絕。她似從夢中醒來，向著他送去一個激賞的微笑。正待轉身進去，忽覺眼前一亮，一樣什麼東西輕軟地落在她腳下。她俯身撿起來，是一朵山谷中罕見的玫瑰，繫著一張紙條：

連同摯誠的愛，獻給

她這裡激動的拈著花發怔，送花的人卻在樓下屈下一膝，將右手在嘴上按了按又向樓頭一揚，送了個飛吻。抱著琴退進樹林裡去了。

她情不自禁地舉起花來嗅了一會，緊貼在胸前，眼睛裡閃熠著夢一般的光輝，那種屬於青春的光輝使她一霎時蛻除了那份莊矜肅穆的神情，顯得更年輕煥發了！但驀地裡又似給花刺扎了手似的，她把花和紙片撕得粉碎，像逃避一個無形的魔鬼般，飛一般轉身奔進去。

山風捲弄著陽台上片片殘花，溶溶的月色更清冷了。

第二天但見他在山上徘徊躑躅，卻沒有她的身影。晚上琴音顫動了，玻璃窗卻關得寂寂的，渺無人跡。

她把自己在樓上關了二天。從她不安的神情上可以看出她控制著感情，像控制一匹想擺脫韁轡的野馬。二天以後，卻又忍不住挾了一卷詩集，漫步到山上去了。她蹀躞了一會，正偎著一棵大槐樹坐下來，樹後起了悉索的腳聲，等那人轉出樹林時，卻見她闔著眼睛，書拋在一旁。他悄悄地撿起那本詩集，便在對面坐下。

她正憩在一處濃蔭裡，透過枝葉間的陽光斑爛地灑在她身上臉上，輕輕地晃移著。幾隻小鳥在枝頭又跳又唱，一陣歡躍，抖落下幾片樹葉，其中一片正打從她頭上滑落到懷中，她突然睜開眼睛來，視線第一樣接觸的便是他，正像欣賞一幅圖畫在看著她，她彷彿早就知道他來了，卻奇怪他怎麼還沒有走。她做了一次深呼吸，徐徐掉過臉去。

「回了一次大陸麼！」他幽默地問她。

「唔。」

「妳也不怕，在這深山僻坳裡。說不定有野獸哩！」

「野獸我倒不怕，怕的是影子。」她深意地望了他一眼說。

「影子！自己的影子？」

「總歸是影子就是了。」

「也許各人的感覺不同，我卻認識影子是最親密的伴侶了。孤寂時，唯有它伴隨，煩惱時，它也默默相對。雖然亦步亦趨，從不打攪人。」

「可是我那亦步亦趨的影子，卻攪亂了我的寧靜，使我心神不安。」

「哦？」他有點愕然。

「所以，我想回去了。」她把聲音拖得悠悠的，他卻陡然一驚。

「回去，回到嚣鬧的城市裡去！難道說妳就厭倦了這份清靜？」

「因為有那影子，這裡並不清靜……」

「噢！妳是說，妳是說……」一道陰影掠過他蒼白的臉頰。他吶吶地，惶惑地望著她，希望從她臉上獲得解釋，但她只是咬著嘴唇，執拗地凝望山麓下那片稻田，像一層雲翳遮掩了陽光。他熾熠的眼睛立刻黯淡下來，嘴唇顫抖著，無力的站了起來，「我知道妳說的那個——影子是我，如果我曾經攪亂妳的寧靜而使妳厭煩，那麼請遺忘並饒恕吧！因為……因為這一切都是出於人類『愛』的本能，不管奉獻的是被拒絕抑是被接受，但『愛』是無罪的。」

他踽踽的，一下子像老了十年般黯然離去。她把嘴唇咬得緊緊，依然凝視著前面。不自覺的將那卷詩集絞緊又放鬆，絞緊又放鬆……

接著兩天，輪到他控制自己了。山上沒有他的蹤跡，林中不聞他的琴聲。她獨自走遍山前山後，無比的清靜中，唯有山風伴著她細碎的腳音，但她卻恍惚若有所失，一粒松子墜落草間，一隻小鳥撲翅樹梢，時使她停步諦聽，她似期待著什麼，卻又恐懼而迴避。

那天，她低著頭，像懷有沉重的心思般，踏著山徑上的小草一步一步地走著。半路上卻見他攔了出來，臉更蒼白了，懾人的眼睛裡留下給愛的痛苦煎熬的痕跡，因為臉變得清癯，眼睛也就顯得更大了。他望著她，用絕望的聲音說：

「原諒我又打擾妳的清靜，但這也許是最後一次了，明天我得離開這裡，我抑制不住再看妳一眼的欲望。」

「你的病已經不需要靜養了？」她第一次那樣深切地望入他眼中，但立刻又掩下眼瞼，隱匿著自己過分的關切和震驚。

「難以忍受的不是肉體上的病，而是心靈上的折磨……」

「如果說我曾像影子般打攪別人的寧靜，那麼我寧靜的心靈卻為一個影子的闖入而支離破碎了……誰又肯撫慰這份痛苦？……」

「是的，我還年輕，我曾嗅到生命之花的芬芳，我曾聽到生命之泉的奔流，我本能地感到生命是五月的花朵，正待陽光和甘霖來催放，然而一隻美麗而殘忍的手卻生生地窒煞這一切……」

他夢囈似的，用低沉的聲音訴說著，她只是不安地、默默地望著自己的足尖，不作一聲。

「沉默是最冷酷的答覆，妳就說一句吧，哪怕是最無情的話。」

「你要我說什麼呢？」她的聲音顫抖著，溫柔的。

「只要妳說一聲寬恕我。」

「可是，你並不需要寬恕。」

「那麼妳也承認愛是無罪的了。」他陰沉的臉又輝朗起來，眼光迫切的搜索著她的眼睛。

「我……」她惶亂地閃避著。

「承認也就是接受。」他接下去說，停下來，激動地去握住她的手。

「噢，不！不要這樣。」她捧脫他的手，向前走了二步。突然捧著臉伏在一枝樹上，急促的說：「我不能，我感謝你的情意，但情感上經過了風暴的，已是麻木了，不能接受也不能給予。」

「新的愛情將使它復甦。」

「它已同燃剩的灰燼，缺乏青春的情熱。」

「新的愛情會使它復熾。」

「我正艱辛的爬出一個陷阱，不能再跌入另一個陷阱。」

「妳錯了，真正的愛是平平的鋪路。只有那盲目的愛才是陷阱。」

「我……我……」她在情感的漩渦裡掙扎著，他溫存的伸過手去挽住她的肩頭扳轉來，使她面向自己，情意懇切的眼光深深地注入她眼裡。

「別說下去了，總不能因為小石子絆了妳一跤，妳便失去了走路的勇氣。過去的讓它過去罷，譬如生命的畫板上調錯了一筆顏色，可以一筆勾銷，我發誓將以我的生命，愛情和色彩，在妳未來的生命上繪就燦爛的一頁。」他一面說一面緩緩地把手臂圈攏來。彼此感到了對方的心跳，呼吸……突然她不再堅持，變得那麼懦弱的轉頭伏在他肩上，像一個受了委屈的孩子投進母親懷裡般，雙肩抽搐著。他撫著她的頭髮，輕輕托起她的臉來，大顆晶瑩的淚珠在睫毛上閃爍著，他溫柔地吻去了她的眼淚，濡濕的嘴唇又落下去蓋住了她半張的嘴唇……人在痛苦無告中，感情會柔弱的連一縷髮絲也能牽著走。

山風打著俏皮的唿嘯，樹林愉快地絮語著。一隻不知名的小鳥在槐樹上跳來跳去，又側著頭瞅著下面，突然婉轉地唱了起來。遠處有一支澗流奔流的聲音，林中的蔭影更濃鬱了，夕陽在天際抹上綺麗的彩霞。

這一剎那一世紀過去了，這一剎那地球忘記了運行。

兩人迷惘的，做夢似地分了開來，他第一次發現那雙眼睛裡的霧消散了，現出一泓清澄的潭水，而像燃燒在冰層下的火岩般。在那清澈照人的眼睛深處，蘊藏著一股熾熱的火焰，他忍不住又將吻迭連印在那雙眼睛上。

「我這才知道生命是什麼，妳給了我新的生命力，從今以後，我一切都是隸屬於妳的了。」他喃喃地在她身邊呢語著，半癡半醉的。

「明天還走嗎？」

「影子是離不開主人的。」

「如果我走呢？」

「天涯海角永相隨。」

她望著他一笑，笑得有點淒涼，眼角隱匿著淡淡的霧。

「應該回去了。」

他變得機靈活潑，精神煥發，全身充滿了青春的活力，一路上絮絮地說著些稚氣的，可笑的夢話；她只是含笑傾聽著，有意無意地踢踢路旁的石子，或是扯下一枝樹葉，他伴送她到旅社樓上，面對面坐在迴廊上，他手裡端著茶杯，情愛的眼光卻從杯沿上凝視著對面的她。服務生送來當天的報紙，她趁勢拿過來故意擋住了自己的臉——突然報紙從她手裡滑落下來，出現在報紙後面的臉已不復是剛才的嬌豔，蒼白得有似才打上蠟，眼睛濡濕著，彷彿受了很厲害的打擊。

「哎，怎麼啦！妳，哪裡不舒服嗎？」他半個身體俯伏在茶几上，驚惶地問。

「沒什麼……有點頭痛。」她掩飾地撿起報紙來捲在手裡，聲音微弱地說。

「痛得厲害？」

「不太厲害……也許是太疲倦了，我想休息一下。」她搖搖欲倒地站起來，走到房裡去。

「那就休息吧，不打擾妳了。」他吟唔著，顯得很不放心的，看她在榻榻米上躺下去，掩上紙門，這才踟躕地下樓去。

晚上他來過一次，服務生告訴他正在睡。

翌晨，濃霧又瀰漫了山鎮。一片混沌，宛如天地未闢。看著是靜止的棉絮般一團，它卻在不停的翻騰著、湧升著，太陽從霧隙裡探出淡黃的觸角來試了幾試，便從此消聲匿跡。霧一直沒有消散的動靜，當人們覺察濃霧已化作泫然欲雨的陰霾時，早晨已過去半天了。

他捧著一大串鮮豔的山花，從陰暗的林中出來，嘴裡吹著口哨，三腳兩步輕快地走上樓梯，樓上靜靜的，她住的那間房間紙門一起洞開著，服務生在裡面收拾。

「早！」他愉快地向服務生招呼著。「那位小姐是去盥洗了吧？」

「走啦。」

「走了？」他像驟然給黃蜂螫了一下般跳起來，「走到哪裡去了？」

「嘸哉秧。」服務生冷冷地說，把房裡撿出來的一只茶杯和一張揉得稀皺的報紙擱在茶几上。

他感到背上一陣徹骨的寒冷，兩腿軟綿綿的，心臟在一剎那幾乎停止了跳動——腿一晃，他頹然跌坐在藤椅上，花束從他手裡散落在地上，整個世界在他面前崩潰了。

服務生輕輕咳嗽了一聲，他這才如夢初醒，發覺她正好奇地打量著自己，他羞愧地定了定神，狂亂的眼光不經意地落在茶几上，突然，那張揉皺的報紙上有什麼猛烈吸住了他，他緊張地一把抓了過來。

牢牢吸住他的是一則廣告欄裡的招尋啟事：

芙：

自妳負氣出走後，悔恨交加，焦灼不安。二兒更日夜悲切索母，日前傑兒獨自上街，竟為汽車撞傷右腿，而輝兒又患肺炎。一切均請看在孩子面上，務祈速歸！

夫衛

啟事上的一張照片，有古潭般深邃的眼睛，薄薄上翹的嘴唇，不是她是誰？

「先生，你看這是不是給你的信？」服務生又從房裡出來，故意用調侃的口吻說著，將一張白色的信箋遞到他面前。上面果然排著一行行秀麗卻又潦草的字：

我是天空裡的一片雲，
偶爾投影在你的波心：
你不必訝異，也無需歡喜，
在轉瞬間消滅了蹤影。
你我相逢在黑夜的海上，
你有你的，我有我的方向：
你記得也好，最好能忘掉，
在這交會時互放的光亮。

那是抄的徐志摩的一首詩！

「先生，是不是啦？」服務生盯著他問，一手提著壺，一手端著盤，顯然預備下樓去了，他惶亂地將信箋和報紙捲在一起，站起來吶吶地說：

「不，唔，是……這份報紙我也拿去看看。」

他下意識的讓腳把自己帶到樓梯上去，踏下一級，二級……逐漸的那些階梯在腳下消失了，他覺得自己正朝一個冰冷的深淵沉去、沉去，突然一腳踏空，他滑下了二三級樓梯。服務生在他背後竊笑，他立刻一口氣衝下第二層樓梯，狼狽地衝出去……

是晚，如怨如泣的琴聲又顫抖在沒有月亮的黑夜。椰樹歎息著，鳳凰木悄然落下片片紅淚。夜深沉了，一團團濃霧又從山壑間裊裊湧升，瞬時瀰漫了山谷。突然，霧終於化成了雨，由小而大，由緩而急，滂沱的雨聲頓時蓋住了哀怨的琴音……

民國四十一年十月二十九日

編註：本文原刊於《大道》第五十四期，一九五二年十二月十六日，頁二十七～二十九；第五十五期，一九五三年一月一日，頁二十九～三十一。

艾雯全集7【小説卷・二】

作　　者　艾雯
編輯顧問　張瑞芬　陳芳明　應鳳凰（依姓氏筆劃排序）
主　　編　封德屏
執行編輯　王為萱
美術設計　不倒翁視覺創意

編輯製作　文訊雜誌社
10048台北市中山南路11號6樓
02-2343-3142
出　　版　朱恬恬
11147台北市忠誠路二段50巷8號
02-2832-1330

排　　版　浩瀚電腦排版股份有限公司
印　　刷　松霖彩色印刷事業有限公司
初　　版　民國101年（2012）8月
定　　價　全10冊（不分售）平裝新台幣4,600元整
ISBN　978-957-41-9325-7（第7冊平裝）
978-957-41-9318-9（全套平裝）

◎財團法人｜國家文化藝術｜基金會 贊助
台北市文化局 Cultural Affairs Bureau of Taipei 贊助

國家圖書館出版品預行編目資料

艾雯全集 / 艾雯作. -- 初版. -- 臺北市 : 朱恬恬, 民
101.08
冊； 公分

ISBN 978-957-41-9318-9(全套 : 平裝). --
ISBN 978-957-41-9319-6(第1冊 : 平裝). --
ISBN 978-957-41-9320-2(第2冊 : 平裝). --
ISBN 978-957-41-9321-9(第3冊 : 平裝). --
ISBN 978-957-41-9322-6(第4冊 : 平裝). --
ISBN 978-957-41-9323-3(第5冊 : 平裝). --
ISBN 978-957-41-9324-0(第6冊 : 平裝). --
ISBN 978-957-41-9325-7(第7冊 : 平裝). --
ISBN 978-957-41-9326-4(第8冊 : 平裝). --
ISBN 978-957-41-9327-1(第9冊 : 平裝). --
ISBN 978-957-41-9328-8(第10冊 : 平裝)

848.6 101013788